24,-

Götz Wienold: Semiotik der Literatur

Götz Wienold

Semiotik der Literatur

Athenäum

© 1972 by Athenäum Verlag GmbH Frankfurt/Main

Alle Rechte vorbehalten · Printed in Germany

Gesamtherstellung: Rodgau-Druck, Inh. Werner Barzen, 6051 Dudenhofen

ISBN 3-7610-5901-9

für
Mary Wienold
† 8.5.1972

Vorwort

Arbeiten zu den Grundlagen einer wissenschaftlichen Behandlung von Literatur mehren sich in den jüngsten Jahren und dokumentieren ein wachsendes Interesse an diesem Thema. In *Formulierungstheorie — Poetik — Strukturelle Literaturgeschichte* (Frankfurt am Main, 1971) habe ich eine Skizze eines eigenen Ansatzes gegeben. Diesem Buch, das 1969 abgeschlossen wurde, folgten bald weitere Arbeiten, die den Entwurf erweiterten und modifizierten. Verstärkt traten dabei die soziale Bedeutung des Gegenstandes und die Probleme empirischer Forschung in diesem Bereich in den Blick. Das hat mich angeregt, eine neue Systematisierung zur Diskussion zu stellen.

Drei der nach der *Formulierungstheorie* entstandenen Aufsätze sind in revidierter und zum Teil stark überarbeiteter Form in den Text eingegangen. Abschnitt 1.2. greift auf Teile des Aufsatzes „Wissenschaftsreform und Anglistik" zurück (zuerst erschienen in: *Anglistische Studienreform: Probleme — Pläne — Perspektiven* (Bad Homburg v. d. H., 1970), S. 68—94); Abschnitt 2.2 erschien in anderer Fassung zuerst unter dem Titel „Probleme der linguistischen Analyse des Romans" im *Jahrbuch für Internationale Germanistik*, I (1969), 108—128; Abschnitt 3.2 liegt der Aufsatz „Textverarbeitung: Überlegungen zur Kategorienbildung in einer strukturellen Literaturgeschichte" zugrunde, *Lili*, I (1971), 59—89.

Frank Achtenhagen (Göttingen) und Hans-Georg Bulla (Konstanz) haben einige Abschnitte in früheren Fassungen gelesen und mir mit Kritik und Anregung sehr geholfen. Zahlreiche Gespräche mit Jens Ihwe (Amsterdam) haben dieses Buch nicht unberührt gelassen. Ihnen allen möchte ich an dieser Stelle herzlich danken.

Zu besonderem Dank bin ich Frau Renate Fisch verpflichtet. Sie hat die Schrift lesbar gemacht.

Konstanz, im August 1972

Götz Wienold

Inhaltsverzeichnis

ERSTES KAPITEL

Orientierung

1.1. Semiotik und Linguistik

1.1.1 Einige Konzepte von Semiotik

1. Die Semiotik artikuliert das theoretische Interesse am Zeichengebrauch. Im Mittelpunkt steht dabei meistens Zeichengebrauch von Menschen, und von den Zeichenmedien, die dem Menschen zur Verfügung stehen, ist meistens die Sprache das vorzügliche Objekt wenn nicht der Untersuchung, so doch der Illustration semiotischer Theoriebildung. Deshalb besteht seit langem eine enge Verbindung zwischen semiotischer und linguistischer Theoriebildung, und Zeichentheorien sind häufig nicht nur am Beispiel der Sprache vorgetragen, sondern auch von Linguisten mit entwickelt worden.

Dabei sind sowohl Begriff als auch Aufgabenstellung der Semiotik keinesfalls eindeutig. Bei Charles Sanders Peirce, dem der wesentliche Anstoß zu einer Zeichentheorie in der Moderne zu verdanken ist, standen Klassifikation verschiedener Sorten und Gebrauchsweisen von Zeichen im Vordergrund, ohne daß ihm eine zusammenhängende Theorie von Zeichen gelang, die auf komplexeren Gebrauch wie Sätze und Texte natürlicher menschlicher Sprachen anwendbar gewesen wäre[1]. Hans Hermes formalisierte Semiotik als die Axiomatisierung syntaktischer Sätze über Sprachen, sowohl natürlicher als künstlicher Sprachen. Zentrale Begriffe seiner Theorie sind die Verkettung und Substitution von Zeichen und Zeichenreihen (Hermes 1938). Hermes' Semiotik umfaßt damit nur ein Teilgebiet dessen, was in Charles Morris' Entwürfen einer systematisierten Zeichentheorie als Aufgabe der Semiotik beschrieben wird, nämlich die drei Aspekte der Anordnung von Zeichen (Syntax), der Bedeutung von Zeichen

---

1 Charles Sanders Peirce, *The Collected Papers,* 8 Bde., hrsg. Charles Hartshorne und Paul Weiß (Cambridge, Mass., 1931—1958); vgl. die Rezension von R. B. Braithwaite, in: *Mind,* N. S., XLIII (1934), 487—511; John J. Fitzgerald, *Peirce's Theory of Signs as Foundation for Pragmatism* (The Hague und Paris, 1966) S. 35 ff.; Wells 1967, 105 ff.

(Semantik), und der Verwendung von Zeichen (Pragmatik)[2]. Abraham Kaplan 1943 verstand Semiotik, zumindest das, was er die einfache „reine Semiotik" nennt, als eine logische Disziplin ohne empirischen Gehalt, deren Aufgabe es sei, Definitionen von Zeichen und Zeicheneigenschaften zu liefern und Konsequenzen aus diesen Definitionen abzuleiten (ähnlich Bercelli 1971, 190 f), während für die meisten anderen — auch für Hermes (Hermes 1938, 5) — Semiotik eine empirische Disziplin ist[3].

Für den Linguisten haben Syntax und Semantik im Vordergrund des Interesses der Zeichendiskussion gestanden, während für andere Wissenschaften, z. B. für die in der Politologie entwickelte Inhaltsanalyse [§§ 82 f.] die Verwendung von Zeichen primäre Bedeutung hatte[4]. Gebrauch nicht nur von Worten, sondern von symbolischen Handlungen wurde auf die dahinterstehenden Intentionen befragt (Edelman 1965).

2. Die Semiotik hat neue Möglichkeiten der Integration wissenschaftlicher Aktivitäten geöffnet, doch zeigt sich eine Divergenz semiotischer Interessen in der Verallgemeinerung theoretischer Ansätze in verschiedenen Richtungen. Zwar wird generell eine Unifizierung der am Zeichengebrauch interessierten wissenschaftlichen Aktivitäten vorgeschlagen[5], doch zeigt sich, daß die Modelle entweder nicht reichhaltig genug sind, um den Eigenschaften vielfältigen vorkommenden Zeichengebrauchs gerecht zu werden oder daß sie zu stark an bestimmten Formen des Zeichengebrauchs orientiert sind, um die Verallgemeinerung, die gewünscht wird, zu erlauben.

So konzipiert Thomas A. Sebeok eine Semiotik, die den Zeichengebrauch nicht nur menschlicher Lebewesen beschreiben können soll, und hat sich infolgedessen besonders für die Zeichenverwendung von Tieren interessiert (Zoosemiotik, Sebeok 1967). Demgegenüber stehen

---

2 Morris 1938; Morris 1946.
3 Vgl. auch Charles Morris, "Comments [on Kaplan's Paper]", *Philosophy of Science*, X (1943), 247—249.
4 Kaplan 1943, 230 ff.; Klaus 1969, 35 ff. Vgl. auch Harold D. Lasswell, „Zeichen, Signale, Symbole", in Otto Walter Haseloff (Hrsg.), *Kommunikation* (Berlin, 1969), S. 54—62; Paola Caruso, „I metodi quantitativi di analisi del contenuto", in: de Lillo 1971, 20 ff.
5 Morris 1938; Morris 1946; Kaplan 1943, 245 ff. Vgl. auch Wienold 1971a, §§ 3 ff.

Versuche, Semiotik so zu spezifizieren, daß sie auf einem allgemeinen
Boden speziellen Sorten von Zeichenverwendungen gerecht werden
kann. Die französische semiologische Schule hat versucht, semiotisch
Bilder, Musik, Reklame, Automobile, Mode usw. zu analysieren.
Sebeok muß die Menge der Eigenschaften, die er betrachtet, stark
reduzieren, um menschliche Sprache und tierische Verständigungs-
weisen auf der gleichen Ebene behandeln zu können. Die französischen und italienischen Semiologen, auf die wir noch ausführlicher
zurückkommen [§§ 5 f., 60 f.], hingegen arbeiten mit speziellen an de
Saussure und Hjelmslev orientierten linguistischen Modellen, ohne
über die Generalisierbarkeit genügend Auskunft zu geben (z. B. Barthes 1964, Eco 1968).

3. Wie zeichentheoretische Interessen sich ausweiteten, sind auch
ästhetische Gegenstände in ihren Blick getreten, entweder als spezielle
Klasse oder jedenfalls als etwas, das unter semiotischen Gesichtspunkten mitzubehandeln war. Insbesondere für die ästhetischen Gegenstände, die gängigerweise ,die Literatur' genannt werden, wurden
theoretische Ansätze ausgearbeitet, die von Linguistik inspiriert waren
oder sich direkt aus linguistischer Theoriebildung ableiteten [§§ 11,
45 ff.]. Diese Herleitung geschah zum Teil ausdrücklich in der Absicht, zu einer semiotischen Theoriebildung beizutragen (z. B. Jakobson 1960, 350 f.). Jan Mukařovský rechnete die Kunst allgemein zu
den Objekten der Semiologie — dem de Saussureschen Sprachgebrauch
folgend spricht er von Semiologie statt von Semiotik — die er durch
eine Verallgemeinerung der „Erkenntnisse der linguistischen Semantik" entstehen lassen wollte (1966, 138 ff.). Es ist nicht uncharakteri-
stisch, daß Mukařovský gleichzeitig den Bereich der Ästhetik über
die traditionell der ,Kunst' zugerechneten Gegenstände hinaus erweitert. Grundsätzlich kann „jede menschliche Verrichtung von [der
ästhetischen Funktion] begleitet, und jede Sache kann ihre Trägerin
werden" (Mukařovský 1966, 110).
 Auch Mukařovskýs unifizierender Entwurf einer semiologischen
Analyse von Kunst kommt wiederum nicht über einige allgemeine
Aussagen hinaus, wie die, daß Kunst „autonomes" Zeichen — „als
Mittler zwischen den Mitgliedern des gleichen Kollektivs" dienendes,
indem es auf den „Gesamtkontext der sogenannten sozialen Erscheinungen" irgendwie hinweist — und „kommunikatives Zeichen sei
(1966, 140 ff.). Es fehlt sowohl an genaueren Aussagen darüber, was

unter ‚Kommunikation' über Kunst zu verstehen sei, wie man sie z. B. feststellt, als auch an empirisch-analytischem Gehalt. Eine Semiotik wird aber ohne eine Klärung in beiden Richtungen keine Fortschritte machen. So erkennt Jurij M. Lotman die Aufgabe der Unifizierung in der Entwicklung eines analysefähigen semiotischen Modells der Kunst (Lotman 1972, 19 ff.).

4. Überspitzt läßt sich sagen: die Semiotik hat eine Unifizierung wissenschaftlicher Aktivitäten erbracht, hat aber selbst heute keine eigentliche integrierte semiotische Theoriebildung aufzuweisen. Insofern könnte man an dieser Stelle das heute aufblühende spezielle Interesse an Semiotik zu lokalisieren suchen, und zwar in der folgenden Art. Auf der einen Seite reizt die Unifizierung, die Semiotik anbieten könnte, auf der anderen Seite drängt die Möglichkeit, Semiotik für divergente Forschungsinteressen verfügbar zu machen, die Unifizierungsmöglichkeiten zumindest in den Hintergrund, vielleicht werden sie sogar blockiert. Das angesprochene Interesse ist dabei nicht nur theorieintern zu sehen, sondern hat durchaus einen wissenschaftspolitischen Aspekt. Geisteswissenschaften, die seit längerem einer zweifelnden Diskussion ausgesetzt sind, können über Semiotik unter Umständen eine neue wissenschaftliche Organisation erhalten [§§ 19 ff.] und neuen Intentionen zugänglich gemacht werden (Pehlke 1969). Gerade dabei ist aber zur Vorsicht zu raten, „Kommunikation" und „Semiotik" durch gezielte Hypothesenvorschläge zu spezifizieren. Sonst wird unter modischem Aufputz das alte Unklare sich erhalten.

1.1.2 Sprache und Zeichenbegriff

5. Das skizzierte Dilemma: Versprechen der Integration gegenüber Divergenz der Interessen und Aktivitäten in praktischer Wissenschaft, läßt sich — das ist unsere These — auf eine ungenügende Klärung des Zeichenbegriffs in der Linguistik selbst zurückführen. Als Ferdinand de Saussure in seinem *Cours de linguistique générale* aufgrund seiner linguistisch orientierten Zeichentheorie eine allgemeine Semiologie als wissenschaftliches Versprechen an den Horizont schrieb, war dieser Zeichenbegriff in einer heute als unvollständig erkennbaren linguistischen Theoriebildung fundiert. Und auch in Louis Hjelmslevs *Prologomena to a Theory of Language* ist die Semiotik, die er in gleicher Allgemeinheit im Anschluß an de Saussure skizziert, auf ähnlich reduzierten Vorstellungen von sprachlichen Zeichen stehengeblieben.

Die französische und italienische Semiologie eines Roland Barthes, eines Tzvetan Todorov oder Umberto Eco orientiert sich in ihren linguistischen Voraussetzungen wesentlich an de Saussure und Hjelmslev[6]. De Saussures Definition des Zeichens als arbiträre Verknüpfung eines bezeichnenden Zeichenträgers *(Signifiant)* und eines Bezeichneten *(Signifié)* ist wortorientiert. Sein berühmtes Beispiel zeigt das französische Wort für ‚Baum' *arbre* einer Zeichnung eines Baums gegenübergestellt (de Saussure 1916, 97 ff.). Das Prekäre an dieser Definition ist nicht die Arbitrarität des Zeichens, die unseres Erachtens lange zu Unrecht im Vordergrund der Diskussion von de Saussure's Zeichentheorie gestanden hat[7], sondern die Wortorientiertheit des Zeichenbegriffs. Das hängt mit der berühmten Dichotomie von *langue* und *parole* bei de Saussure zusammen. Die höchste Ebene des den Sprechern gemeinsamen Sprachvermögens ist bei de Saussure das Wort oder die Wortableitung. Der Satz gehört der individuellen Sprachverwendung durch den Sprecher *(parole)* zu. Der Zeichenbegriff konnte deshalb nur an diese höchste systematische Einheit in de Saussures Sprachtheorie geknüpft werden. Die linguistische Theoriebildung hat inzwischen gezeigt, daß, will man die menschliche Fähigkeit, über Sprache zu kommunizieren, erklären, mehr als nur Wörter allen an einer Sprache Teilhabenden gemeinsam zur Verfügung stehen müssen, daß die Teilnehmer insbesondere über Regeln zur Produktion von Sätzen verfügen müssen.

Die generative Grammatik, die konsequenterweise ihre Dichotomie von Kompetenz und Performanz an die Stelle von de Saussures Dichotomie von *langue* und *parole* gesetzt hat, hat ebenso konsequent de Saussure für seinen ungenügenden *langue*-Begriff kritisiert (Chomsky 1964, 59 f.). Dabei hat sich interessanterweise in der generativen Grammatik die de Saussuresche Begrenzung der *langue* bzw. Kompetenz wieder-

---

6 Vgl. auch de Lillo 1971, 152 ff.

7 Vgl. hierzu Emile Benveniste, „Nature du signe linguistique", *Acta Linguistica*, I (1939), 23—29; Giulio C. Lepscky, „Ancora su 'l'arbitraire du signe' ", *Annali della Scuola normale superiore di Pisa, Lettere, storia e filosofia*, Ser. 2, 31 (1962), 65—102; Giorgio Derossi, *Segno e struttura linguistici nel pensiero di Ferdinand de Saussure*, Università degli studi di Trieste, Facoltà di Magistero, N. S. 1 (Udine, 1965), S. 70 ff., Mario Lucidi, *Saggi linguistici* (Napoli, 1966), S. 47 ff.

holt. Der Satz, bzw. die Regeln für die Erzeugung der Sätze wurden
der Kompetenz der Sprecher zugewiesen, während die Produktion
von Texten als der Performanz zugehörig bezeichnet wurde (Doležel
1969) [§ 142]. Es hat sich schnell gezeigt, daß auch für Texte Regel-
mäßigkeiten, die den Sprachgebrauch aller Sprecher steuern, vorausgesetzt werden müssen und daß konsequenterweise also auch eine
Textgrammatik bzw. Textkompetenz anzusetzen ist[8].

6. Noch einflußreicher für die unifizierende Semiologie als de Saus-
sure ist Hjelmslevs geschichtete Semiotik geworden (1961, §§ 21 f.)[9].
Der Ausdruck ‚geschichtet' bezieht sich auf Hjelmslevs Vorschlag,
Literatur, Malerei, Musik u. a. als Zeichensysteme zweiter Ordnung
zu betrachten, deren Zeichenträger oder Bedeutung selbst wiederum
aus einem Zeichensystem (mit Ausdrucks- [Zeichenträger-] und
Inhalts- [Bedeutungs-] Ebene) besteht. Indem er den Ausdruck
‚Semiotik' nicht für die Theorie der Zeichensysteme, sondern für deren
Gegenstände benutzte, sprach er vom Zeichensystem erster Ordnung
als einer ‚denotativen Semiotik', von Zeichensystemen zweiter Ordnung als ‚konnotativer Semiotik', die eine ‚Semiotik' als ‚Ausdrucksebene' haben, bzw. einer ‚Metasemiotik', die eine ‚Semiotik' als Inhaltsebene haben.

Wir beschäftigen uns hier nur mit der Unterscheidung von denotativen und konnotativem Zeichensystem. Es wird am Beispiel illustriert,
daß eine sprachliche Äußerung mit Inhalts- und Ausdrucksseite (= deno-
tatives Zeichensystem) gleichzeitig Zeichen dafür sein kann, daß der
Sprecher einer bestimmten Gruppe (Franzosen, Dänen, Araber etc.)
angehört, daß sich „so und so" zu äußern charakteristisch für „so und
so" (französisch, dänisch, arabisch etc.) sei (Hjelmslev 1961, 118 ff.).
Daß dergleichen vorkommt, ist unbezweifelt. Aber ist es so zu beschreiben? Es gehen leicht zwei Zeichenbegriffe hier durcheinander,
etwas zu bezeichnen und Anzeichen von etwas (Rauch als Anzeichen
von Feuer usw.) zu sein. Natürlich lassen sich sprachliche Äußerungen
auch so gebrauchen, daß ihre Bedeutung etwa solchen Sätzen gleich-

---

8 Vgl. z. B. Heidolph 1966, Isenberg 1971, Harweg 1968, Werner Kum-
   mer, "Outlines of a Model of Discourse Grammar", *Poetics*, 3 (1972),
   000—000.
9 Das läßt sich, um nur wenige zu nennen, bei Barthes 1964, Eco 1968,
   besonders S. 38 ff., Trabant 1970, besonders S. 21 ff., de Lillo 1971,
   157 ff., ablesen.

kommt: „Ich bin ein Däne (Sachse, Inder ...)", „So verhält sich ein
Däne (Sachse, Inder ...)", „Das ist typisch dänisch (sächsisch, indisch
...)". Doch ist durchaus fraglich, ob hier Ausdrucks- und Inhaltsseite
einer so verwandten sprachlichen Äußerung gleichermaßen und gleichzeitig zum Zeichenträger der angeführten Bedeutungen werden.

Man kann das dahingestellt sein lassen, so lange es nur darum geht,
daß mit einer Äußerung zusätzlich zur Bedeutung, die sie „sowieso
hat", etwas weiteres signalisiert werden kann und wird. Für einen
solchen Bereich und für einen solchen Zweck wird man die Unterscheidung „denotativ"/„konnotativ" als brauchbar annehmen dürfen.
Ein anderes ist es, andere Kommunikationssysteme, z. B. Malerei,
Film, Werbung, Literatur, Musik, als konnotative Zeichensysteme im
Hjelmslevschen Sinne zu betrachten. Hjelmslev ist in solcher Zuordnung außerordentlich vorsichtig (1961, 98 f., 113). Es sind seine
Nachfolger in der Kopenhagener glossematischen Schule[10] und in der
französischen und italienischen Semiologie, die diese Übertragung
eindeutig gemacht haben, ohne die theoretischen Voraussetzungen
u. E. ausreichend zu erörtern.

Wir können das nur kurz an einem Beispiel verdeutlichen und
werden dann eine Position skizzieren, die uns plausibler erscheint. Bei
der Analyse von Bildern spricht Eco, Hjelmslev auswertend, obwohl
er ihn nur verkürzt rezipiert[11], davon, daß ein Bild, das eine Frau
zusammen mit einer Schale, die das abgehauene Haupt eines Mannes
enthalte, darstelle, denotativ diese Bedeutung habe, eine Frau mit dem
abgeschlagenen Haupt eines Mannes darzustellen, konnotativ die
Bedeutung habe, ‚Salome' darzustellen (Eco 1968, 143 f.). Ein Bild
mit einem griechischen Tempel stelle denotativ eben einen solchen dar,
konnotativ ‚Harmonie' (Eco 1968, 147). Eco geht von der keineswegs
selbstverständlichen Annahme aus, die Bedeutung von Bildern sei das,
was dem auf einem Bild wahrnehmbaren Gegenständlichen außerhalb
des Bildes entspreche. Ist dem nicht so, so wäre erst klarzustellen, was
jeweils an Bedeutung mit einem Bild (Bildern) kommuniziert wird.
Photographien, wie man sie in Familienalben oder als Ansichtskarten
findet, kann man, solange sie nicht in andere Kombinationen ein-

---

10 Trabant 1970; Ihwe 1971a, 2.3.2.; Winfried Busse, „Das literarische
   Zeichen: Zur glossematischen Theorie der Literatur", in: Ihwe 1971 b,
   807—824. Vgl. auch Wienold 1971 c.
11 So schränkt er den Hjemslevschen Begriff der figura (Hjelmslev 1961,
   41 ff.) auf die Analyse der Ausdrucksebene ein (Eco 1968, 137 ff.).

gehen, als Möglichkeiten der Beobachtung von Ereignissen, ohne an Ort und Zeit des Ereignisses gebunden zu sein, betrachten, in diesem Sinne als Nichtzeichen; ebenso einen Film, der eine Ereignisfolge — z. B. eine Sportveranstaltung — von Anfang bis Ende ohne Eingriff abphotographiert. Was Ecos konnotative Bedeutung angeht, wäre zunächst von einer traditionell oder über Titel vermittelten Inhaltsanalyse abzusehen. Ist die Darstellung Salomes, eines Heiligen, einer Szenerie das, was dem Beschauer kommuniziert wird, ist es nicht vielleicht etwas anderes, für das diese nur „Anlaß" sind?

7. Die Bildanalyse soll hier nur Beispiel sein[12]. Angenommen, ein Etwas kommuniziere Bedeutung, so ist, bevor man über die Zuordnung von Bedeutung und Repräsentation in einem Zeichensystem reden kann, auszumachen, was für Bedeutungen das seien. Bei üblichen menschlichen Sprachen wissen wir als Teilnehmer so gut Bescheid, daß eine Methodik der Analyse sich damit zufrieden geben kann, vom Teilnehmer zu erfragen, ob eine Äußerung gleich oder verschieden bedeutend sei im Vergleich mit einer anderen, ob zwei Äußerungen synonym seien usw.[13]. Setzt man den möglichen Fall, das sei für ein Etwas wie Literatur oder Bilder nicht ohne weiteres gegeben, wäre zunächst durch geeignete Beobachtungsverfahren festzustellen, was an Bedeutung hier kommuniziert wird.

In den weiteren Kapiteln werden Überlegungen vorgetragen, welche Vermutungen dieser Art über Literatur sinnvoll sein könnten, werden Verfahren der Analyse dargestellt, schließlich Probleme, Verfahren der Feststellung und Beobachtung von „Bedeutung" besprochen.

Interessanterweise hat Roman Jakobson beispielsweise, der von linguistischer Analyse von Literatur her zu einer allgemeinen Semiotik beitragen wollte, Bedeutung nur in reduzierter Form besprechen können, nämlich wo phonische oder syntaktische Äquivalenzbildungen mit semantischen einhergingen (1960, 368 ff.). Ob Literatur — über deren Definition wird noch zu sprechen sein [§§ 35 ff.] — als ein

---

12 Ich hoffe, demnächst bei Gelegenheit der Analyse von plurimedialen Werbetexten hierauf näher eingehen zu können. Ich möchte jedoch hier schon den Teilnehmern des Seminars „Plurimediale Texte, insbesondere Werbetexte" und des Kolloquiums „Linguistische Beiträge zur semiotischen Theoriebildung" (Winter 1970/71, Frühjahr 1971, Konstanz) dafür danken, daß sie mir geholfen haben, meine Gedanken etwas zu klären.

13 Harris' *pairing test* (1951, 32 f.).

„anderes" Kommunikationssystem als Sprache anzusehen sei, wie oben angedeutet wurde [§ 6], ist damit hier noch nicht entschieden. Die Möglichkeit soll offengehalten werden, die semiotische Theorie so zu konzipieren, Sprache und Literatur als gleichen Objektbereich oder als verschiedene Objektbereiche zu behandeln. Die übliche Gegenüberstellung ‚Sprache' : ‚Literatur', die wir hier zunächst übernehmen, sollte man vielleicht aufgeben, da die Begriffe nicht auf der gleichen Ebene liegen. „Literatur" erscheint so häufig als etwas „der Sprache" Übergestülptes [§§ 14, 132].

Eines der elementaren Probleme in diesem Bereich können wir hier nur andeuten. Wieweit sind Kommunikationssysteme ineinander übersetzbar oder wie weit sind wenigstens andere Kommunikationssysteme in natürliche menschliche Sprache übersetzbar? Hjelmslev nahm für seine Position, von der linguistischen Theorie her eine allgemeine Theorie der Zeichensysteme zu konzipieren, grundsätzlich in Anspruch, daß alle anderen Zeichensysteme in menschliche Sprache übersetzbar seien, nicht jedoch gelte unbedingt Übersetzbarkeit in umgekehrter Richtung (1961, 109 f., 117 f.). Manche experimentiellen Befunde der Analyse von Kommunikation lassen bezweifeln, ob die Übersetzbarkeit für den Teilnehmer an den Kommunikationssystemen prinzipiell gegeben sei [§§ 77, 147 ff.]. Das macht u. U. Verbalisierung von Bedeutung durch Teilnehmer zu einem fraglichen Verfahren der Feststellung von Bedeutung.

Die ‚Übersetzung' in eine formale Metasprache wollen wir als getrenntes Problem betrachten. Setzt man die Übersetzbarkeit Nichtsprache → Sprache für den Teilnehmer nicht postulathaft voraus, sondern hält sie für eine empirisch, wenn überhaupt zu klärende Frage, dann wird nicht nur die empirische Feststellung von ‚Bedeutung' zum interessanten Problem, sondern ebenfalls die Überführung von Texten eines Mediums in Texte eines anderen, (Sprache → Film etc.). Diesen Bereich, den wir als ‚Textverarbeitung' bezeichnen, beziehen wir deshalb in besonderem Maße in unsere Überlegungen ein [§§ 110 ff.]. Letztlich rühren die hier nur angespielten Fragen an den Problembereich einer ‚Einheit des Bewußtseins', die manche Untersucher des menschlichen Gehirns nicht für unbedingt und ohne weiteres gegeben halten[14]. Das hat wissenschaftstheoretisch entscheidende Kon-

---

14 Vgl. z. B. Norman Geschwind, "Disconnexion Syndromes in Animal and Man", *Brain*, LXXXVIII (1965), 637 f.

sequenzen für den Anspruch einer sog. Universalität der Hermeneutik[15].

Eine eigene Position, der glossematischen darin verwandt, daß sie zweistufig ist, findet sich bei Lotman. Kunst ist einerseits modellhafte Abbildung von Wirklichkeit, andererseits zeichenhafte Kommunikation. In der Abbildhaftigkeit ist die Arbitrarität des Zeichens im de Saussureschen Sinne aufgehoben (Lotman 1972, 19 ff., 50). Entsprechend ist ihm Sprache „Material" der Literatur (33 f., 51 ff.).

8. Das semiologische Semiotikverständnis hat keinen festen Boden unter den Füßen. In der Linguistik selbst ist der de Saussuresche Zeichenbegriff inzwischen auch zu einem guten Teil aufgegeben. Nur scheint das explizit noch nicht bemerkt worden zu sein.

Schon bald hat sich in der Nach-de-Saussureschen linguistischen Arbeit ein gewisses Ungenügen seiner Zeichendefinition gezeigt, besonders in der Entwicklung einer morphologischen Analyse, wenn sich das, soweit zu sehen ist, auch nicht als Kritik an de Saussures Zeichenbegriff eigens niedergeschlagen hat. Das Morphem, definiert als kleinste bedeutungstragende Einheit, war primäres Objekt für die Aufgabe, alle Zeichen einer Sprache zu inventarisieren. Man sah schnell, daß solche Morpheme unterschiedliche Repräsentanten finden konnten, sogenannte Allomorphe.

Die weniger problematischen Formen der Allomorphe sind unterschiedliche Repräsentationen eines Morphems wie dt. {ge:b} ,geben' nach ihrer phonischen Umgebung als /ge:p/ vor einem folgenden stimmlosen Konsonanten oder vor Pause wie in *ihr gebt* oder *Geb'* er gegenüber /ge:b/ in anderen Folgen oder nach ihrer morphischen Umgebung in Verbindung mit bestimmten Numerus-, Person-, Tempus- oder Modusmorphen als /gip/, /ga:b, ga:p/, /gɛ:b, gɛp/ oder /ge:b, ge:p/[16]. Aber es gibt nicht nur partiell unterschiedliche Repräsentanten von Morphemen in unterschiedlichen Umgebungen, sondern

---

15 Jürgen Habermas' Überlegungen „Der Universalitätsanspruch der Hermeneutik" in: Rüdiger Bubner et al. [Hrsg.], *Hermeneutik und Dialektik*, Bd. I (Tübingen, 1970), S. 73—103, kann damit ein wichtiger Argumentationsbereich hinzugefügt werden.

16 Wir verwenden wie traditionell in diesem Zusammenhang üblich { }, um die Notation von Morphemen, / / um die von Phonemen, [ ] um die von phonetischen Einheiten bzw. Folgen solcher zu kennzeichnen.

es zeigen sich auch Fälle, wo einem Morpheminhalt kein fester Morphemträger zuzuordnen ist, wie schon einfache Fälle sogenannter unregelmäßiger Verben zeigten, z. B. englisch *sing/sang, take/took, go/went,* oder der Plural {Z} : /s/, / ız/, /z/ gegenüber Vokalalternation wie in *foot, feet,* Endungsalternation wie *curriculum/curricula; genius/genii* usw. Der Bedeutungseinheit ‚Past Tense‘ in *went* gegenüber *go, sang* gegenüber *sing, kept* gegenüber *keep* usw., läßt sich nur in sogenannten regelmäßigen Verben eine feste, nach sehr begrenzten morphophonologischen Regeln variierende Repräsentation auf der Zeichenträgerebene zuordnen. Für andere Verben gibt es sehr unterschiedliche Realisierungen der Bedeutungseinheit ‚Past Tense‘, sie ist nur faßbar in bestimmten Veränderungen eines Verbs, es gibt keine feste Zuordnung zu einem wiederkehrenden Zeichenträger bzw. zu einer wiederkehrenden Zeichenträgereinheit.

Die beiden Ebenen des *Signifiant* und *signifié,* die de Saussures Zeichenbegriff miteinander verknüpft, beginnen in dieser morphologischen Analyse auseinanderzufallen. Man hat eine feste Einheit auf der Bedeutungsebene (Past Tense), sehr unterschiedliche Entsprechungen einer solchen Bedeutungseinheit auf der Realisationsebene (Hockett 1947). Weiter zeigt sich bei der systematischen morphologischen Analyse von Kongruenzerscheinungen, daß bestimmten Bedeutungseinheiten diskontinuierliche morphische Repräsentationen zuzuordnen sind (Harris 1951, 299 ff.: ‚Morphemic long components‘). Die Repräsentation des Numerus eines Nomens im Deutschen z. B. verteilt sich über Indizes am Artikel, am in Atributstellung stehenden Adjektiv, am Substantiv und am Verb. Diese verschiedenen Repräsentationen lassen sich jeweils aber nicht als eigene Morpheme bestimmen, sondern nur als Repräsentationen eines einzelnen Morphems in diskontinuierlicher Anordnung auf der Zeichenträgerebene. Im Grunde zeigt sich schon hier, daß für die menschliche Sprache zumindest kein Zeichenbegriff taugt, der an einem Inventar fest miteinander verbundener Zeichenträger und Zeicheninhalte, wie sie vielleicht Verkehrszeichen oder Schiffahrtssignale darstellen, orientiert ist, sondern daß man eine Vorstellung von Zeichen entwickeln muß, die vielfältige Beziehungen zwischen in der Sprache zu übermittelnden Bedeutungen und Träger dieser übermittelnden Bedeutung zuläßt. Die linguistische Zeichenkonzeption läßt sich nicht von unteren Einheiten der Repräsentation wie Phonemen oder Morphemen her aufbauen, sondern nur von der steuernden Instanz der Übermittlung von Bedeutung in Sprache.

1.1.3 Die Verknüpfung von Bedeutung und Repräsentation

9. Der Semiotik fällt damit die Aufgabe zu, die Möglichkeiten, Bedeutungen in unterschiedlichen Systemen über unterschiedliche Repräsentationsformen zu kommunizieren, zu klären; die vorkommenden spezifischen Verknüpfungsformen von Bedeutung und Repräsentation und ihre Bedingungen zu beschreiben und zu vergleichen; herauszufinden, ob es Unterschiede der Bedeutung oder des Zwecks sind, die über den Gebrauch unterschiedlicher Systeme entscheiden usw. Dabei ist diejenige Verknüpfungsform, die Zeichen als feste Kopplungen von Bedeutungsteilen mit einer Repräsentation begreift, als ein spezieller Fall, der für relativ einfache Signalsysteme gilt, zu bewerten oder als eine Darstellung, die für bestimmte Aufgaben, wie Herstellung praktischer Lexika etc., ausreicht.

Man wird gut daran tun, als Linguist und vielleicht auch als Semiotiker den Begriff Zeichen überhaupt nicht zu verwenden, sondern über semantische Einheiten und Realisationseinheiten zu sprechen (Bedeutung und Repräsentation) und die Verbindung von semantischen und Realisationseinheiten über Regelsysteme und nicht über feste, relativ eindeutige Zuordnungen darzustellen. Man könnte den Entwicklungsstand der heutigen Linguistik gegenüber de Saussure so charakterisieren: Sie hat die entscheidenden Dichotomien de Saussures, nämlich die von Synchronie und Diachronie, die von *langue* und *parole*, die von *signifiant* und *signifié* aufgegeben bzw. sie wird (muß) sie aufgeben zugunsten einer differenzierteren Analyse sprachlicher Bestände. Die Synchronie/Diachronie-Dichotomie wird später besprochen [§§ 120 ff.].

10. De Saussures „klassischen" Zeichenbegriff aufzugeben, eröffnet gleichzeitig die Möglichkeit, die Beziehungen zwischen verschiedenen Zeichenmedien neu zu charakterisieren. Wenn beispielsweise die Überführung eines sprachlichen Texts in einen in einem anderen Zeichenmedium formulierten Text, z. B. in einem Film, beschrieben werden soll, würde die abstrakte Charakterisierung von Bedeutung wie sie eine heutige Semantik zu erarbeiten versucht, den Ausgangspunkt darstellen, von dem aus die Überführung in Realisationen in einem anderen Medium abgeleitet werden bzw. grundsetzlich die Problematik der Übersetzbarkeit von einem Medium in ein anderes angegangen werden kann [§ 7].

Charakteristischerweise sind Analysen von nichtverbaler Kommunikation von einer gröberen, damit aber auch breiteren Vorstellung der Verständigung über Bedeutung ausgegangen, als sie de Saussures Zeichenbegriff zugrunde liegt, nämlich von inhaltsanalytischen Verfahren[17]. Die sozialwissenschaftliche Orientierung der Inhaltsanalyse hat dabei eine lediglich hermeneutische Behandlung von ‚Bedeutung' verhindert [§§ 82, 90, 160].

11. Der Textbegriff ist entscheidend mit dieser neuen semiotischen Konzeption verknüpft. Wenn vorgeschlagen wird, den „Text" als „das originäre sprachliche Zeichen" anzusetzen[18], dann kann diese Redeweise u. E. nur heißen, daß der Zeichenbegriff linguistisch nicht brauchbar expliziert werden kann, weil alle Beschreibungen von Eigenschaften, die Sprachvorkommen, das sind Texte, aufweisen, dann nicht mehr Zeichen und Operationen über Zeichen betreffen, sondern etwas, was an dem „originären Zeichen" beteiligt ist. Man deckt mit einem solchen Zeichenbegriff, der sich auch in der Literaturanalyse linguistischer Provenienz noch findet (Petöfi 1968), die oben bestimmte Aufgabe der Semiotik [§ 9], leicht zu. S. J. Petöfi hat jedoch gerade in mehrfachen Arbeiten zum Verständnis der komplexen Beziehung zwischen Bedeutungen und Repräsentationen beigetragen (Petöfi 1971).

Die Rolle der Linguistik für eine Semiotik der Literatur läßt sich erst unter textlinguistischen Perspektiven bestimmen. Texte bieten komplexere Möglichkeiten der Relation von Bedeutung und Repräsentation. Damit werden große Anforderungen an ein theoretisches Modell der Semiotik der Literatur gestellt, denen dieses Buch sich nur nähert. Semiotische Theoriebildung hat die Möglichkeiten der Kommunikation über Kommunikationssysteme (Medien) zum Gegenstand: Vorkommende Kommunikation, jeweiliges geringeres oder größeres Erreichen von Verstehenmachen und Verstehen, Folgen und Voraussetzungen kommunikativer Prozesse werden erst mit einem solchen Modell so beschreibbar, daß Feststellungen über Vorkommen nicht

---

17 Vgl. die Übersicht bei Berelson 1952, 103—113; Ruesch-Kees 1959.

18 Peter Hartmann, „Texte als linguistisches Objekt", in: Wolf-Dieter Stempel (Hrsg.), *Beiträge zur Textlinguistik* (München, 1971), S. 10 ff. — Als ein Beispiel für das Fortbestehen des älteren Zeichenbegriffs in heutigen linguistischen Arbeiten vgl. man Georg Heike, *Sprachliche Kommunikation und linguistische Analyse* (Heidelberg, 1969), S. 12 ff.

beliebig werden. Unter welchen Bedingungen sind welche Beobachtungen in welchem Grade verbindlich? Gegenüber vielen Arbeiten über Literatur und andere traditionell als ästhetische klassifizierte Gegenstände scheint diese Frage unsinnig. Erst mit dem Versuch einer ‚Textlinguistik' nähern sich Linguisten Möglichkeiten des Mißverstehens zwischen produzierenden und rezipierenden Teilnehmern (Koch 1971a). (Bis zur Grenze von Sätzen, zumal solchen, die in grammatischen Diskursen üblich sind, ist die jeweilige Feststellung, ob bei Äußerung der Analysesubstrate Verstehen der Teilnehmer vorliegt oder nicht, relativ unproblematisch.)

Die Bedeutung der Linguistik für die Beschreibung vorkommender sprachlicher oder nichtsprachlicher Ereignisse von Kommunikation ist mit der Erweiterung der Analysesubstrate auf solche Einheiten, bei denen der Grad des Verstehens zwischen Teilnehmern problematisch wird, nämlich neu zu befragen.

Textlinguistisch wird z. B. die Beschreibung unterschiedlicher Verwendung von Ausdrücken (z. B. Termini), die zu (partiellem) Nichtverstehen oder Mißverstehen führen kann, durch Konstruktion unterschiedlicher Textgeschichten der verwendeten Ausdrücke interessant. Auch muß das, was der Begriff der Grammatizität fassen soll, die Basis für die Beurteilung, ob Sätze akzeptabel seien, erweitert werden. Literarische oder dichterische Texte weichen nicht nur von Regeln der Grammatik ab, sie weisen auch Zusatzstrukturierungen auf, die die Grammatik in keiner Weise verletzen, in ihr aber nicht geregelt sind. Für diese erweiterte Basis ist im Rahmen der *Formulierungstheorie* der Terminus ‚Normalform' vorgeschlagen worden (Wienold 1971a, §§ 40 ff.).

12. Geht man davon aus, daß für die Objekte der Semiotik nicht ohne weiteres feststeht bzw. vom Teilnehmer verbalisiert wird, was deren Bedeutung sei [§§ 6 f.], so sind zumindest geläufige Verfahren der Linguistik nur beschränkt übertragbar. Die linguistische Analyse von natürlicher menschlicher Sprache wird als Vergleichspunkt heuristisch wertvoll bleiben, man wird jedoch sich nicht grundsätzlich an ihr orientieren, vielleicht sogar später den von der Linguistik behandelten Objektbereich neu beurteilen.

Andererseits sind inhaltsanalytische Verfahren überwiegend an Intentionen von Produzenten oder Rezipienten von Texten oder an der Möglichkeit, über Texte Aufschluß über die Umgebung der Texte

(Kulturelle Bedingungen etc.) zu erhalten, orientiert[19]. Sie sprechen nicht ohne weiteres für die Teilnehmer an Kommunikationssystemen gemeinsame Bedeutungen an. Für die Teilnehmer mögliche Gemeinsamkeit der Bedeutung von Trägern eines Kommunikationssystems benötigen wir indes, um sinnvoll über die Beziehungen zwischen Bedeutungen und Repräsentation sprechen zu können.

13. Das methodische Dilemma besteht genau darin, auf der einen Seite mehr über das, was an Bedeutung der Teilnehmer — d. h. der Teilnehmer eines Systems, nicht ein einzelner Teilnehmer jeweils für sich — mit semiotischen Objekten verbindet, aussagen zu wollen als in der Linguistik üblich, zum anderen aber u. U. auf die Annahme verzichten zu müssen, daß der Teilnehmer gegebenenfalls so Bescheid über die Bedeutung der Objekte weiß, daß man ihn ohne bestimmte Befragungs-/Beobachtungstechniken verbalisieren lassen kann. Der Semiotik wird damit ein recht neuartiger Platz zugewiesen. Für die Semiotik der Literatur wird es nötig, über das Verhältnis zur Literaturdidaktik, Literatursoziologie und Literaturpsychologie neu nachzudenken.

Manche literatursoziologischen oder kunstsoziologischen Arbeiten sprechen von „Kunsterlebnissen", ohne sich über die gemeinsamen Voraussetzungen der Kommunikation über die Objekte solcher Erlebnisse, die Teilnehmer teilen müssen, zu verständigen[20]. Wann sind solche Erlebnisse „gleich"? Wie kann man die Gleichheit oder den Grad der Gleichheit angeben? Die Semiotik der Literatur muß die Bedingungen der Gleichheit für Teilnehmer über ein der Linguistik bekanntes Maß hinweg neu rekonstruieren.

1.1.4 Vorläufiges über Aufgaben der Semiotik der Literatur

14. Unter der bisher skizzierten Konzeption der semiotischen Relationen zwischen Bedeutung und Zeichenträgern oder semiotischer Materie, wie man sagen könnte, läßt sich nun ein etwas genauerer

19 Vgl. z. B. Robert Edward Mitchell, "The Use of Content Analysis for Explanatory Studies", *POQ*, XXXI (1967), 230—241.
20 Siehe z. B. Alphons Silbermann, „Kunst", in: René König (Hrsg.), *Soziologie*, Das Fischer Lexikon 10, Neuausgabe (Frankfurt am Main, 1967), S. 164—174.

Begriff einer Semiotik der Literatur geben. Die traditionelle Literaturtheorie hat eine Konzeption der Beziehungen von Sprache und Literatur, wo Sprache als Material in etwas eingeht, was über andere
Zeichengebungsprinzipien oder Formungsprinzipien oder was immer
man sagen möchte verfügt als Sprache. Diese Konzeption wird beispielsweise prototypisch von René Wellek und Austin Warren in ihrer
Theory of Literature formuliert (Wellek-Warren 1962, 174 ff.). Aber
es wird nie klar, was eigentlich anderes als Sprache — hier unter dem
Titel „Material" — in einen literarischen Text eingeht. Viel berufen
ist der kulturelle Kontext der Literatur. Es ist die Rede von der
Kultur, die Literatur überformt, der Kultur, die Literatur erst produ-
zierbar und verstehbar macht (Uitti 1969) [§ 132].

Wir schlagen demgegenüber vor, jegliche Bedeutung in literarischen
Texten — das soll heißen jegliche kommunikable bzw. kommunizierte
Bedeutung, keine private Bedeutung — so zu beschreiben, daß man
die Relationen zwischen den angenommenen Bedeutungen und den
Repräsentationen in einem Text angibt. Dabei wird sich u. U. heraus-
stellen, daß das Objekt der Semiotik der Literatur etwas anders
aussieht als das Objekt der Linguistik, d. i. Sprache. Es handelt sich
also um theoretische Unterschiede des Objektbereiches. Eine Semiotik
der Literatur wird die Aufgabe haben, Formulierungs- oder Repräs-
sentationsverfahren für Bedeutungen in sogenannten literarischen
Texten systematisch zu beschreiben. Dabei wird es vor allem darum
gehen — und darin begründet es sich, das Wort Semiotik hier zu
verwenden—, solche Relationen zwischen Bedeutung und Repräsentation in Literatur herauszuheben, die für eine allgemeine Theorie der
Beziehungen zwischen Bedeutung und Repräsentation in beliebig
welchem Medium interessant sind.

15.   Eine entsprechende semiotische Analyse von Literatur wird auch
im Blick auf neuere Versuche interessant, semiotische Analysen von
verschiedenen Medien zu geben bzw. linguistische Analyseverfahren
auf andere Medien als Sprache zu übertragen. An solchen allgemeinen
semiotischen Relationen wird vor allem einer intermediale Theorie
der Textverarbeitung, auf die wir oben schon kurz angespielt haben,
gelegen sein. In späteren Abschnitten dieses Buches wird eine vorläufige Exposition einer Theorie der Textverarbeitung gegeben, die
eine strukturelle Theorie literarischen oder medialen Wandels allgemein vorbereiten soll. Der Begriff der Textverarbeitung kann dort

nicht so generell und intermedial expliziert werden, wie der allgemeine semiotische Ansatz, den wir hier vorführen, es verlangte. Es gehen aber auch in diesen theoretischen Ansatz zur Textverarbeitung solche allgemeinen semiotischen Überlegungen ein, so daß, wenn eine intermediale semiotische Theorie der Relationen zwischen Bedeutung und Repräsentation zur Verfügung steht, die Textverarbeitung auch intermedial auf diesem theoretischen Boden angegangen werden kann.

16. Die Semiotik der Literatur ist keine Theorie, die auf linguistischem Fundament eine bisherige Literaturwissenschaft neu rekonstruieren will. Das Verhältnis zur Literaturwissenschaft läßt sich am besten am Verhältnis zur interpretatorischen Tätigkeit zeigen. Wir verstehen Interpretation nicht als Angabe der Bedeutung eines Textes, sondern als Operation, die mit Bezug auf einen gegebenen Text einen neuen Text herstellt, der den Umgang mit dem Ausgangstext in einer bestimmten Weise steuern soll; Interpretation ist ein Phänomen der Textverarbeitung [§ 118] und als solches im Rahmen der Semiotik der Literatur selbst klärungsbedürftiger Gegenstand. Fragen dieser Art werden im Zusammenhang literaturdidaktischer Überlegungen ausführlicher aufgegriffen [§§ 30, 88, 118, 137]. Die Semiotik der Literatur soll die Basis, auf der Interpretationen einen gewissen Grad von Verbindlichkeit haben, den sie unzweifelhaft erreichen — Interpretationen werden unterschiedlich ernst genommen —, angeben und die Art der Verarbeitung eines Ausgangstextes zu einem Interpretationstext unter bestimmten Aufgabenstellungen bestimmen. Das ausufernde Kommentarwesen um alle Sorten von Kommunikationsvorgängen in vielen heutigen Gesellschaften zeigt einen für diese Gesellschaften wichtigen Gegenstandsbereich an.

Die Semiotik der Literatur orientiert sich auch nicht an Kunstwerkvorstellungen der Literaturwissenschaft. Die Bewertung und Kodifikation von Texten werden vielmehr gleichfalls zu den Phänomenen der Textverarbeitung gezählt und als klärungsbedürftige Sachverhalte im Objektbereich der Semiotik der Literatur begriffen[21].

Nur scheinbar ist das ein Sprung über das bisherige Gegenstandsgebiet — Verknüpfung von Bedeutung und Repräsentation — hinaus.

---

21 Unsere Intentionen stehen darin denen von Walter A. Koch nahe, vgl. Koch 1971 a, 1971 b.

Die Formen der Textverarbeitung, die gerade erwähnt wurden, operieren, das ist die Annahme, auf eben diesen Verknüpfungen und sollen als solche Operationen beschrieben werden. Nur die Idee davon wird freilich hier gegeben. Wenn diese Idee plausibel erscheint, wird erst noch zu entscheiden sein, ob es interessant und lohnend erscheint, sie weiter zu verfolgen.

1.1.5 Notwendige Spezifizierung der Aufgaben

17. De Saussures Semiologie sollte die Verwendung von Zeichen in ihrer Einbettung in ihren sozialen Kontakt erforschen; er folgte damit Emile Durkheims Auffassung von Sprache und Zeichen als „soziologischen Tatbeständen" *(faits sociales)*[22]. Es scheint heute nicht möglich, unter solchen allgemeinen Aspekten Aussagen zu machen, die spezifische Eigenschaften semiotischer Objekte theoretisch erreichen. Es ist sowohl unklar, in welcher Weise sich menschliche und nichtmenschliche Weisen der Verständigung unterschieden (Wells 1967), obwohl es eine relativ breite Literatur zu menschlichen und tierischen Kommunikationsmedien gibt; als auch ist es unklar, in welcher Weise sich sprachliche und nichtsprachliche Kommunikationsweisen zwischen Menschen unterscheiden; schließlich ist die Form der Einbettung von Sprache in sozialen Kontext unklar, soziolinguistische Theoriebildung hat gerade das nur beschränkt geleistet[23].

22 De Saussure 1916, 33: „On peut donc concevoir *une science qui étudie la vie des signes au sein de la vie sociale;* elle formerait une partie de la psychologie sociale, et par conséquent de la psychologie générale; nous la nommerons *sémiologie . . .* Elle nous apprendrait enquoi consistent les signes, quelles lois les régissent." Emile Durkheim, *Die Regeln der soziologischen Methode,* hrsg. René König, 3. Aufl. (Neuwied und Berlin, 1970) (frz. Originalausgabe: Paris, 1895), S. 105 f.: „Das Zeichensystem, dessen ich mich bediene, um meine Gedanken auszudrücken, das Münzsystem, in dem ich meine Schulden zahle, die Kreditpapiere, die ich bei meinen gesellschaftlichen Beziehungen benütze, die Sitten meines Berufes führen ein von dem Gebrauche, den ich von ihnen mache, unabhängiges Leben." Thomas Luckmann versteht de Saussures Begriff einer Semiologie als weitgehend deckungsgleich mit dem einer heutigen Sprachsoziologie (1969, 1055).
23 Joshua Fishman, "The Sociology of Language", in: ders. (Hrsg.), *Readings in the Sociology of Language* (The Hague und Paris, 1968), S. 5—13, Marshall Durbin und Michael Micklin, „Sociolinguistics:

Wenn auch oder gerade weil allgemeine Intentionen hinter der Explikation einer Semiotik der Literatur stehen, scheint es derzeit günstig, eher innerhalb eines — gegenüber dem eben umschriebenen relativ beschränkten — Objektbereichs Gedanken zu entwickeln und zu plausibilisieren.

Daß wir diesen einschränkenden Weg gehen, knüpft also wieder an die elementaren zeichentheoretischen Probleme der Linguistik seit des Saussures berühmten Dichotomien [§ 5] an. Paradoxerweise wird de Saussures *fait social* (= *langue*) häufig von Linguisten an der Sprache eines einzelnen Informanten, der oft noch mit dem Analysator identisch ist, beschrieben, während die individuelle Variation (= *parole*) nur im sozialen Kontext faßbar wird (Labov 1970, 31 ff.). Was tatsächlich die Kommunikation an der Sprache ausmacht, läßt sich auf diese Weise nicht ausmachen. Und unsere Vermutung, daß wir in der Semiotik nicht davon ausgehen dürfen, daß uns Informanten die für die Analyse benötigte Auskunft geben können, stößt auf ein kritisches Pendant in der Linguistik, wo es zweifelhaft wird, ob Sprecher über ausreichend Intuition verfügen, um verläßlich sagen zu können, ob beispielsweise zwei Sätze gleicher Bedeutung sind (Labov 1970, 36 ff.). Die Aussagen von Informanten sind zwar nicht unwichtig für die Analyse, bedürfen aber der Kontrolle an einer unabhängigen Instanz, z. B. der Beobachtung des Verhaltens der Informanten. Es läßt sich einiges für die Annahme anführen, daß im Bereich der Texte im weiteren Sinn — Sorten von Literatur, Film, Fernsehen etc. — die Verbalisierung von Informanten nur in eng beschränktem Rahmen Auskunft über stattfindende Kommunikation geben [§§ 156 ff.]. Gerade die allgemeinen Annahmen des Saussures, die sich, wenn auch abgewandelt, bis in die Kompetenz/Performanz-Dichotomie fortsetzen, sind für das Studium der Kommunikation über Texte so zweifelhaft, daß für die Entwicklung von Überlegungen zur Semiotik der Literatur ein anderer Weg gewählt werden muß, ähnlich wie die Erforschung der Sprache im sozialen Kontext ihres Vorkommens neue Forschungswege erfordert hat (Labov 1970). Die hier vorgeschlagene Arbeit der Semiotik der Literatur ist allerdings beträchtlich weniger weit gediehen als die Erforschung der Sprache im sozialen Kontext ihres Vorkommens.

Some Methodological Contributions from Linguistics", *Foundations of Language*, IV (1968), 319; Luckmann 1969, 1051; Labov 1970, 30 f. 66 ff.

18. Man wird zunächst versuchen, Klassen solcher Relationen zu bilden und für bestimmte Medien typische Klassen der Relationen zwischen Bedeutung und Repräsentationen zu finden. Die Linguistik wird dabei vorläufig als ein steuerndes und bisherige Erfahrungen für die Entwicklung neuer Analytiken zur Verfügung stellendes Instrumentarium wichtig bleiben. Die Linguistik darf aber auch nicht mit den Anforderungen, die sie heute aufgrund ihrer Ergebnisse an eine semiotische Theorie der Vermittlung von Bedeutung über übertragbares Material stellen kann, als ein Paradigma gelten für die Entwicklung einer allgemeinen semiotischen Theorie.

Innerhalb der Semiotik der Literatur werden bestimmte Sorten von Relationen analytisch erarbeitet. Das ist Gegenstand des zweiten Kapitels. Dabei soll eine genauere Vorstellung von dem, was im Sinne der zu entwickelnden Theorie die Kommunikation über Literatur ausmacht, gegeben werden. Die Rolle der Kommunikation über Literatur wird dann im dritten Kapitel ausgeführt. Es erfaßt verschiedenartige Operationen von Teilnehmern über den Verknüpfungen von Bedeutung und Repräsentation im Objektbereich ,Literatur' und soll damit die Dynamik des Systems im hier möglichen Rahmen zugänglich machen. Das Schlußkapitel kann dann eine erste Systematik der sich ergebenden Aufgaben versuchen und sich über den Wert des Unternehmens Rechenschaft geben.

Bevor allerdings das skizzierte methodische Dilemma [§ 13] im zweiten Kapitel näher dargestellt werden kann, soll, unbeschadet späterer Reflexion über den Wert der Unternehmung, das wissenschaftspolitische Interesse, das sich ihr verbindet, und sein Hintergrund nicht unbeleuchtet bleiben [1.2.] und soll der bisher nur ganz vage Gegenstandsbereich ,Literatur' unter den bis dahin entwickelten Aspekten ebenfalls etwas mehr Licht erhalten [1.3].

1.2. Literaturwissenschaft und Linguistik
unter Gesichtspunkten der Wissenschaftsreform

1.2.1 Absichten

19. Mehrere Gründe lassen sich dafür anführen, die gängige wissenschaftliche Aktivität zur ,Literatur' nicht nur zu kritisieren,

sondern einer Reform wissenschaftlicher Tätigkeit in diesem Gebiet zuzuraten[24]:

— diese Aktivität hat sich weithin den in anderen Disziplinen geachteten wissenschaftstheoretischen Voraussetzungen entzogen, ohne dafür eine ausreichende Begründung zu liefern;

— sie hat es insbesondere weithin unterlassen, die Möglichkeiten, die linguistische Theoriebildung anbietet, zu nutzen;

— der Begriff von ‚Literatur‘, der ihr Objektgebiet bestimmt hat, ist weithin nicht in der Lage, die Voraussetzungen, unter denen jeweilig als ‚Literatur‘ bestimmte Textmengen abgegrenzt werden, aufzudecken;

— insbesondere sind ihr ein Literaturbegriff zur Last zu legen, der sich an Wertungen innerhalb bestimmter kulturell privilegierter Gruppen orientiert, und seine Folgen, daß Verarbeitung von Literatur in der Schule und in anderen Steuerungsrichtungen (‚Literaturdidaktik‘) diese Gruppen begünstigt[25];

— sie hat es nicht vermocht, sinnvoll anzugeben, warum erfahrungswissenschaftliche Vorgehensweisen, wie sie in der Psychologie und in den Sozialwissenschaften üblich sind, sich nicht auf den Objektbereich Literatur erstrecken; damit haben sich Literaturpsychologie und Literatursoziologie weithin ohne theoretische Vermittlung zur Literaturwissenschaft etabliert.

Eine Reform wird deshalb vorgeschlagen, weil die genannten Kritikpunkte die Organisation der wissenschaftlichen Tätigkeit in Theoriebildung, Kooperation, Institutionalisierung und Verwertung betreffen. Linguistik wird im folgenden nur insoweit mitbetrachtet, als die Relation zur Literaturwissenschaft für die Reform in den genannten Bereichen relevant wird[26]. Nicht ohne Absicht geht dieser

24 Vgl. zum folgenden Ihwe 1971 a; Jenne et al. 1969; Ide 1970; Schwencke 1970; Bruce Franklin, "The Teaching of English in the Highest Academies in the Empire", *College English*, XXXI (1969/70), 548—557.

25 Vgl. hierzu z. B. Wolfgang Edelstein und Walter Schäfer, „Unterrichtsziele im Sprachunterricht in der differenzierten Gesamtschule", in: *Lernziele der Gesamtschule*, Deutscher Bildungsrat, Gutachten und Studien der Bildungskommission 12 (Stuttgart, 1969), S. 52; Hubert Ivo, *Kritischer Deutschunterricht* (Frankfurt am Main [etc.], 1969), S. 8; Heinz Ide, „Die Schullektüre und die Herrschenden", in: Ide 1970, 9—18.

26 Zur Reform der Linguistik vgl. z. B. Dubois-Sumpf 1968; Peter Hartmann, *Aufgaben und Perspektiven der Linguistik: Ein Beitrag zur Linguistik der 70er Jahre* (Konstanz, 1970).

Abschnitt insbesondere auf die Praxis der Wissenschaft in ihren institutionalisierten Formen von Forschung und Lehre, Ausbildung und Verwertung ein. Es schiene uns sinnlos, mit wissenschaftspolitischen Gesichtspunkten im Hintergrund eine Semiotik der Literatur zu konzipieren, ohne die Kritik solcher Praxis mit organisatorischen Vorschlägen zu verbinden. Die Kritik betrifft deshalb insbesondere die Versteinerung der Literaturwissenschaft in den traditionellen Philologien, gegen deren Aufhebung sie sich vielerorts wehrt. Freilich wird manches an Motivation erst in den folgenden Kapiteln geliefert.

20. Es ist ein populäres Mißverständnis zu glauben, ein Wissenschaftler könne über seine Aktivität als Wissenschaftler und die Aktivitäten seiner Disziplin, vielleicht sogar der Wissenschaft insgesamt schon aufgrund seiner Eigenschaft, Wissenschaft zu treiben, wissenschaftliche Aussagen machen. Wenn man ihn fragt, was er tue, wird er das einem im theoretischen Rahmen seiner Wissenschaft oder in umgangssprachlicher Übersetzung sagen; er wird eine wissenschaftstheoretische Reflexion anbieten; er wird u. U. bereit und fähig sein, über seine Motivation oder die Motivationen bestimmter Forschungsrichtungen Auskunft zu geben. Die Analyse der Wissenschaft, der Organisation und Funktion ihrer Aktivitäten ist eine Disziplin, die ein eigenes Modell erfordert[27]. Eine solche Wissenschaftswissenschaft fiel bereits in den Blick des Wiener Kreises[28], wenn sie auch innerhalb seiner selbst und seiner Fortsetzungen kaum entwickelt worden ist, sondern durch John Desmond Bernals Anstoß *The Social Function of Science* (1939)[29]. Entsprechend sind strategische Überlegungen zur Wissenschaftsreform oder zur Reform einer Wissenschaft nur in einem solchen Modell zu etablieren und zu begründen. Solche Modelle oder Teile davon sind unterschiedlich weit entwickelt. So bildet die Curri-

27 Vgl. D. J. De S. Price, "The Science of Science", in: Maurice Goldsmith und Alan Mackay (Hrsg.), *"The Science of Science* (London, 1964; hier Penguin Books, 1966), S. 244—259; *Die Wissenschaft von der Wissenschaft: Philosophische Probleme der Wissenschaftstheorie* (Berlin, 1968).

28 *Wissenschaftliche Weltauffassung: Der Wiener Kreis,* Veröffentlichungen des Vereins Ernst Mach (Wien, 1929), S. 14 f., 29 f.

29 Vgl. Maurice Goldsmith und Alan Mackay, "Introduction", und C. P. Snow, "J. D. Bernal, A Personal Portrait", in: Goldsmith und Mackay, *The Science of Science,* S. 7 ff. und S. 19—31.

culumforschung[30] Theorien zur analytischen und strategischen Behandlung von Fragen, wie wissenschaftliche Prozesse und Ausbildungsprozesse zusammenhängen bzw. in welchen Zusammenhang sie gebracht werden können. So hat die Wissenschaftssoziologie begonnen, soziale Bedingungen und Folgen von wissenschaftlichen Aktivitäten zu analysieren[31].

Ein Dilemma ergibt sich: Man muß über genügend Kenntnisse der zu analysierenden Disziplin verfügen, andererseits sich genügend Distanz verschaffen, um die Aufgaben des Analysators ausführen zu können. Es ist verständlich, daß kein an der Wissenschaft Beteiligter sich hier unparteilich äußern kann. Das ist auch keineswegs ein Schade. Die Einsicht hierin ermöglicht ja erst, Klarheit über die Prozedur der Wissenschaftsreformdiskussion zu schaffen. Der Standpunkt, der Tatbestände für die Entscheidungen in einer Wissenschaftsreform bewertet, muß durch ein wissenschaftswissenschaftliches Modell abgebildet werden. Die Einigung über Bewertungen und Entscheidungen kann dann im ständigen Bezug auf ein solches Modell erfolgen. Rivalisierende Positionen sollten Einigung darüber suchen, wieweit ihre Analysemodelle und daraus abgeleitete Maßstäbe — ob explizit vorhanden oder nur zu erschließen — übereinstimmen bzw. zur Übereinstimmung gebracht werden können.

Unter dieser Perspektive muß der Beitrag eines einzelnen sein Ziel zurückstecken. Vom Zusammenhang von Hochschulreform und Wissenschaftsreform aus sollen drei Bereiche näher besprochen werden, in denen unserer Ansicht nach für die Reform entscheidende Konflikte lagern: Theoriebildung und universitäre Wissenschaftspraxis, Universitätsausbildung und Berufspraxis, Wissenschaftsorganisation und Kooperationsbedürfnis. Um über literaturwissenschaftliche Tätigkeit

---

30 Vgl. Herwig Blankertz, *Theorien und Modelle der Didaktik*, 3. Aufl. (München, 1970), S. 159 ff.; Frank Achtenhagen und Hilbert L. Meyer (Hrsg.), *Curriculumrevision — Möglichkeiten und Grenzen* (München, 1971); Ludwig Huber, „Curriculumentwicklung und Lehrerfortbildung in der BRD", *NS,* XI (1971), 109—145.

31 Vgl. Joseph Ben-David und Awraham Zlowczower, "Universities and Academic Systems", *Archives européennes de sociologie,* III (1962), 45—84; Dieter Rüschemeyer, „Wissen", in: René König (Hrsg.), *Soziologie,* Fischer Lexikon 10, Neuausg. (Frankfurt am Main und Hamburg, 1967), S. 354 ff.; Werner Hofmann, *Universität, Ideologie, Gesellschaft: Beiträge zur Wissenschaftssoziologie* (Frankfurt am Main, 1968).

anhand ihrer Folgen zu urteilen, muß die heutige Verwertung der
Literaturwissenschaft einer begründeten Einschätzung, wie eine Semiotik der Literatur sich verwerten ließe, entgegengestellt werden.

1.2.2 Wissenschaftsreform und Hochschulreform

21. Die politische Diskussion über die Reform der Hochschulen in
der Bundesrepublik Deutschland hat schon bald Hochschulreform
auch als Reform der Wissenschaft und der Formen ihrer Institutionalisierung in den Hochschulen verstanden[32]. Fragen wie: Mitbestimmung aller an der Wissenschaft Beteiligten, Transparenz und in deren
Folge Möglichkeit der Kritik der Verwertung der wissenschaftlichen
Forschung und Ausbildung, Aufhebung der nur zum Schein aufrechterhaltenen Differenz zwischen vorgeblich allgemein und theoretisch
orientierter Universität und speziell und praktisch orientierter Fach-
hochschule, Rationalität der Qualifikationsverfahren usw. sind Fragen
der institutionellen und thematischen Organisation der Wissenschaften
insgesamt. Es hat sich inzwischen gezeigt, daß Hochschulreform nicht
nur in diesem allgemeinen Sinne Wissenschaftsreform heißt als Reform
ihrer universitäten Organisation. Hochschulreform heißt auch Wissenschaftsreform als Reform der in bestimmten Fächern, in der laufenden
Diskussion vorrangig solcher der in den traditionellen philosophischen
Fakultäten betriebenen Wissenschaft. Unter den institutionalisierten
Fächern, in denen Literaturwissenschaftler tätig sind, ist zwar die
Germanistik besonders der Kritik verfallen[33]. Doch läßt sich vieles
an dieser Kritik auf alle Literaturwissenschaft betreibenden Philologien auswerten.

32 Vgl. z. B. Wolfgang Nitsch, Uta Gerhard, Claus Offe, Ulrich K. Preuß,
   *Hochschule in der Demokratie: Kritische Beiträge zur Erbschaft und
   Reform der deutschen Universität* (Berlin 1965).
33 Vgl. Pehlke 1969; Peter Hartmann, „Germanistik aus linguistischer
   Sicht", *LB* 5 (1970), 45—55; Marie Luise Gansberg und Paul Gerhard
   Völker, *Methodenkritik der Germanistik: Materialistische Literaturtheorie und bürgerliche Praxis* (Stuttgart, 1970); Wolfgang Emmerich,
   *Germanistische Volkstumsideologie: Genese und Kritik der Volksfor-
   schung im Dritten Reich* (Tübingen, 1968); Helmut Brackert, „Nibelun-
   genlied und Nationalgedanke: Zur Geschichte einer deutschen Ideologie", in: *Mediævalia litteraria: Festschrift für Helmut de Boor zum
   80. Geburtstag*, hrsg. Ursula Hennig und Herbert Kolb (München, 1971),
   S. 343—364.

Diese Tätigkeiten sind nicht isoliert von anderen Fächern von Problemen betroffen, die eine Wissenschaftsreform erfordern. Die philologischen Fächer teilen miteinander die Diskrepanz von institutioneller und theoretischer Organisation, mit anderen historischen und ästhetischen Fächern die Defizienz der Theoriebildung, mit anderen sozialwissenschaftlichen Fächern die ungenügende Klärung der Probleme der gesellschaftlichen Relevanz von Wissenschaft[34], mit anderen Fächern, die für Ausbildungsberufe ausbilden, die Probleme der Curriculumrevision. Schon die Menge der Gesichtspunkte, nach denen sich hier Fächer unterschiedlich gruppieren lassen, zeigt, daß die Kriterien für die Reform von Wissenschaften sich nicht an der jeweils vorkommenden Institutionalisierung eines Faches an den Universitäten orientieren können. Die Frage schließlich der interdisziplinären Zusammenarbeit von Fächern läßt sich an keine der genannten Gruppierungen anschließen.

22. Man darf erwarten, daß eine Reform einer Wissenschaft auch Reform der an dieser Wissenschaft Beteiligten bedeutet und erfordert. Darüber in Appellform zu sprechen, hat allerdings wenig Sinn. Zweierlei scheint wichtig:

1. Die Menge derer, die zu den an der Wissenschaft Beteiligten zählen, darf nicht aus der Perspektive einer Gruppe von Beteiligten definiert werden. Die Wissenschaft auf die Universitäten einzugrenzen und nicht die in ihrer Verwertung Tätigen und Betroffenen einzubeziehen, ist willkürlich. Für die Literaturwissenschaft bedeutet das: Wissenschaftsreform hat auch die Verhältnisse und die Reform der Verhältnisse in den Schulen und in anderen Verwertungsbereichen in der Gesellschaft einzubeziehen.

2. Die Möglichkeiten der Beteiligten, an Wissenschaft teilzuhaben, sollen neu strukturiert werden. Das betrifft vor allem die Zugänglichkeit der Theoriebildung, die Möglichkeit von Kooperation und die

---

34 Das wird hier auf ‚sozialwissenschaftliche‘ Fächer eingegrenzt, nicht weil man anderswo nicht danach fragen könnte, sondern weil diese Fächer eine gemeinsame Relevanzproblematik haben. Bernard H. Baumrin ("The Immorality of Irrelevance: The Social Role of Science", in: Frances F. Korten, Stuart W. Cook, John I. Lacey [Hrsg.], *Psychology and the Problems of Society* [Washington, 1970], S. 73—83) bespricht leider nur in grober Nebeneinandersetzung sog. natur- und sozialwissenschaftliche Fächer.

Verlängerung von Wissenschaft in ihre Verwertungsbereiche hinein. Diese Teilhabe oder dieses Mehr an Teilhabe betrifft dann auch die Möglichkeit, die eigene Berufspraxis durch Forschung aufzuklären und zu verändern (bei Lehrern z. B. über Curriculatests, Schulversuche usw.). Das erfordert auch neue Formen, Ausbildung und Forschung zu organisieren[35].

Es sind in der jüngsten Diskussion neue Berufsbilder eines Literatur- und Sprach-, evtl. auch Linguistiklehrers entworfen worden, die unter den genannten Aspekten erst noch zu erörtern sind [§§ 24, 26].

Wichtige Momente des Vorkommens von Literatur in unserer Gesellschaft — Wertung, Kodifikation, tradierte Meinung — sind von der Ausbildung, die die Literaturwissenschaft späteren Lehren gibt, abhängig. Es wird zu zeigen sein, daß die Literaturtradition in der Schule vorzüglicher Gegenstand einer Wissenschaft von der Literatur sein kann und sollte, der bisher durch die Organisation dieser Wissenschaft bis in die jüngste Diskussion hinein verdeckt ist [§§ 129, 136 ff.].

23. Die fachinternen Konflikte der Philologien scheinen uns vor allem in drei Bereichen zu liegen: 1) Theoretisch organisieren ein Anglist, ein Germanist oder ein Romanist ihre Arbeit als Linguisten oder Literaturwissenschaftler, institutionell werden sie quer zu dieser Klassifikation organisiert. 2) Ein wesentlicher Teil ihrer Universitätsarbeit geht darauf, Lehrer auf ihren Beruf vorzubereiten bzw. sich auf den Beruf des Lehrers vorzubereiten. Dieses Berufsziel spielt in der Planung der Universitätscurricula bisher nur nebenbei eine Rolle. 3) In vielen wichtigen Fragen treffen Literaturwissenschaftler wie andere auf die Notwendigkeit der Kooperation. Ihre Fächer sind, so wird sich zeigen, weder institutionell noch thematisch daraufhin organisiert, diese Kooperation in einem wesentlichen Sinn, abgesehen von persönlichen Glücksfällen, zu ermöglichen. Wir werden die oben genannten zwei Gesichtspunkte für die Reform des Wissenschaftlers deshalb in diesen drei Bereichen verfolgen.

---

35 Vgl. Ludwig Huber, „Forschendes Lernen: Bericht und Diskussion über ein hochschuldidaktisches Prinzip", *NS* X (1970), 227—243; Ulrike Vogel, *Wissenschaftliche Hilfskräfte: Eine Analyse der Lage wissenschaftlicher Hilfskräfte an Universitäten der Bundesrepublik* (Stuttgart, 1970), pp. 155 ff., 169 ff.

Es ergibt sich von selbst, daß eine Wissenschaftsreform und Hochschulreform, die Kategorien wie ‚Mitbestimmung' und ‚Teilhabe' einbezieht, traditionelle Wissenschafts- und Ausbildungsstrukturen und deren Herrschaftsformen nicht anerkennen kann. Wandel von Ausbildungssystemen kann nicht ohne einen Wandel der Herrschaftsverhältnisse in den Ausbildungssystemen stattfinden[36]. Wenn gesagt wird, daß eine sich reformierende Wissenschaft ihre Verwertung — z. B. die Literaturwissenschaft die Verwertung der in ihr geleisteten Ausbildung — als Teil ihrer Organisation begreifen soll, d. h. die reformierte Wissenschaft sich nicht teilen lassen soll und darf in Universität und Beruf, dann heißt das, daß sie stärker als bisher selbst verantwortlich werden kann dafür, wie Wissen in der Gesellschaft die Realität in dieser Gesellschaft bedingt[37].

1.2.3 Theoriebildung und universitäre Wissenschaftspraxis

24. Wenn eine Position in der Theoriebildung innerhalb einer Wissenschaft den Anspruch erhebt, in der theoretischen Organisation dieser Wissenschaft neue Ordnungen vorschlagen zu können, wird sie auch zur Kritik der Lehrpläne, durch die in dieser Wissenschaft ausgebildet wird, antreten müssen. Die Theorie einer Wissenschaft wird deshalb von Zeit zu Zeit notwendig in Widerspruch zur institutionellen Organisation dieser Wissenschaft treten. Als die Ausgangspositionen des New Criticism und der Chicago Critics formuliert wurden, griffen ihre führenden Köpfe sogleich die literaturwissenschaftlichen Lehrpläne der Universitäten in den USA an[38]. Gegenüber der institutionellen Klassifikation der philologischen Fächer nach

---

36 Vgl. Margaret Scotford Archer und Michalina Vaughan, "Domination and Assertion: Towards a Theory of Educational Change", *Archives européennes de sociologie*, IX (1968), 1—11.

37 Vgl. die wissenssoziologische Grundthese von Peter L. Berger und Thomas Luckmann, *The Social Construction of Reality* (London, 1967); Jürgen Habermas, „Vom sozialen Wandel akademischer Bildung", in: Stephan Leibfried (Hrsg.), *Wider die Untertanenfabrik: Handbuch zur Demokratisierung der Hochschule*, 2. Aufl. (Köln, 1967), S. 10—24.

38 Vgl. Edgar Lohner, „Die Neu-Aristoteliker in Chicago: Einige grundsätzliche Überlegungen zu Begriffen ihrer kritischen Theorie", in: *Lebende Antike: Symposium für Rudolf Sühnel*, hrsg. Horst Meller und Hans-Joachim Zimmermann (Berlin, 1967), S. 528.

Nationalsprachen und -literaturen bzw. Nationalsprach- und literaturengruppen und ihre fortschreitenden internen Spaltung in ältere (oder mittelalterliche) und neuere Abteilungen mit gelegentlichen weiteren Unterteilungen haben die Theoriebildungen sowohl in der Linguistik als auch in der Literaturwissenschaft zu einer mehr oder weniger weit vorangetriebenen Unifizierung der wissenschaftlichen Aktivitäten in diesen beiden Disziplinen geführt. In der Linguistik wird schon seit längerem keine an einzelnen Sprachen orientierte Theorie der Beschreibung von Sprachen anerkannt. Doch auch die Literaturwissenschaft hat — u. a. beim Überprüfen der Begründung der vergleichenden Literaturwissenschaft — Entwürfe entwickelt, die keine interne Klassifikation der Disziplin nach den Sprachen, in denen Literatur abgefaßt ist oder den Nationen oder den Staaten, in denen sie produziert und konsumiert wird, mehr zulassen[39]. (Auch die älteren Abteilungen der Philologien haben z. T. eine sie gemeinsam fundierende Mediävistik proklamiert, allerdings in der Bundesrepublik zumeist ohne organisatorische Konsequenzen als institutionalisiertes Universitätsfach daraus zu ziehen.)

Gegenüber der nach Jahrhunderten zersplitterten Nationalphilologie, die die „Einheit des Fachs" nur noch in symbolischen Handlungen beschwört, wird es über die unifizierende Tendenz in Linguistik und Literaturwissenschaft möglich, Probleme der Kooperation zwischen beiden Disziplinen zu diskutieren. Das zeigen die Errichtung der Fachbereiche Sprachwissenschaft und Literaturwissenschaft an neuen Universitäten, die Vorschläge für das Studium von Linguistik und Literaturwissenschaft und die korrespondierenden Berufsbilder des Sprach- bzw. Linguistiklehrers und des Literaturlehrers durch Harald Weinrich und Wolfgang Iser und die Tatsache, daß auf diesem Boden es Linguisten und Literaturwissenschaftlern möglich war, kooperativ zu handeln, kooperativ in bezug auf die Disziplinen und kooperativ in bezug auf die am Wissenschaftsprozeß beteiligten Gruppen („Rhedaer Memorandum")[40]. In empirischen Untersuchungen zum Studium

---

39 Vgl. Claus Träger, „Zum Gegenstand und Integrationsbereich der Allgemeinen und Vergleichenden Literaturwissenschaft", *Weimarer Beiträge,* XV (1969), 90—102.

40 Harald Weinrich, „Überlegungen zu einem Studienmodell der Linguistik", *LB,* 2 (1969), 70—77; Wolfgang Iser, „Überlegungen zu einem literaturwissenschaftlichen Studienmodell", ib., 2 (1969), 77—87;

der Germanistik haben sich ebenfalls Motivationen zur Kooperation über solche Unifizierung ergeben (Jenne 1969, 64, 142 ff.). Charakteristischerweise orientierte sich schon Hermann Broch bei seinen Entwürfen für eine Internationale Universität in den 40 Jahren an einer Vorstellung von Unifizierung, die der Semiotik nahesteht[41].

25. Es wurde gesagt: „unifizierende Tendenz" und „Probleme der Kooperation"; denn es gibt keinen Anlaß zu harmonistischem Denken. Die unifizierende Tendenz, die in der Semiotik angelegt ist (Morris 1964, 1), ist durchaus problematischer Natur [§§ 2 ff]. Die Linguistik ist in der Durchstrukturierung von Theorien in diesem Bereich wohl am weitesten entwickelt und ist deshalb innerhalb des Feldes ihr benachbarter Fächer in der Erfüllung der theoriebildenden Aufgabe der Hochschule zum Teil paradigmatisch geworden[42].

Der von manchem Vertreter z. B. der Germanistik „positiv gewertete Mangel an Allgemeinverbindlichkeit" des Faches ist zu Recht als „wissenschaftstheoretische Schwäche" bezeichnet worden (Jenne 1969, 58). Mit der Konstituierung einer Textlinguistik hat sich die semiotisch-unifizierende Tendenz innerhalb der Linguistik verstärkt, gleichzeitig die Problematik gestellt, über Sprache hinausgehende Modelle kommunikativer Strukturierung zu entwickeln. Die Problemhaltigkeit, ein strengen Ansprüchen genügendes Modell der vielfache Medien zulassenden menschlichen Kommunikation zu konzipieren und ihm eine genügend reichhaltige Analytik und Aufnahmefähigkeit für Objektbestände zu sichern, wird heute in den stimulierenden Entwürfen des französischen und italienischen „semiologischen" Strukturalismus deutlich [§§ 2, 5 f., 60 f.]. Der unifizierende theoretische Ausgriff auf die gesamte menschliche Kommunikation leidet unter

---

vgl. auch „Das Studium an der Fakultät für Linguistik und Literaturwissenschaft der Universität Bielefeld", in: Universität Bielefeld (Hrsg.), *Universität Bielefeld: Lehre, Studium, Strukturmerkmale* (Bielefeld, o. J.), S. 64—66, mit Weinrichs und Isers „Überlegungen" im Anhang; „Memorandum: Zur Reform des Studiums der Linguistik und der Literaturwissenschaft", *LB*, 5 (1970) 70—72; Schwencke 1970; Ulrich Gaier, „Reform des Philologiestudiums: Literatur in Studium und Schule", *JIG*, II (1970), 205—212.

41 Hermann Broch, *Zur Universitätsreform*, hrsg. Götz Wienold (Frankfurt am Main, 1969); vgl. auch im „Nachwort", S. 135 ff.

42 Vgl. Peter Hartmann, „Zur Lage der Linguistik", *FL*, III (1969), 3 ff.

einer unzureichenden Rezeption der Linguistik, aber auch unter einer Verkürzung der Fragen, die spezifische Kommunikationsformen für die Theoriebildung aufwerfen. Literaturwissenschaftler haben sich gleichfalls gedrängt gesehen, über die Grenzen des rein Literarischen auf eine Literatursoziologie hinauszublicken (Conrady 1966, 55 f.). Doch muß der Literaturwissenschaftler dazu ein Modell entwickeln, das sowohl soziologischen als auch literaturwissenschaftlichen, allgemeiner: semiotischen Ansprüchen gerecht wird. Thomas Höhle stellt die bürgerliche Trennung zwischen Ästhetik eines autonomen Kunstwerkes und Soziologie der Kunst dem Aneinanderrücken von Literaturwissenschaft und Literatursoziologie gegenüber (Höhle 1966, 482 f.). Über Aneinanderrücken zu reden genügt jedoch nicht.

26. Ein Beispiel: Entscheidendes Problem für die Kooperation von Linguistik und Literaturwissenschaft ist das, wo vorgeblich ihre Gemeinsamkeit liegt: im Text. Die Linguistik entwickelt die Grammatik der Textstrukturierung, allgemeiner noch Strukturierungsvoraussetzungen für die Kommunikation über Texte. Die Literaturwissenschaft fixiert sich z. T. an der Individualität von Texten und behauptet dann eine nur partielle Strukturierbarkeit von Texten und die geringe Relevanz linguistischer Theorie für die Behandlung literarischer Texte (Wienold 1971a, §§ 15 ff.). Und selbst noch Wolfgang Isers „Überlegungen", die traditionelle wertende Kodifikation von Literaturen ablehnen, sprachliche „Literatur" nicht mehr von der der Massenmedien grundsätzlich trennen und damit einen Schritt für eine Semiotik der Literatur tun, geben keine Klärung darüber, wie ,Strukturen' von Texten theoretisch zu lokalisieren sind[43]. Das ist nicht so zu verstehen, als zeige sich die Richtung des weiteren Schrittes deutlich vor Augen und brauchte nur gegangen zu werden. Die erwähnte traditionelle Zersplitterung und Parzellierung wissenschaftlicher Aktivität macht die Schwierigkeit der Kooperation zwischen kooperationsbereiten und -bedürftigen Wissenschaftlern zu einem wissenschaftswissenschaftlichen Problem. Interdisziplinäre Forschung heißt noch nicht gemeinsame oder gar identische Theoriebildung. Wissenschaftstheoretisch bedarf es der Integration der kooperativen Disziplinen in Querschnittswissenschaften, als deren Muster die Kybernetik

---

43 Vgl. Iser, „Überlegungen" [Anm. 40], 81 f.

beschrieben worden ist[44]. Die kommunikationstheoretische Modellbildung führt typischerweise zur integrativen Querschnittbildung mit
kybernetischem Gehalt[45].

Die Problemhaftigkeit der Frage nach der Position, die dem ‚Text‘
zuzuweisen sei, setzt sich in die Literaturgeschichte fort, wo die Fixie-
rung auf Einheiten wie ‚Text‘ und ‚Autor‘ ein strukturelles Verständnis von Wandel verhindert. Der semiologische Strukturalismus war in
der Lage, einen „Mangel" der Literaturgeschichte zu bezeichnen: „das
‚zentralisierende‘ Privileg, das dem Autor eingeräumt wird" (Barthes
1969, 18). Doch fehlt auch hier das Modell, das eine theoretische
Strukturierung des Wandels von Kommunikation über Literatur erlaubte [§§ 105 ff.].

Es lassen sich also nicht über irgendwelche Gegenstände, Texte
genannt, Wissenschaften integrieren, sondern, das ist trivial, aber gelegentlich nötig zu bemerken, nur über Theorien über Gegenstände.
Die „Kooperation" zeigt sonst nur unbefriedigend oberflächliche
Resultate[46]. Die Kooperation von Disziplinen in einer Textforschung
(Dubois-Sumpf 1968, 154; Schwencke 1970, 69 ff.) verlangt vor allem
eine Explikation des Begriffes Kommunikation, der in den Begrün-
dungen meist genannt wird. ‚Literatur‘ unter ‚Kommunikation‘ zu
verrechnen verlangt genauere Auskunft, was für Kommunikation da
stattfindet [§§ 101 ff.]. Für die Verwertung der Wissenschaft ist
weiter zu entscheiden, wie die Bedeutung des Gegenstandes im Ver-
wertungsbereich, beispielsweise der Schule, anzusetzen ist.

Jüngste Überlegungen zu Studiengängen für das Fach Deutsch etwa
betrachten nicht ohne Folgerichtigkeit literaturwissenschaftliche Text-

---

44 Vgl. *Die Wissenschaft von der Wissenschaft* [Anm. 27], S. 126 ff., 231 ff.
45 Karl W. Deutsch, "On Communication Models in the Social Sciences",
   POQ, XVI (1952), 357: "In one sense the study of models, and the
   theory of organizations that could be derived from it, cuts across many
   of the traditional divisions between the natural and social sciences, as
   well as between the particular social sciences themselves. In all these
   fields, symbols are used to describe the accumulation and preservation
   of patterns from the past and their arrangement into more or less-
   self-maintaining, self-destroying, or self-transforming systems . . ."
46 Vgl. den Bericht von Tullio de Mauro, „Appunti sull'insegnamento
   delle materie linguistiche nelle università italiane", in: Società di Linguistica Italiana (Hrsg.), *La grammatica — la lessicologia* (Roma, 1969),
   S. 181 ff.

analyse nur noch als ein mögliches Repertoire unter vielen anderen, aus dem sich Material für die unterrichtliche Steuerung der Beherrschung von Kommunikationsvarianten gewinnen läßt[47].

Da die Ergebnisse der Wissenschaften durchaus publiziert sind, in vielen Fällen auch tatsächlich zur Kenntnis kommen, insgesamt Wissenschaftler, deren theoretische und praktische wissenschaftliche Aktivitäten z. T. stark divergieren, ohne Verständnis und Wirkung nebeneinander leben, liegt der Schluß nahe, daß hier nichts Zufälliges vorliegt, sondern ein elementares Problem der Wissenschaftswissenschaft. Manche Beobachtungen legen nahe, daß dies zumindest z. T. damit zusammenhängt, daß Überspezialisierung und Parzellierung, die ja Hand in Hand gehen, den Weg abschneiden, Fragen nach der Relevanz der jeweiligen wissenschaftlichen Aktivität stellen und beantworten zu können. Werner Hofmann hat die auch in anderen Disziplinen zu erkennende „Enttheoretisierung" an den „mittlerweile säkular gewordenen Prozeß einer ständigen Zellteilung akademischer Disziplinen" geknüpft[48].

27. Soziologie und Sozialpsychologie haben sich, wenn sie sich der Kommunikation über Texte — in einem weiten Sinn — zugewandt haben, vor allem mit der sog. Massenkommunikation beschäftigt. Man wird einerseits solche Arbeiten für eine reformierte Wissenschaft von Literatur auswerten wollen, andererseits sehen müssen, daß sich gerade hier Probleme der Theoriebildung und interdisziplinären Kooperation in erheblichem Ausmaß stellen[49]. Wir werden gezwungen sein, Ergebnisse und Problematisierungen einer Auswahl solcher Forschung in die Argumentation einzubringen [§§ 76 ff., 104], dabei aber häufig feststellen, daß die sozialwissenschaftliche Erforschung der Massenkommunikation das für den Semiotiker wichtigste Thema, die interne Strukturierung des Kommunikationsmediums, weitgehend außer acht läßt. Methodisch verdienen Verfahrensweisen, die Hypothesen über

---

47 Werner Schlotthaus, „Lernziel Kommunikation: Überlegungen zu einer situationsbezogenen Studiengangsplanung für das Unterrichtsfach Deutsch", *betrifft erziehung*, IV, 4 (1971), 15—22.
48 Werner Hofmann, *Universität, Ideologie, Gesellschaft*, [Anm. 31], S. 14.
49 Vgl. Alphons Silbermann und Heinz Otto Luthe, „Massenkommunikation", in: René König (Hrsg.), *Handbuch der empirischen Sozialforschung* II (Stuttgart, 1969), S. 676 ff.

die interne Strukturierung eines Mediums mit Hypothesen über sozialwissenschaftlich beobachtbare oder erschließbare Verhaltensweisen gegenüber Texten eines Mediums zu verknüpfen erlauben, für die Semiotik der Literatur aufgrund des bereits angedeuteten Dilemmas [§ 13] ein Hauptaugenmerk [§§ 76 ff., 141].

Es ergibt sich beinahe von selbst, daß in solchem Kontext die bisher als ‚Literatur' bezeichneten Textmengen, die die Literaturwissenschaft behandelt hat, ihren isolierten Sonderstatus verlieren [§§ 35 ff]. Das Feld der Überlegungen wird im folgenden nur deshalb auf sprachlich repräsentierte Texte konzentriert, um einen für eine erste Darstellung brauchbaren Ansatzpunkt zu haben.

1.2.4 Universitätsausbildung und Berufspraxis

28. Die Klagen darüber, daß philologische — und auch andere — universitäre Ausbildung und die Anforderungen, die die Berufstätigkeit stellt, für die man doch studiert hat und examiniert worden ist, weit auseinander klaffen, brauchen nicht wiederholt zu werden. Die empirische Studie von Jenne et al. ergab, daß das Studium am ehesten für diejenigen als befriedigende Berufsvorbereitung gilt, die einen wissenschaftlichen — wissenschaftlich im engeren Sinne — Beruf anstreben (Jenne 1969, 23 f., 123). Nur im Vorbeigehen sei etwas eigens hervorgehoben, was im Folgenden als ganz selbstverständlich erscheint: erst mit der Klassifikation in die Disziplinen ‚Linguistik' und ‚Literaturwissenschaft' lassen sich wenigstens einige Fragen nach dem Verhältnis von Universitätsausbildung und Berufspraxis mit Bezug auf philologische wie einige andere Fächer stellen.

Die Fragen der Wissenschaftsreform, die sich unter den Kategorien Unifizierung, Kooperation, Querschnittbildung zum Widerspruch von Theoriebildung und Wissenschaftspraxis gestellt haben, verschärfen sich, wenn man sie auf den weiteren Widerspruch zwischen universitärer Ausbildung und Berufspraxis, auf die diese Ausbildung vorbereiten sollte, projiziert. George Watson schreibt: "If a university undertakes to teach literature, it cannot escape the conclusion that much that is good in literature is irrelevant in the cant and familiar sense of the word. A teacher who taught otherwise would, in the end, be teaching a lie. And it would be a lie insulting to the intellectual sturdiness of his pupils" (Watson 1969, 18). Seine Antwort, daß der Wert exzellenter Literatur in ihr selbst liege, schneidet die selbstgestellte Frage nach der Relevanz ab[50]. Dabei wird nicht zum Problem, was als Faktum von Watson durchaus gesehen wird, daß die in der Gesellschaft, die der Literaturwissenschaft kontemporär ist, rezipierte Literatur mit der von der Literaturwissenschaft behandelten nur zu geringem Teil zusammenfällt, die Literaturwissenschaft also an einem beträchtlichen Gebiet, das, wenn man irgend systematisch sein Objekt bestimmt, dazugehörte, vorbeigeht. Auch hier verbirgt die institutionalisierte Nationalliteraturklassifikation einen wichtigen Sachverhalt. Die Klassifikation als Anglistik, Romanistik, Skandinavistik, Slavistik, Arabistik legt nahe, man befasse sich mit der Literatur anderer („fremder") Länder. Die Funktion der Wissenschaft in ihrer Tätigkeit, diese Literatur zu sichten, kodifiziert und kommentiert im eigenen Lande weiterzugeben und damit Selektor in der literarischen Kommunikation einer Gesellschaft zu sein, wird ihr meist nur bei Feierstunden bewußt.

Wenn die Literaturwissenschaft bemerkte, daß hier elementare Vorgänge der literarischen Kommunikation vorliegen, könnte sie die Fragen ihrer Relevanz anders stellen und problematisieren. Ein Beispiel: Die literaturgeschichtliche Selektion und Vermittlung von Texten durch die Wissenschaft für die Gesellschaft wird nur von Forschern, die explizit die Folgen ihrer Tätigkeit mit erörtern, erkannt (Weimann 1971 [§ 35]). Die Trivialliteraturforschung ist so parzelliert, daß sie durch die von Literaturwissenschaft tradierten Wertentscheidungen schon festgelegt ist und bei pädagogischen Absichten dann nur noch zu Prospekten wie dem vorstößt, Wertvolles von weniger Wertvollem zu trennen[51]. Sowohl die Frage nach der Begrün-

50 Christian Enzensbergers methodischer Zweifel an der Relevanz ist gründlicher („Als Einleitung zwei Vorlesungen über die Philologie", in: ders., *Viktorianische Lyrik: Tennyson und Swinburne in der Geschichte der Entfremdung* [München, 1969], S. 7 ff.). Aber er beruhigt sich — nach sozialgeschichtlichem Umwege — schnell wieder mit alten Einsichten, etwa von der Literatur als dem „Ort, an dem das Ich in seinen verschiedenen historischen Stufen sich am genauesten artikuliert und aufbewahrt hat" (S. 13) und gibt der Philologie alle ihre alten Aufgaben zurück. Die Begriffe ‚Literatur' und ‚Dichtung' werden übernommen wie sie waren.

51 So z. B. Friedrich Leiner, „Utopische Kurzgeschichten als Jugendlektüre", in: *Vergleichen und verändern: Festschrift für Helmut Motikat*, hrsg. Albrecht Goetze und Günther Pflaum (München, 1970), S. 291—305.

dung solcher wertenden Klassifikation als auch die Frage nach der Rolle der Verbreitung ästhetischer Werturteile in der Gesellschaft sind meist gar nicht sichtbar[52]. Die Zuordnung von Bedeutungen, Wertungen usw. zu Texten, der Wandel solcher Zuordnungen und die Voraussetzungen dafür müssen zu den elementaren Gegenständen der Disziplin gehören[53].

29. Der an sprachlichen Texten, die eine gewisse Tradition der Anerkennung genießen, fixierte Begriff von Literatur, ist hinter den Möglichkeiten, Texte zu produzieren, weit zurückgeblieben. Überlegungen zu Medien gehen erst in allerjüngster Zeit und nur sporadisch in die Arbeit derjenigen ein, deren akademischer Beruf es ist, Literatur und Gesellschaft zu vermitteln. Die Disziplinen, die sich um Medien kümmern, sind theoretisch und institutionell von der in sich zersplitterten Literaturwissenschaft getrennt organisiert. Die von der traditionellen Literaturwissenschaft bestimmte Literaturtradition des Schulunterrichts ist — von Ausnahmen abgesehen — durch diese wissenschaftliche Segregation noch stärker paralysiert. Nur langsam entwickeln sich hier integrative Konzepte[54].

30. Der Widerspruch zwischen literaturwissenschaftlicher Ausbildung an der Universität und literaturlehrender Berufspraxis in der Schule läßt sich wieder an der unklaren theoretischen Position von ‚Text' festmachen. Conrady beschreibt das Verhältnis von Literaturwissenschaft und Lehrerberuf: „Die Universität hat nicht die Aufgabe, die Studenten als Lehrer auszubilden, sondern sie Wissenschaft zu lehren. Das ist nicht widersinnig, sondern im Gegenteil die einzig sinnvolle Vorbildung für den späteren Beruf. Das sollte leicht einzusehen sein. Der später zu erteilende Deutschunterricht der Schule unterscheidet

---

52 Vgl. aber Hermann Bausinger, „Zur Kontinuität und Geschichtlichkeit trivialer Literatur", in: *Festschrift für Klaus Ziegler,* hrsg. Eckehard Catholy und Winfried Hollmann (Tübingen, 1968), S. 385—410; Thomas Koebner, „Zum Wertproblem in der Trivialroman-Forschung", in: *Vergleichen und verändern,* S. 74—105.

53 Einen exemplarischen Fall bespricht Klaus Scherpe, *Werther und Wertherwirkung: Zum Syndrom bürgerlicher Gesellschaftsordnung im 18. Jahrhundert* (Bad Homburg v. d. H., 1970).

54 Vgl. Gerald O'Grady, "The Preparation of Teachers of Media", *The Journal of Aesthetic Education,* III (1969), 113—134.

sich darin grundsätzlich vom akademischen Fachstudium, daß er sich
unablässig pädagogisch-didaktischen Postulaten ausgesetzt sieht...
Die wissenschaftlichen Gegenstände Sprache und Literatur rücken in
die Perspektive berechtigter pädagogisch-didaktischer Ansprüche, wobei ich hier unter Didaktik die Theorie der Auswahl und der Vermittlung von Unterrichtsgegenständen verstehe. Sie hat es mit anderen
Fragen zu tun als der im Prinzip allein auf die Erkenntnis der Sache
um ihrer selbst willen gerichtete wissenschaftliche Umgang mit Sprache und Literatur. Um Mißverständnisse auszuschließen: Pädagogisches Tun und didaktische Überlegungen sind nicht minderen Wertes
als das wissenschaftliche Bemühen um einen Text, sie sind nur von
anderer Beschaffenheit. Pädagogisch-didaktische Erwägungen aber
haben im literaturwissenschaftlichen Fachstudium nichts zu suchen."
Zur Reform des Studium bleibt dann Conrady nur der Vorschlag, es
durch Verbesserung der „Lehr- und Lernbedingungen"" „effektiver"
zu machen (Conrady 1966, 81 f.). Eine am Text als primärem Gegenstand fixierte Literaturwissenschaft und Literaturdidaktik[55] kann
konsequenterweise nicht in der Fachwissenschaft Probleme der Vermittlung, die nur als pädagogisch-didaktische erscheinen, als Gegenstand dieser Fachwissenschaft ansetzen. Daß die Literaturwissenschaft
in der Universität — auf höherer Stufe und mit breiterem Blick und
weit umfänglicherem Wissen, gewiß — die Vorgänge der Selektion und
Mediation von Texten in der Schule nur vorwegnimmt bzw. verlän-
gert, kann gar nicht gesehen werden. Lehrer und Schüler verfügen
beim Textverständnis über die gleichen strukturellen Voraussetzungen
für Verständnis wie der Wissenschaftler; dieser gemeinsame Grund-
bestand für Kommunikation über Literatur ist jedoch voll verdeckt.
Die „Sache selbst", der „Text", wird isoliert aus seinen kommunikativen Voraussetzungen und zum vereinzelten ästhetischen Gegenstand[56].

---

55 ,Text' bzw. sein Verständnis, seine Interpretation als Gegenstand des
    Literaturunterrichts in der Schule: Walter Henze, „Poetik und Didak-
    tik: Eine kritische Bestandsaufnahme ihres gegenwärtigen Verhältnisses
    zueinander", in: Detlef C. Kochan (Hrsg.), *Allgemeine Didaktik —
    Fachdidaktik — Fachwissenschaft: Ausgewählte Beiträge aus den Jahren
    1953—1969* (Darmstadt, 1970), S. 254—284; Walter Hoffmann, *Litera-
    tur in Wissenschaft und Unterricht: Eine didaktische Untersuchung*
    (Braunschweig, 1969).
56 Nur am Rande sei vermerkt, daß Individualität auch in anderer Hin-
    sicht für Literatur problematisiert werden kann, nämlich als Differenz
    des individuellen ,Helden' zur „massenhaften Betroffenheit" der Adres-

Die Kooperation mit der Erziehungswissenschaft wird hier abgelehnt, da solche Kooperation auf diesem Boden gar nicht begründet werden kann; die Kooperation mit der Linguistik wird so angesetzt, daß diese gewisse benötigte Erkenntnisse zuliefert (Conrady 1966, 27 f.); damit ist eine semiotische Konzeption für Kooperation verbaut. Als Kontrast zu Conrady ist der Fall zu betrachten, daß ein Literaturwissenschaftler eine erzieherisch-politische Wirkung des Literaturunterrichts verlangt und dabei Vorstellungen von der Wirkung von Literatur vorträgt, die Bewertungen fast unmittelbar mit Wirkungen verknüpfen, so daß Kleist und Thomas Mann für die Erziehung der deutschen Jugend zur Abwehr des Faschismus abträglich sind[57].

31. „Kooperation" soll hier kein Zauberwort werden. Im Gegenteil; ein Aneinanderreihen facettenhafter Gesichtspunkte von Interdisziplinarität[58] kann wohl eine Menge — auch interessanter — Erkenntnisse bereitstellen, aber mehr über das Ziel "the nature of literature" nicht sagen, da kein Modell expliziert wird, was für Erkenntnisse als solche zählen sollen und wie die Gesichtspunkte sich dazu verhalten[59]. Diese und sonstige Kritik hier seien nicht als Denigrierung bestimmter Arbeiten verstanden. Es geht darum, deutlich zu machen, daß Unifizierung und Kooperation nichts Selbstverständliches sind, sondern einer eigenen wissenschaftlichen Anstrengung bedürfen, zu deren

---

saten von Kunst und Literatur in ihren historischen Verhältnissen (Ernst Schumacher, „Kreatur und Kreator Mensch: Zu einem Satz des jungen Brecht", in: *Homo homini homo: Festschrift für Joseph E. Drexel* [München, 1966], S. 75—80). Hier handelt es sich um ein Problem, ob das Medium Literatur fähig ist oder wie es dazu fähig gemacht werden kann, bestimmte Ansprüche an die Kommunikation über dieses Medium zu erfüllen.

57 Ronald Gray, *The German Tradition in Literature 1871—1945* (Cambridge, 1965), besonders S. 15, 105 ff.

58 Vgl. z. B. James Thorpe, "Introduction", in: Thorpe 1967, vii-xiv.

59 Thorpe 1967, xi: "Our first hope is that literary students will be able to extend their vision by looking at literature from a series of vantage points. If we try them out, one after another, in a certain sequence, it is possible that a stereoscopic view will result which can lead to a truer understanding of the nature of literature". Das Zustandekommen von Erkenntnis erscheint hier beinahe als ein geheimnisvoller Vorgang. Entsprechend ist gleich darauf von „the beautiful mystery which is also the work of art" die Rede. Geheimnisse brauchen nicht erklärt zu werden.

Voraussetzungen — das sollen die Beispiele zeigen — eine Reform der Wissenschaft zählt. Für die Beziehung zwischen Linguistik und Sprachunterricht gilt im übrigen ein gleiches[60].

Der Zusammenhang zwischen universitärer Wissenschaftspraxis, insbesondere universitärer Ausbildung und Berufspraxis kann nicht so dargestellt werden, daß das eine auf das andere zu beziehen oder von ihm abzuleiten wäre. Das hieße nur, entweder die Wissenschaft dem nicht von ihr gesteuerten und meist auch nicht durchschauten Verwertungsprozeß auszuliefern oder die Berufspraxis durch die Herrschaftsansprüche institutionalisierter Wissenschaft monopolisieren zu lassen. Das Postulat, das eingangs aufgestellt wurde, die Wissenschaft solle Berufspraxis als Teil ihrer Organisation erfassen, ist vielmehr nach dem Bisherigen so aufzufüllen: Die wissenschaftliche Aktivität in der Universität und in der „Verwertung" außerhalb der Universität muß als Komponente mit in die Theoriebildung über einem Objektbereich eingehen. Der Unifizierung durch Semiotik wird eine Semiotik wissenschaftlicher Aktivität abverlangt[61].

Mit ‚Semiotik wissenschaftlicher Aktivität' ist gemeint, Fragen folgender Art nachzugehen: Wie strukturiert Wissenschaft sich selbst für Kommunikation (Wissenschaften untereinander, Wissenschaft mit Nicht-Wissenschaft, in welcher sozialer Stratifikation? usw.)? Welche Bedingungen sind für die Kommunikation von Wissenschaft gesetzt? Welchen Ansprüchen muß sie genügen? Welche Strukturen bestimmen die Informationsverarbeitung in der Wissenschaft? (z. B.: Wie kommt es, daß gewisse Objektbereiche nicht oder wenig strukturiert werden?) Welche Umstrukturierungen sind unter welchen Bedingungen möglich? Wo eine universitäre Disziplin sich heute den hochschulpolitischen und wissenschaftsreformpolitischen Bedingungen ihrer Arbeit stellt, geraten diese semiotischen Probleme in einen die wissenschaftliche Tätigkeit neu strukturierenden Blick (Dubois-Sumpf 1968).

---

60 Vgl. Frank Achtenhagen und Götz Wienold, „Curriculumforschung und fremdsprachlicher Unterricht", in: Achtenhagen-Meyer, *Curriculumrevision* [Anm. 30] S. 216—233, 301—306; Götz Wienold, „Weisgerber—Linguistik und Hochschulreform", *LB*, 10 (1970), 81—83.

61 Ähnlich hat Hartmut von Hentig gefordert, „Wissenschaftsdidaktik" „als einen Auftrag an die Forschung selbst zu organisieren": „Wissenschaftsdidaktik", in: Hartmut von Hentig, Ludwig Huber und Peter Müller (Hrsg.), *Wissenschaftsdidaktik, NS*, Sonderheft 5 (Göttingen, 1970) S. 18, vgl. S. 25 ff., 30 ff.

1.2.5 Wissenschaftsorganisation und Kooperationsbedürfnis

32. Hermann Broch traute seinem Projekt einer Internationalen Universität die totale Wissenschaftsreform zu: Die Wissenschaftsunifizierung, die sich an einer „Theorie vom Frieden" orientiert und Demokratie durch Wissenschaft zu fundieren beauftragt ist, vollbringt eine „Selektion" „des menschlichen Erkenntnisstoffes" zur „Erkenntniseinheit": „Ein Student, der solch umfassendes Programm bewältigt, wird einen neuen Typus des Wissenschaftlers darstellen und vermutlich den, der jetzt der Welt notwendig ist"[62]. Brochs Entwürfe sind nicht ausgearbeitet genug, als daß man in eine ernsthafte Diskussion über ihre curriculare Brauchbarkeit eintreten könnte. Die Grundidee scheint uns wichtig, daß, wie eingangs vermutet, die Reform des Wissenschaftlers über die Reform der Wissenschaft läuft, und daß beide Reformen notwendig sind. Wir haben an einigen Beispielen deutlich zu machen versucht, welche Rolle Theoriebildung und Unifizierung (als Reform der Wissenschaft) für die Kooperation (als Reform der Aktivität des Wissenschaftlers) spielen und was für Probleme im Wege stehen. Wir haben zu zeigen versucht, daß Berufspraxis nicht als Ableger universitärer Ausbildung anzusehen ist, daß in diesem Feld die Konflikte sich vielmehr verschärfen, daß in den von der Wissenschaft nicht aufgeklärten und aufgrund ihrer Konstruktion häufig nicht aufklärbaren Verwertungszusammenhängen der Wissenschaft die nichtbestehende Unifizierung bzw. nur beschworene Interdisziplinarität und die nichtbestehende Kooperation Schaden anrichten. Diese Aussagen sind als strukturelle Beschreibungen gemeint: Es wird durchaus anerkannt, daß auf den Zusammenhang in diesem Feld nicht nur Gedanken verwandt werden, sondern auch Bereitschaft zur Kooperation vorhanden ist.

33. Bei dieser Thematik wird man selbstverständlich auch nach Konsequenzen fragen, die sich aus der möglichen Neustrukturierung von Universitätspraxis und Berufspraxis in der Schule durch den Zusammenhang von Gesamtschule und Gesamthochschule ergeben. Die Auslesefunktionen des dreistufigen Schulsystems sind an ständegesellschaftlichen Vorstellungen orientiert. Die traditionellen Philologien

---

62 Broch, *Zur Universitätsreform* [Anm. 41], S. 50 f.

und die von ihr ausgebildeten Lehrer wirken gewollt oder nicht an dieser Auslese mit[63]. Ein demokratisches, Herrschaftsfunktionen abbauendes Schulsystem wird u. a. diese Voraussetzungen beseitigen müssen[64].

„Alle bisher existierenden Schulsysteme mit äußerer Leistungsdifferenzierung beeinträchtigen die soziale Chancengleichheit"[65]. Für die Inflexibilität der deutschen Universitäten gegenüber Reform haben Joseph Ben-David und Awraham Zlowczower ihre gefährdete Position innerhalb der sozialen Klassenstruktur verantwortlich gemacht. Die hochgehaltene Freiheit der Wissenschaft, die, von den Wissenschaftlern unbemerkt oder ignoriert, doch vom Staat gesteuert worden sei, habe gegenüber dem Staat nur durch politische Abstinenz zumal gegenüber den sozialen Voraussetzungen von Wissenschaft und Universität aufrechterhalten werden können[66]. In der Tat ist die Mitbestimmung aller an der Wissenschaft Beteiligten noch nicht gelungen.

63 Vgl. z. B. Peter-Martin Roeder, „Thesen zur Auslese durch den neusprachlichen Unterricht", in: ders. (Hrsg.), *Pädagogische Analysen und Reflexionen: Festschrift für Elisabeth Blochmann* (Weinheim und Berlin, 1967), S. 309—327; ferner Walter Schulze, „Die Auslese als soziales Problem", in: Adalbert Rang und Wolfgang Schultze (Hrsg.), *Die differenzierte Gesamtschule: Zur Diskussion einer neuen Schulform* (München, 1969), S. 13—23; Erwin Schwartz, *Die Grundschule: Funktion und Reform* (Braunschweig, 1969), S 66 ff. — Das zugrundeliegende Ausbildungsdefizit betrifft nicht nur die Universitätscurricula der Bundesrepublik: Raven I. McDavid, Jr., "Social Dialects and Professional Reponsibility", *College English*, XXX (1969), 381—385.

64 Vgl. Hans-G. Rolff, „Vorbemerkungen: Die Gesamtschule — Die Schule für die demokratische Industriegesellschaft", in: Herbert Frommberger und Hans-G. Rolff (Hrsg.), *Pädagogisches Planspiel Gesamtschule: Berichte, Analysen und Empfehlungen zur Errichtung von Gesamtschulen* (Braunschweig, 1968), S. 39—46; Carl-Heinz Evers, „Erfordernisse einer Reform des allgemeinen und berufsbildenden Schulwesens", in: Joachim Lohmann (Hrsg.), *Gesamtschule — Diskussion und Planung* (Weinheim und Berlin, 1968), S. 27—37.

65 Wolfgang Edelstein und Jürgen Raschert, „Durchlässigkeit und Differenzierung in der Gesamtschule", in: Rang und Schultze, *Die differenzierte Gesamtschule* [Anm. 63], S. 89.

66 Ben-David und Zlowczower, "Universities and Academic Systems" [Anm. 31], ·58 ff.; vgl. Christian Graf von Krockow, *Sozialwissenschaften, Lehrerbildung und Schule: Plädoyer für eine neue Bildungskonzeption* (Opladen, 1969), S. 32 f.

Damit steht und fällt aber auch eine Hochschuldidaktik kooperativen Charakters. Die Gesamtschule stellt sicher besondere und neue Anforderungen an die Ausbildung der Lehrer. Dabei ist es für die mangelnde Unifizierung und Kooperation kennzeichnend, daß an den Universitäten die Lehrerausbildung bislang jegliche Fachdidaktik innerhalb des Faches ausschloß. In philologischen Fächern kann man wohl Wissen über Rhetorik und Stilistik erwerben, über die komplexen Möglichkeiten unterschiedlicher Sprachverwendung in Situationen mit Kommunikationsproblematik, wie sie der Lehrer im Unterricht beherrschen sollte, weiß man allenfalls anderswo etwas[67]. Wir benötigen eine Semiotik des Unterrichts[68], eine Theorie des sozial, regional und nach Altersgruppen differierenden Spracherwerbs und Sprachverhaltens[69], eine Theorie der Textverarbeitung [§§ 110 ff.], eine interdisziplinäre und theoretisch kooperative Kommunikationswissenschaft, von der sich traditionelle akademische Beschäftigung mit Texten nicht segregiert. Wissenschaftliche Aktivität muß sich entsprechend organisieren.

Die Situation eines theoretischen Defizits ist für unifizierende Anstrengungen im Gebiet menschlicher Kommunikation keine Seltenheit[70]. Vielleicht ist es vielerorts weniger deutlich, daß eine theoretische und institutionelle Reorganisation wissenschaftlicher Arbeit in diesem Bereich einer politischen Motivation fähig ist. Jedenfalls gehören diese Überlegungen mit zu dem Hintergrund, auf dem die

---

67 Miriam L. Goldberg, "Adapting Teacher Style to Pupil Differences: Teachers for Disadvantaged Children", in: A. Harry Passow, Miriam Goldberg und Abraham J. Tannenbaum (Hrsg.), *Education of the Disadvantaged: A Book of Readings* (New York [etc.], 1967), 465—483.

68 Vgl. Dieter Wunderlich, „Unterrichten als Dialog", STZ 32 (1969), 263—287; Klaus Giel und Gotthilf Gerhard Hiller, „Verfahren zur Konstruktion von Unterrichtsmodellen als Teilaspekt einer konkreten Curriculum-Reform", *Zeitschrift für Pädagogik*, XVI (1970), 743 f.

69 Vgl. William Labov, "Stages in the Acquisition of Standard English", in: Roger W. Shuy (Hrsg.), *Social Dialects and Language Learning: Proceedings of the Bloomington, Indiana, Conference, 1964*, (Champaign, Ill., o. J.), S. 77—104.

70 Vgl. z. B. Jürgen Ruesch, "Clinical Science and Communication Theory", in: Floyd W. Matson und Ashley Montagu (Hrsg.), *The Human Dialogue: Perspectives on Communication* (New York und London, 1967), S. 51—66.

Semiotik der Literatur konzeptionell plausibel zu machen sein wird
[§§ 140 ff.].

34. Wir stellen fest, daß institutionelles Abschneiden von Kooperation in Forschung und Ausbildung durch Parzellierung und Gruppen-
gliederung mit dem Mangel an thematischer und theoretischer Koordi-
nation und Kooperation einhergeht, daß Voraussetzungen der eigenen
wissenschaftlichen Tätigkeit dabei verdeckt sind und die strategische
Theoriebildung verkürzt ist. Wenn man die bereits erwähnte Diskussion über Literaturlehrer und Sprachlehrer [§ 24] unter dem Aspekt
beurteilt, die Organisation der Verwertung der Wissenschaft sei auch
Aufgabe der Wissenschaft [§ 22 f.], erkennt man, daß solche Entwürfe Linguistik und Literaturwissenschaft ernsthaft auf die Probe
stellen können. Man wird um eine curriculumtheoretische Prüfung
dieser Entwürfe sowieso nicht herumkommen. Linguistik und Literaturwissenschaft werden bei dieser Prüfung so viel an Motivation für
diese Berufsbilder vorlegen können wie sie aufgrund ihrer Arbeit für
sich selbst in Anspruch nehmen können. Man wird über Zwischenstufen die bisherigen Fachklassifikationen auflösen und an den unifizierenden Tendenzen orientierte Wissenschaften möglichst in Wissen-
schaftskomplexen institutionalisieren, die die Organisation von Querschnittbildung in Forschung und Ausbildung betreiben. Man wird vornehmlich solche Lehr- und Forschungsprojekte konzipieren, die bisher
vernachlässigte zentrale Gebiete theoretisch und strategisch aufschließen, so daß die Übersetzung von wissenschaftlicher Aktivität in der
Universität und im Beruf und zurück gewährleistet werden kann.
Und man wird das Forschungsdefizit abbauen, daß jeder, der auch
nur anfängt, sich mit Gesamthochschulfragen zu beschäftigen, sofort
bemerkt.

Deshalb wird eine gründliche Theoretisierung von Forschung und
Ausbildung auf allen Stufen nötig. Das Anfangsstudium sollte in der
Entwicklung theoretischer Konzepte von Linguistik und Literaturwis-
senschaft in gradueller Präzisierung auf die oben angesprochenen
Lehr- und Forschungsprojekte bestehen. Die „kritische Professionali-
sierung"[71] könnte in einer unifizierenden Semiotik besonders dann

---

71 Peter Müller, „Interdisziplinäre Integration und Praxisbezug als Kriterien einer Neuordnung der Studiengänge", in: von Hentig et al., *Wissenschaftsdidaktik* [Anm. 64], S. 87.

von Beginn an gefördert werden, wenn die dem gesellschaftlichen Kommunikationsgebrauch zugeordneten Berufe die Bedingungen dieses Gebrauchs in der theoretischen und praktischen Arbeit an Forschungs- und Lehrprojekten von Beginn des Studiums an selbst thematisieren. Es hat sich in den vorgelegten Überlegungen gezeigt, daß gerade der Mangel an theoretischer Unifizierung und Kooperation die Hauptschwierigkeit für Linguistik und Literaturwissenschaft heute darstellt, und wir haben Argumente dafür vorgetragen, daß sie über die Erforschung der wichtigen fehlenden Teile die in den drei Bereichen vorhandenen Konflikte wird lösen und sich selbst reformieren können.

1.3. Literatur im täglichen Vorkommen

35. Es ist jetzt an der Zeit, über die Verwendung des Ausdrucks Literatur etwas mehr zu sagen. Sein Gebrauch hat im bisher Erörterten geschwankt, denn die traditionelle Beschreibung von Literatur — grob gesprochen; natürlich gibt es unterschiedliche Akzentuierungen — lehnte sich an die literarische Tradition an und nur, insoweit man sich unterschiedlicher Traditionen bewußt wurde, gab es eine gewisse Korrektur. Dieser Sprachgebrauch ist zu berücksichtigen, selbst wenn die eigenen Intentionen in andere Richtung zielen, nämlich den Begriff von seiner Beschränkung auf sprachlich repräsentierte Texte ebenso zu lösen wie von der innerhalb des eingegrenzten Bereichs sowieso nie auflösbaren schillernden Werteinstufung. Die sprachlich repräsentierten Texte gehen heute mehr und mehr vielfältige Verbindungen zu „Texten" anderer, nichtsprachlicher oder nicht-nur-sprachlicher Medien ein — dieser Sachverhalt wird als „Textverarbeitung" noch näher behandelt werden [§§ 110 ff.]. Wertungen, die vorliegen, werden von der Literaturwissenschaft zwar gelegentlich kritisch revidiert, aber die Grundlagen des Wertungskonsenses oder -dissenses, zu dem sie etliches beiträgt, können von ihr nicht grundsätzlich behandelt werden, da ihr Objektbereich die dabei mitzubesprechenden möglichen Faktoren gar nicht systematisch enthält. Der seltsame Ausdruck ‚Trivialliteratur' ist in dieser Problematik erst zu situieren.

Wir gehen damit auch über die Folgerungen hinaus, die ein an den praktischen Folgen seiner Tätigkeit interessierter Literaturhistoriker wie Robert Weimann gezogen hat, aus einer Synthese literaturgeschichtlicher und literarkritischer Arbeit zu einer „Umarbeitung" der Tradition für die Gegenwart zu kommen[72], da bei ihm u. E. die Theorie der Praxis dieser Umarbeitung um die Aufarbeitung vieler Erscheinungen der Praxis verkürzt ist. Diese Aufarbeitung steht weiterhin aus. Auf sie muß man erst einmal sehr deutlich die Augen richten. Und vieles vom alltäglichen Vorkommen ist bei Weimann schon dadurch abgeblendet, daß sein Begriff von Literatur den der bewährten Tradition nur reproduziert und ihn bestätigt.

Der Begriff von Literatur wird damit notwendig diffus, in dem wir noch nicht einmal die zwar ungeklärte, aber doch durch Tradition im großen und ganzen genügende Übereinstimmung mit dem üblichen Verständnis voraussetzen oder gar rechtfertigen. Im täglichen Vorkommen hat vieles, was nicht Literatur (im trad. Sinne) heißt, mit den so benannten Gegenständen vieles gemeinsam, wenn man es nach Gesichtspunkten — die hier wieder nur grob angegeben werden können — etwa des Umgangs, der Vorgänge bei der Rezeption, der Weiterverarbeitung in anschließende Kommunikation anschaut. Innerhalb dieses vage umschriebenen Bereichs können Klassen gebildet werden und das Verhältnis zu umgangssprachlich vorkommenden, durch Teilnehmerselektion geschaffenen (Wienold 1971 a, 21 f., 170) Klassifikationen (z. B. „Literatur", „schöne Literatur", „Unterhaltungsliteratur", „Schund" usw.) wäre dann zu diskutieren. Der Sinn einer solchen Aufgabe ist aber ohne diesen Rahmen gar nicht anzugeben. Wir wenden uns also diesem Bereich etwas näher zu.

---

72 Weimann 1971, 39: „Die Werke der Literaturgeschichte sind entstehungsgeschichtlich zu rekonstruieren und wirkungsgeschichtlich zu interpretieren im Lichte unseres gegenwärtigen Bewußtseins; aber dieses Bewußtsein, das die Literaturgeschichte ‚produziert', ist selbst auch ihr Produkt. Das Beispiel der Größten verdeutlicht dies: Die literarhistorischen Kriterien, mit denen wir uns dem Werke Shakespeares und Goethes nähern, sind durch Shakespeare und Goethe selbst mitbestimmt. Die ästhetischen Normen des Literarhistorikers sind von dem historischen Prozeß nicht zu trennen, der die Zeit der Entstehung und die Zeit der Wirkung miteinander verbindet. Aus diesem Zusammenhang erscheint die Einheit von Gegenwart und Vergangenheit in der Literaturgeschichte als die notwendige Voraussetzung einer Synthese von historischer und ästhetischer Kritik. Aber diese Synthese kann nur dann methodologisch fruchtbar werden, wenn sich die Einheit von Gegenwart und Vergangenheit wiederum funktional, das heißt auch: im Zusammenhang von Theorie und Praxis, versteht."

36. Was hat Literatur mit dem Leben zu schaffen? Über das Vorkommen von Literatur im täglichen oder alltäglichen Leben ist relativ wenig bekannt. Es gibt zwar Untersuchungen über Leserzahlen von spezieller Literatur zu verschiedenen Zeiten über Verlagsproduktionen, über Buchhandel und dergleichen[73]. Das sind aber gegenüber dem Vorkommen von Literatur in der Rezeption durch ihre Rezipienten — die Leser, Zuhörer, Theaterzuschauer usw. — relativ externe und relativ unspezifische Aussagen. Aus der Häufigkeit der Lektüre bestimmter Bücher oder des Verkaufs bestimmter Bücher usw. ist relativ wenig Spezifisches über die Rolle dieser Literatur im Leben der Rezipienten zu erschließen. Es hat zwar eine wissenschaftliche Richtung der Literaturkritik gegeben, die der Meinung war, die Rolle der Literatur fürs Leben, die Beziehungen zwischen Literatur und dem Leben der Rezipienten wäre für das wissenschaftliche literarkritische Verständnis von Literatur uninteressant, unerheblich oder sogar störend. Das wurde unter dem Thema besprochen, Literatur dürfe nicht als „Lebenshilfe" verstanden werden. Eine solche ästhetisch distanzierte Haltung zu den Prozessen der Kommunikation über Literatur läßt sich unter bestimmten Zielvorstellungen — interpretatorischer Sicherung eines bestimmten Verständnisses eines bestimmten Textes für einen bestimmten Abnehmerkreis — wohl motivieren, ist aber für eine Theorie der Literatur, die an den kommunikativen Vorgängen und kommunikativen Voraussetzungen von Literatur interessiert ist, nicht akzeptabel. Es ergibt sich wieder, daß man schon bald, wenn man nach der Literatur und ihrem Vorkommen im täglichen Leben fragt, dazu kommt, über Begriffe von Literatur reden zu müssen, über Intentionen, die sich mit dem Umgang von Literatur, mit dem Sprechen über Literatur, mit der Steuerung der Kenntnisnahme von Literatur (Tageskritik, Literaturunterricht, Repertoirebildung etc.) verbinden.

Wir sprechen von der Literatur im täglichen Vorkommen oder von der Rolle der Literatur im Leben, also auch nicht in dem Sinne, wie gelegentlich Autoren, Dichter usw. über die Esoterik von Literatur in privater Erfahrung gesprochen haben. Autoren haben zu gewissen Zeiten vorzugsweise gewisse problematische Aspekte, die an der Lite-

---

73 Escarpit 1965, 19 ff.; Marianne Spiegel, *Der Roman und sein Publikum im früheren 18. Jahrhundert 1700—1767* (Bonn, 1967); Hellmut Lehmann-Haupt, *The Book in America: A History of the Making and Selling of Books in the United States*, 2. Aufl. (New York, 1952), S. 318 ff.

ratur für ihre eigene literarische Produktion eine Rolle spielten, angesprochen. An solche Verständnisse der Problematik von Literatur, vor allem im Sinne der Problematik ihrer Esoterik, sind weithin manche Verständnisse der Beziehungen zwischen Literatur und dem Kontext, in dem sie vorkommen, d. h. dem, was wir hier als „tägliches Leben" bezeichnen, orientiert gewesen und sind auch heute zum Teil noch so orientiert. Man braucht nur etwa die Namen Hugo von Hofmannsthal oder Hermann Broch zu erwähnen. Ein solches Verständnis der Beziehungen von Literatur zu ihrem täglichen Vorkommen reflektiert aber gar nicht auf die ganz einfachen Ereignisse, über die man so wenig weiß, an denen wir hier jedoch interessiert sein sollten: Was tun Leser, wenn sie lesen? Welche Handlungen oder Pläne für Handlungen oder Reflexionen über Handlungen schließen sich an Lektüren von Literatur an? Welche Kommunikationsanschlüsse im Gespräch mit anderen bestehen nach Lektüren? Wie werden Lektüreerfahrungen vermittelt und welche Konsequenzen haben sie für anderes als die Lektüre von Literatur? usw. Man kann eine ganze Fülle von solchen Fragen formulieren, und es kommt insbesondere darauf an, hier spezifische Fragen stellen zu können und spezifische Untersuchungsmethoden angeben zu können, die interessantes Licht auf dieses tägliche Vorkommen von Literatur zu werfen in der Lage sein würden.

37. Die Frage nach dem Vorkommen von Literatur im täglichen Leben könnte auch im Sinne gewisser erster literatursoziologischer Aussagen zur Literatur verstanden werden. Für die Literatursoziologie haben zumindest zu einer gewissen Zeit zwei mögliche Hypothesen über Literatur und Gesellschaft eine Rolle gespielt, ob Literatur primär gegebene gesellschaftliche Verhältnisse abbilde oder widerspiegle oder ob Literatur primär zukünftige gesellschaftliche Zustände vorausnehme[74]. Eine solche Hypothesenbildung, so interessant sie als erste Annahme über das Verhältnis von Literatur zu Gesellschaft sein mag, ist für die Fragestellung, die hier entwickelt werden soll, zu grob. Denn sie setzt ja gerade, wenn sie in detaillierter Weise beant-

---

74 Diese **Positionen** sind bekannt geworden als *reflection theory* und *control theory*, vgl. Ruth A. Inglis, "An Objective Approach to the Relationship between Fiction and Society", *ASR*, III (1938), 526—533. Weiter siehe Milton C. Albrecht, "The Relationship of Literature and Society", *American Journal of Sociology*, LIX (1954), 425—436; ders.,

wortet werden sollte, voraus, daß man über das Bescheid wüßte, was wir hier erfragen wollen. Um über solche Hypothesen, in welcher Formulierung auch immer, entscheiden zu können, wäre nämlich als bekannt vorauszusetzen, daß man etwas darüber sagen kann, in welcher Weise Leser Literatur in Beziehung setzen zu dem, was sie neben der Lektüre treiben, was als Leben, als tägliches Vorkommen die Lektüre von Literatur, den Rezeptionsvorgang von Literatur umgibt. Diese Bemerkung läßt sich verdeutlichen: Es käme darauf an, semiotische und soziologische Überlegungen in theoretische Kooperation zu bringen. Im Kontext dieses Buches kann dabei nicht viel mehr geschehen als wichtig erscheinende Anknüpfungspunkte zu benennen. Grundsätzlich zielt dieses Problem ab auf das methodische Dilemma, dem hier die Hauptachtung dienen soll [§§ 13, 76 ff., 103 f.].

38. Unsere Frage nach dem täglichen Vorkommen von Literatur ist nun schon ein wenig sowohl negativ in Abgrenzung gegen andere Fragestellungen als positiv in vorläufigen Frageformulierungen vorgestellt. Man könnte sich dieses Vorkommen im Rahmen dessen vorstellen, was allgemein als Freizeit benannt wird. Nun liest man beim Soziologen Kenneth Roberts in einem kürzlich erschienenen Buch, daß Freizeit und Freizeitphänomene von Soziologen noch wenig erforscht und verstanden worden seien (Roberts 1970, 2 ff.). Und wenn man Publikationen über Freizeit, Freizeitbeschäftigungen, Freizeitstrukturierungen usw. durchsieht, sieht man bald, wie wenig über die interne Strukturierung der dabei verbrauchten Gegenstände insbesondere der dabei verbrauchten „Texte", selbst wenn man dieses Wort im weitesten Sinne auffaßt, zu finden ist.

„Freizeit" würde aber sicher nur einen Teil des Vorkommens von Literatur im täglichen Leben umschreiben. Ein eben mindestens genau so wichtiger Teil des Vorkommens könnte mit den Vokabeln „Schule", „Universität" abgedeckt werden. Es ist ja allgemein gar nicht so ohne

"Does Literature Reflect Common Values?" *ASR*, XXI (1956), 722—729; Martel-McCall 1964; Harry Pross, „Ansichten zur zeitkritischen Funktion der westdeutschen Literatur", in: Frank Benseler (Hrsg.), *Festschrift zum achtzigsten Geburtstag von Georg Lukács* (Neuwied und Berlin, 1965), S. 176—187; Martin Osterland, *Gesellschaftsbilder in Filmen: Eine soziologische Untersuchung des Filmangebots der Jahre 1949 bis 1964* (Stuttgart, 1970), S. 217 ff.

weiteres bekannt oder geklärt, wozu die literarische Bildung oder die
Behandlung von Literatur in der Schule und entsprechend die Ausbildung von Lehrer für Literaturunterricht an der Universität gesellschaftlich dienen soll. Die politischen Implikationen sind bereits angedeutet worden [§§ 28 ff.]. Eine Rolle könnte man darin sehen, daß
Literaturunterricht und Ausbildung von Literaturlehrern eine Rolle
für die Erziehung zu einem individuell gefüllteren, sozial reicheren
Leben spielt[75].

Die Vermittlung von Literatur durch Literaturdidaktik spielt u. E.
eine erhebliche Rolle für die Steuerung der Eigenschaften, unter denen
Literatur im täglichen Vorkommen auftritt. Wir werden das unter
dem Titel „Textverarbeitung" in einem weiter ausgeführten theoretischen Rahmen an späterer Stelle des Buches noch erläutern. In diesem
einleitenden, orientierenden Kapitel ist es aber wichtig, die Grundzüge, unter denen wir Literatur als kommunikative Prozesse und als
System struktureller Voraussetzungen für kommunikative Prozesse
spezieller Art begreifen, anzudeuten. Die Probleme der Literaturdidaktik, die unter Gesichtspunkten der Wissenschaftsreform schon
oben angeschnitten wurden [§§ 30, 33], müssen in Beziehung gesetzt
werden zu einer theoretischen Durchdringung der Situierung von
Literatur im täglichen Kontext.

39.   Immerhin kann die Analyse von Freizeitphänomenen, die der
Textkonsumtion nahestehen, oder die Textkonsumtion berühren, doch
einige Anhaltspunkte für die Behandlung unserer Frage liefern. So
erfährt man zum Beispiel aus Untersuchungen über die Wirkung
von Werbetexten, daß es außerordentlich wichtig ist, den Aufmerksamkeitswert solcher Texte angemessen zu berücksichtigen. Es ist entscheidend, ob solche Texte mit so wenig Aufmerksamkeit, Engagement
[§§ 73 ff.], Interesse seitens der Rezipienten verfolgt werden, daß
allenfalls Epiphänomene solcher Texte, die für die Wirkungsintentio-

---

75 Vgl. Roberts 1970, 116 ff. über Probleme einer Erziehung für Freizeit.
   Allerdings wird man hier genauer über die „Verwendung der Freizeit"
   (Clemens-August Andreae, *Ökonomik der Freizeit: Zur Wirtschafts-
   theorie der modernen Arbeitswelt* [Reinbek bei Hamburg, 1970],
   S. 112 ff.) Bescheid wissen und über „Möglichkeit" intensiv und phan-
   tasiereich nachdenken müssen. Vgl. ferner Gérald Fortin, „La planifica-
   tion des mass media en vue du dévellopement", *Comm.*, 14 (1969),
   129—136.

nen unter Umständen gar nicht interessant sind, größeren Aufmerksamkeitswert bei Aufnahme von Werbetexten erhalten. Die Wirkungsdiskussion in der Soziologie der Massenkommunikation hat gerade hier bisher immer zu widersprüchlichen Ergebnissen geführt, je nach dem unter welchen Voraussetzungen, unter welchen Untersuchungsdesigns usw. gearbeitet worden ist [§§ 77, 96, 104].

Wenn man Werbung und die Aufnahme von Werbung als ein unter anderen Dingen erscheinendes Phänomen von Freizeitbeschäftigung begreift, dem wenig Aufmerksamkeit zuteil wird, dann wird die Wirkung auch anders einzustufen sein[76]. Der Sinn, derartiges hier zu erwähnen, besteht darin, daß es auch Literaturwissenschaftlern strengerer Observanz aufgefallen ist, daß Aufmerksamkeit recht unterschiedlich sich über Teile von literarischen Texten verteilen mag. So sprach schon Jurij Tynjanov die Vermutung aus, daß in Erzähltexten eingebettete Landschaftsschilderungen bestenfalls überflogen würden (Tynjanov 1929, 45). Dieses Überflogenwerden solcher Passagen gilt aber wohl nur unter dem Blick bestimmter Gesichtspunkte. Für den auf den Geschehensablauf fixierten Leser, Zuschauer usw. sind sie Aufhalt, der u. U. für die Stimulierung anderer Erfahrungsweisen nutzbar wird. Was umgangssprachlich als ‚Stimmung' benannt wird, ist von bisheriger Literaturforschung allzuwenig erfaßt. Sicher, warum sollte man darüber etwas wissen wollen? Hier gibt sich jedoch vielleicht ein anderer Aspekt des Engagement oder der Engagierbarkeit des Rezipienten zu fassen.

Engagement und Engagierbarkeit werden in der „kritischen" Literatur häufig unter dem negativen, abweisenden Gesichtspunkt der Manipulation besprochen. Hans Magnus Enzensberger hat zu Recht daran beanstandet, daß die Engagierbarkeit in ihrem möglichen Potential damit unverstanden bleibt und damit auch bestimmte Möglichkeiten des Handelns verschlossen sind[77]. Wie das zu studieren wäre, wird allerdings bei Enzensberger nicht deutlich.

40. Ein zweites Moment sei erwähnt, um das Interesse an soziologischen Arbeiten zu Freizeit, Massenkommunikation usw. in unserem

---

76 Vgl. Rolf Meyersohn, "Television and the Rest of Leisure", *POQ*, XXXII (1968), 102—112.

77 Enzensberger 1970: „Die Anziehungskraft des Massenkonsums beruht aber nicht auf dem Oktroi falscher, sondern auf der Verfälschung und

Zusammenhang zu motivieren. Wir sind daran interessiert und werden dieses Thema im Laufe des Buches noch in größerem Maße verfolgen, als das hier möglich ist, aufzudecken, in welchem Verhältnis interne Strukturierungen von Texten, die durch ein texttheoretisch orientiertes analytisches Instrumentarium angegeben werden, in Beziehung zu Eigenschaften von Rezeptionsprozessen stehen. Aus der Arbeit von Roberts ergibt sich, daß für gewisse Fragestellungen des Verbrauchs von Texten die interne Strukturierung gänzlich irrelevant zu sein scheint: "Institutions such as dinner parties and evening expeditions to theatres and concerts are the types of activity which maintain the links between middle-class friends"[78]. Wenn Texte oder ähnliche Ereignisse nur dazu da sind, um Ereignisse des sozialen Kontakts herzustellen, dann ist die interne Strukturierung der Textereignisse in der Tat soweit nur interessant, als es nötig ist, bei den Teilnehmern, zu denen Kontakt hergestellt werden soll, gewisse Aufmerksamkeit zu erregen. Auch Untersuchungen, die die Gratifikation, die Teilnehmer aus Massenmedien gewinnen, erforschen, ergeben keine Hinweise auf relevante Zusammenhänge zwischen interner Textstrukturierung und Engagement von Teilnehmern, das der Konsumtion solcher Texte entgegengebracht wird[79].

Derartige Erfahrungen bei der Durchsicht von Literatur müssen natürlich vorsichtig beurteilt werden, da die Frage nach den Zusammenhängen zwischen strukturellen Eigenschaften und Umgebungseigenschaften des Engagements während der Rezeption in diesen Untersuchungen nicht explizit gestellt worden ist. Wir werden hierzu also zumindest Voraussetzungen formulieren und in gewissen Einzel-

---

Ausbeutung ganz realer und legitimer Bedürfnisse, ohne die der parasitäre Prozeß der Reklame hinfällig wäre" (171). „[Das Bedürfnis] ist das Verlangen nach einer neuen Ökologie, nach einer Entgrenzung der Umwelt, nach einer Ästhetik, die sich auch auf die Sphäre des „Kunstschönen" beschränkt. Diese Wünsche sind nicht, jedenfalls nicht in erster Linie, verinnerlichte Spielregeln des kapitalistischen Systems. Sie sind physiologisch verwurzelt und lassen sich nicht mehr unterdrücken" (172).

78 Roberts 1970, 54: vgl. Mann 1967, 84.
79 Vgl. z. B. Elihu Katz und David Foulkes, "On the Use of Mass Media as ‚Escape' ", *POQ*, XXVI (1962), 377—388; Jack McLeod, Scott Ward and Karen Tancill, "Alienation and the Uses of the Mass Media", *POQ*, XXIX (1965), 583-594.

heiten entwickeln müssen, um Hypothesen formulieren zu können, die es wert sind, überprüft zu werden. Solche Gratifikation kann natürlich sehr viele andere Ereignisse als Texte betreffen, wenn man zum Beispiel — zynischerweise — die Möglichkeit, das prachtvolle Leben der Feudalherren beobachten zu können, als befriedigend für die von ihnen Beherrschten bezeichnen durfte[80]. Der Ökonom R. Ruyer hat interessanterweise dargelegt, wie der ökonomische Wert eines ästhetischen Objekts zum Beispiel eines Theaterstücks in dem Grade steigt, wie die Zugänglichkeit für verschiedene Rezipienten sich erhöht (ob es nun jemandem vorgelesen wird oder einem großen Auditorium präsentiert wird) und in dem Grade wie die Implementation des Textes sich erhöht (ob nur durch die Stimme eines Vorlesenden oder durch die mit einer Theateraufführung zusätzlich gegebenen Dekorationen, Kostüme und anderen Aufmerksamkeitswerte)[81].

41. Wir vermuten nun, daß die Enge des Zeichenbegriffs, die oben dargelegt wurde, für die wenigen oder praktisch nicht-existenten Hinweise auf die Zusammenhänge zwischen interner Textstrukturierung und Engagementsstrukturierung verantwortlich zu machen ist [§§ 146 ff.]. Nicht primär texttheoretisch interessierte Forschung konnte gar nicht auf den Gedanken kommen, könnte man argumentieren, solche Zusammenhänge zu vermuten, da diejenigen Gelehrten, die für die Texte recht eigentlich zuständig waren, dergleichen gar nicht anboten. Es ist in der Literaturforschung und in der Textforschung, auch in der Linguistik bisher zu wenig oder gar nicht davon die Rede gewesen, welche strukturellen rekurrenten Eigenschaften denn das ausmachen, was man als einen textlichen Zusammenhang bezeichnet und solche Eigenschaften so angeben, daß sie für das, was ein Rezipient mit einem solchen Text — jetzt einmal nur grob formuliert — anfängt, verwertet werden können. Wenn man dagegen an einer Semiotik von Literatur in dem Sinne interessiert ist, daß komplexe Relationen zwischen zugrundeliegenden Bedeutungsstrukturen,

---

80 R. Ruyer, „La nutrition psychique et l'économie", *Cahiers de l'institut de science économique appliquée,* No. 55 (mai-décembre 1957); 8: „La vie des seigneurs dans leur chateau a dû être une source de récréations inépuisables pour les villageois, groupés au pied de la forteresse dans leur pauvres masures et qui pouvaient observer journellement leurs maitres et en parler."
81 Ruyer ib., S. 5.

die über solche Texte vermittelt werden, und Manifestationen solcher
Texte gesucht werden, dann ist die Frage nach dem Zusammenhang
zwischen Textstruktur und Engagementsstruktur neu oder allererst
aufzurollen. Ein erheblicher Teil des Analytikartikels wird im einzelnen auf diese Frage eingehen.

42. Engagierbarkeit ist bislang als eine prinzipiell für alle Rezipienten gleich geltende Eigenschaft behandelt worden. Tatsächlich stellt
man fest, daß Engagement sich unterschiedlich über das weite Feld
von Textsorten der Literatur im täglichen Vorkommen verteilt. Bestimmte Klassen, z. B. Arbeiter sind praktisch von bestimmter Literatur ausgeschlossen (Mann 1967, 84). Die Wertungen, die die Klassenbildungen der Tradition beherrschen, müssen auch unter dem Gesichtspunkt des Engagements von sozialen Gruppen oder Klassen
behandelt werden. Die Verbreitung von Literatur und die Auswahl
wird zumindest in bestimmtem Bereich von bestimmten sozialen Gruppen oder Klassen stärker beherrscht als von anderen. Die Literaturdidaktik stellt ein Zentrum der Steuerung der Engagierbarkeit her.
Engagementsteuerung nach Klassenzugehörigkeit läßt sich u. U. hier
festmachen.

Daneben ist eine Literaturproduktion entstanden, die ausdrücklich
unter Gesichtspunkten des Engagements bestimmter Rezipientengruppen konzipiert wird: „Arbeiterliteratur" (Möbius 1970). Dabei tritt
interessanterweise eine Verschiebung gegenüber dem traditionellen
Literaturbegriff ein. Reportagen, dokumentarisch oder wissenschaftlich
orientierte Schriften treten z. T. mit Funktionen, die sonst herkömmlicher Literatur beigelegt werden, auf; das ist auch anderenorts beobachtet worden[82]. Das Merkmal der Fiktion, das vielfach auch heute
noch die literaturtheoretische Diskussion bestimmt, wird in dieser Verschiebung ebenfalls angreifbar (Enzensberger 1970, 183 f.). Fiktivität
muß mit Bezug auf die Engagierbarkeit behandelt werden, nicht als
Merkmal der Relation zwischen Text und Textumgebung.

43. Mithin kann man vorläufig sagen, daß Engagement, Textselek-
tion nach Rezipientengruppen, und für wichtig gehaltene Merkmale

---

82 Vgl. z. B. über die ungarische Literatur des 20. Jahrhunderts: Ernö
   Gondos, „La sociographie littéraire", *Informations sur les sciences
   sociales*, VI, 5 (1967), 87—94.

von Texten in Relation stehen. Wie Ansichten über Merkmale von Literatur oder bestimmten Selektionen von Texten, die umgangssprachlich so heißen, unter dezidierten Ansprüchen an Texte zu einer Revision gezwungen werden, kann noch an einem weiteren Beispiel instruktiv belegt werden. Als landläufig kann die Ansicht gelten, daß dichterische Texte „schwerer" übersetzbar seien als nichtdichterische. Suerbaum 1969 zeigt, daß diese Ansicht bisher wenig motiviert ist. Alltagssprachliche Texte stellen dem Übersetzer schwierigere Aufgaben als dichterische, da die Übersetzung alltagssprachlicher Texte 1. kontextuelle Konventionen berücksichtigen muß, 2. nicht die Ausnahmerechte der Dichtung, die auch dem Übersetzer größere Freiheiten zugestehen, nutzen kann, 3. weniger „Wort für Wort" übersetzen kann als die Übersetzung „feingliedriger" konzipierter Texte, wie es dichterische zu sein pflegen, 4. sich Modifikationen nicht gestatten kann, die der Übersetzung dichterischer Texte, solange sie versifiziert sind, selbstverständlich sind, 5. schließlich nicht die übernationalen poetischen Regeln und Anspielungshintergründe ausnützen kann. Hier wären natürlich Maße und im einzelnen differenziertere Gruppen nötig.

Spannung, Horror u. ä. wird als Engagementsstrukturierung im Analytikkapitel ausführlicher besprochen werden. Auch hier ergeben sich u. U. Kriterien, die sich bestimmten Klassen im Bereich des täglichen Vorkommens von Texten mit Eigenschaften, die auch traditioneller Literatur zukommen, zuordnen lassen. Sicher liegt ein deutlicher Schritt vorwärts vor, wenn beispielsweise Davids 1969 die Konsumtion von Wildwest-Romanheften mit literarkritisch angebbaren Eigenschaften dieser Texte verknüpft. Die Diskussion der letzten Abschnitte konzentriert sich ja auf den Punkt, Engagement an textstrukturelle Bestände zu knüpfen.

44. Daneben gibt es aber noch einen weiteren Gesichtspunkt. Engagement wird nicht nur für die Rezeption von Texten wichtig, sondern auch für die weitere Verarbeitung. Auch hier spielen Tradition, Wertung, Kodifikation eine wichtige Rolle. Texte und ihre Traditionen

83 Vgl. Ali A. Mazrui, "Some Sociopolitical Functions of English Literature in Africa", in: Joshua A. Fishman, Charles Ferguson und Jyotirindra Das Gupta (Hrsg.), *Language Problems in Developing Nations* (New York [etc.], 1968), S. 183—197.

gehen in komprimierte Form z. B. in Zitation ein: in politischen Reden ist dergleichen zu finden wie im täglichen Leben[83]. Man kann also u. U. mit einer fortgesetzten Engagierbarkeit über Textkomprimierung rechnen. Tradition und Kodifikation wären auch unter dem Gesichtspunkt des Vorkommens solcher Kurzformen von Literatur im täglichen Leben zu analysieren.

Hat man den politischen Wert solcher Kurzformen, z. B. der Übertragung von Bibelrezitationen aus dem Weltraum beim amerikanischen Apolloprogramm erkannt, wird man sich schließlich vielleicht für das Vorkommen mikrostrukturell angebbarer Eigenschaften von Literatursorten in anderen Texten kümmern wollen; die Engagementstrukturierungen sind u. U. gleich.

Zweites Kapitel

Zur Entwicklung des analytischen Instrumentariums

2.1. Einführung

2.1.1. Forschungssituation

45. Das analytische Instrumentarium soll zweierlei leisten: 1. Vorkommende Texte — Gegenstände unseres Objektbereiches — sollen als mögliche Produkte eines Systems von Regeln über einem Inventar von Elementen rekonstruierbar sein. 2. Die Rekonstruktion dieser Gegenstände des Objektbereichs soll in eine Analyse des Verhaltens von Teilnehmern gegenüber Texten eingehen können, so daß Verhalten bzw. Variation und Veränderung des Verhaltens im Optimalfall vorhersagbar wird. Bei der besonderen Verfaßtheit der zur Rede stehenden Gegenstände sind das starke Forderungen, von denen hier nur eine Vorstellung in Teilen gegeben werden kann. Diese partielle Vorstellung wird sich auf die Möglichkeit der Verknüpfung der beiden Forderungen konzentrieren. Zwar gibt es programmatische Ansätze zur Analyse des Objektbereichs ‚Texte der Literatur‘, die grundsätzlich diesen Zusammenhang in ihren Formulierungen enthalten[84]. Doch scheinen die schon einleitend angeschnittenen methodischen Probleme [§§ 9 ff.] uns hier zu kurz zu kommen. Die Variation zwischen Texten wird bei Levý 1970 beispielsweise nach Normen rekonstruiert, die in traditionellen, in üblichen literarhistorischen Handbüchern auffindbaren Angaben formuliert werden. Inwieweit Teilnehmerverhalten von solchen vorfindbar formulierten Normen abhängt oder nicht, scheint in dieser Forschung hier völlig unproblematisch.

---

[84] Z. B. Levý 1970, 554: "The theoretical objective of generative poetics is to unfold an aesthetic construct into elements and rules of their combination in such a way that it should be possible to reconstruct, generate it by application of the rules on the inventory of elements." Die Problematik der ästhetischen Normen — das entspricht bei unserem Entwurf der Behandlung des Teilnehmerverhaltens — wird vorher von Levý erörtert. Anders behandelt Levý 1970, 555 ff. die Variation der Interpretation von Texten; hier wird auf Informantenbefragung rekurriert.

Die einige Zeit beherrschende linguistische Analyse literarischer Texte nach dem Grad ihrer Poetizität ist genau unter diesem Gesichtspunkt unzulänglich. Die Poetizitätsanalyse versucht das Poetische an Texten durch Bezug auf eine Grammatik zu rekonstruieren, die die Sprachkompetenz der Teilnehmer angibt. Diese Angabe der Kompetenz von Sprechern ist als solche unvollständig, betrifft auch nur relativ spezielle Aspekte von Texten. Wenn Jakobson die „poetische Funktion" von Sprache wesentlich darin sieht, daß sie die Aufmerksamkeit des Rezipienten auf die Formulierung eines Textes lenkt (Jakobson 1960, 356), ist Semantik bis auf Reste ausgeschlossen; das Interesse von Rezipienten an bestimmten Textgruppen, die unter dem Namen Literatur in unterschiedlicher Tradition zu unterschiedlichen Mengen zusammengefaßt werden, ist damit höchstens beschränkt charakterisiert. Die Reduktion der Poetizität in gewissen Ansätzen einer linguistischen Poetik auf spezielle Aspekte der Formulierung muß rückgängig gemacht werden.

46.   Literaturwissenschaftliche Arbeit in eingebürgertem Sinn hat sich durchaus auch schon in gewissen Maßen um den Rezipienten gekümmert, vor allem in der Analyse von Romanen. Dabei wurden unterschiedliche Realisationen der Beziehungen zwischen einem im Roman mitformuliertem Autor (Erzähler) und mitformuliertem Leser behandelt[85]. Wie derartiges zu vorkommenden Rezeptionen von Texten sich verhält, kann damit nicht festgestellt werden.

Rezeption näher kommen Richtungen der Literaturgeschichtsschreibung, die die jeweiligen Bedingungen der Lektüre bestimmter Texte zu bestimmten Zeiten zu rekonstruieren sucht und als „Rezeptionsästhetik" oder „Wirkungsgeschichte" auftritt[86]. Inwieweit hierbei Bedingungen des Wandels von Literatur in den Blick kommen, wird weiter unten erörtert [§ 114]. Hier ist nur zu bemerken, daß Normen der Beurteilung von Werken in solchen Arbeiten — als Prototyp kann Nisin 1959 gelten — zur Beschreibungsbasis werden; an solchen Normen werden individuelle Lektüren als angemessen oder unange-

---

85 Vgl. z. B. Franz Stanzel, *Die typischen Erzählsituationen im Roman: Dargestellt an ‚Tom Jones', ‚Moby-Dick', ‚The Ambassadors', ‚Ulysses' u. a.* (Stuttgart und Wien, 1955).
86 Vgl. den Überblick von Karl Robert Mandelkow, „Probleme der Wirkungsgeschichte", *JIG*, II (1970), 71—84.

bracht bewertet (Nisin 1959, 44 ff.). Insofern bleibt der gerade von
Nisin stark bemühte Begriff der ‚Aktualisierung‘ von Texten in ihren
Lektüren von der empirischen Basis der Rezeption relativ weit ent-
fernt.

Es scheint, daß man historisch bekannte Schwankungen des literarischen Geschmacks und des Umgangs mit Literatur vorderhand nur als
Motivation angeben kann, den Bedingungen der Textrezeption ein-
gehender nachzugehen. Die Forschung sollte an näher faßbaren Rezeptionsvorgängen ansetzen als denen der Vergangenheit. Dort scheint
nicht mehr greifbar als eine Aufarbeitung zeitlich variierender kritischer Stellungnahmen zu Texten[87].

47. Es fehlt also weitgehend an der Entwicklung geeigneter For-
schungsmethoden. Wir sind schon gar nicht in der Lage, große Massen
von Daten zu erfassen und auszuwerten, weil analytische Techniken
und entsprechend spezifizierte Fragestellungen und Hypothesen feh-
len. In dieser Situation scheint es günstig, Theoriebildung in der Weise
voranzutreiben, daß vorläufige Modelle an geringen Materialaus-
schnitten probiert werden. Das kennzeichnet das gesamte Analytikkapitel. Wir werden unter anderem die Poetizität von Erzähltexten,
Strukturen des Engagements von Teilnehmern an Texten z. B. durch
Spannung oder Horror, Fragen der Strukturierung des Engagements
von Rezipienten allgemein, thematische Strukturen und diesen zuletzt
genannten Strukturen zu Grunde liegende elementare Strukturierungen der Rezeption von Texten besprechen. Das wird zunächst an Erzähltexten expliziert werden. Dann wird die mögliche Übertragung
auf dramatische Texte diskutiert.

Wir sind daran interessiert, die Analyse so anzulegen, daß auf der
einen Seite eine einheitliche, allgemeine Strukturierung von Texten
möglich ist, also der Anschluß an allgemeine Texttheorien zumindest
prinzipiell anvisiert werden kann, auf der anderen Seite möchten wir
spezifische Charakterisierungsmöglichkeiten von spezifischen Eigenschaften von Texten und von spezifischen Sorten von Texten ent-

---

87 Vgl. etwa Arbeiten wie Peter Müller, *Der junge Goethe im zeitgenössischen Urteil* (Berlin, 1969); Robert Weimann, *Theater und Gesellschaft
in der Shakespeare-Kritik: Methoden und Perspektiven der Forschung*,
Abh. d. Dt. Akad. d. Wiss. zu Berlin, Kl. f. Sprachen, Literatur und
Kunst 1970, 1.

wickeln. Nur ein theoretisches Konzept und ein analytisches Instrumentarium, das diesen beiden Gesichtspunkten gerecht wird, allgemeine Textmodelle entwickeln zu können und spezielle Texteigenschaften und Textsorten besprechen zu können, kann für die skizzierte Aufgabenstellung der Semiotik der Literatur interessant sein (Ihwe 1971 c; Wienold 1972 e). Über Textmodelle und Textsorten wird in diesem Analytikkapitel nicht ausführlich gehandelt werden können, weil nur Grundzüge des analytischen Instrumentariums vorgeführt werden können bzw. einzelne Vorschläge in bestimmten Stufen entwickelt werden können. Die Frage der Textmodelle und der Charakterisierung von Textsorten werden wir deshalb ausführlicher in Kapitel IV unter der systematischen Besprechung der Aufgaben der Semiotik der Literatur behandeln, die sich im Anschluß an die Entwürfe der Kapitel I—III darstellen lassen werden.

48. Es ist nicht unwichtig, speziell darauf hinzuweisen, daß Linguisten und allgemein textorientierte Forscher sich in jüngster Zeit in besonderem Maße Erzähltexte zum Analysesubstrat gewählt haben. Demgegenüber standen vorher längere Zeit vor allem Analysen von lyrischen Texten im Vordergrund. Die gesamte Poetizitätsdiskussion ist fast ausschließlich an einem dazu nur relativ beschränkten Ausschnitt von lyrischen Gedichten der jüngeren Zeit geführt worden. Es ist deshalb besonders zu fragen, wie die Erfahrungen und die Ergebnisse solcher beschränkten Poetizitätsanalyse insgesamt für die Semiotik der Literatur interessant werden können. Das wird in dem Kapitel über Poetizität und Spannung von Erzähltexten noch aufgegriffen. Es darf aber hier schon angedeutet werden, daß die Aufgabenstellung der Analyse von Erzähltexten anscheinend deshalb in den Vordergrund tritt, weil die Analyse der kommunikativen Strukturierung von Erzähltexten besondere Ergebnisse zu liefern verspricht, die ohne weiteres an lyrischen Texten so nicht gefunden werden konnten. Ferner wollen wir auch die Vermutung äußern, daß Probleme, wie Kommunikation über Literatur sich vollzieht, an Erzähltexten in einer spezifischen Weise erläutert werden können.

49. Fragen, die sich hier stellen, sind insbesondere solche: Ist Kommunikation über Literatur grundsätzlich mit Kommunikation über Sprache in anderen Vorkommen gleichzusetzen? Ist nicht die weitgehende Abwesenheit eines Kommunikators (Autors, Senders) ein so wichtiges Kennzeichen, daß man Kommunikation über Literatur eigens von anderer sprachlicher Kommunikation abheben müßte? In welcher Weise, wird man weiter fragen müssen, läßt sich die Übereinstimmung über Bedeutung, die semantischen Analysen von Sätzen in der Linguistik zu Grunde liegen, in einer textlinguistischen oder sonst texttheoretischen Analyse von Literatur aufnehmen? Es ist ja nicht ohne weiteres sichergestellt, daß die Gemeinsamkeit von Bedeutung, die der Linguist bei der Analyse von Sätzen annimmt, um eine Semantik einer Sprache zu konstruieren, sich über Gesamttexte mit speziellen Aufgabenstellungen mit speziellen Verbrauchssituationen ohne weiteres durchhält.

Diese Fragestellung soll in der folgenden Form angegangen werden. Wir schlagen einige allgemeine Annahmen über die Grundlagen der Textkonstruktion und -rezeption vor und versuchen dort spezifische Momente zu isolieren, von denen aus Teilnehmerverhalten angegangen werden kann.

2.1.2 Primitive und Formulierungsverfahren

50. Wir schlagen eine allgemeine Form für Texte vor. Diese allgemeine Form wird in Primitiv-Elementen und Formulierungsverfahren, die Primitiv-Elemente miteinander verbinden, notiert. Spezielle Textsorten und Texte können durch Spezifikation der Interpretation der Primitivelemente und durch Spezifikation der Formulierungsverfahren aus der allgemeinen Form abgeleitet werden[88].

Primitive werden durch Verknüpfung von Elementen der beiden Mengen {X, Y, Z . . .} und {a, b, c . . .} in Folgen der Form: Xa, Yb, . . . gebildet. X, Y, Z . . . sind abstrakte Repräsentationen von Segmenten der Oberfläche eines Textes, die als Nominalphrasen fungieren können (NP); a, b, c . . . sind abstrakte Repräsentationen von Segmenten der Oberfläche eines Textes, die als Verbalphrasen (VP) fungieren können. Elemente beider Mengen können mehr als eine Vertretung in der Textoberfläche haben. Die Primitive können durch Einbettung: $Xa(Yb)$, $X(Xb)a$, . . . und durch Konjunktion verknüpft werden, wobei die Konjunktionen aus der Menge {C_1, C_2, C_3 . . .} gewählt werden: XaC_1Yb, XaC_2Xc, . . .

---

88 Vgl. Wienold 1971a, §§ 40 ff.; Wienold 1972e.

Bei der Darstellung, die hier folgt, kommt es nicht so sehr auf eine
formale Theorie einer Textgrammatik an[89] als die Idee, spezielle Texte
und spezielle Texteigenschaften durch Spezifikation aus einer allgemeinen Form von Texten abzuleiten, in einer praktikablen Art und
Weise vorzuführen und die bereits erwähnten methodischen Probleme
der Semiotik der Literatur hiernach angehen zu können. Die Variablen
aus $\{X, Y, Z \ldots\}$ und $\{a, b, c \ldots\}$ werden dabei in ihren möglichen
Interpretationen eingeschränkt, und die Wahl der Regeln, die Primitive verknüpfen, und die Kombinationsmöglichkeiten solcher Regeln
in größeren Textkomplexen wird begrenzt. Diese Regeln und ihre
Kombination bezeichnen wir als Formulierungsverfahren (= FV). Die
Formulierungsverfahren sind Grundbestandteile einer Theorie der
Formulierung von Texten.

51.   Damit wird eine Heuristik der Textanalyse entwickelt, die wir
vor allem an Erzähltexten und an dramatischen Texten illustrieren.
Wir können zum jetzigen Zeitpunkt nur von einer Heuristik sprechen,
da wir noch nicht über geeignete Modelle der Analyse von Texten verfügen und deshalb auch noch nicht spezielle Modelle für spezielle Textsorten [§§ 152 ff.] aus ihnen ableiten können. Wie nach und nach
deutlicher werden wird, muß uns an der Entwicklung einer reichhalti-
gen Heuristik besonders gelegen sein.
Im Zusammenhang der Entwicklung von Modellen der Erzähltextanalyse ist besonders von den französischen Semiologen die Frage der
Ebenen von Erzähltexten aufgeworfen worden. Roland Barthes 1966
entwarf, indem er Arbeiten von Propp, Bremond, Greimas und Todorov zusammenfaßte, ein Modell für Erzähltexte mit drei Ebenen:
1. Funktionen und Indizes, 2. Aktionen, 3. Narrationen. Es ist bereits
an anderen Orten (Wienold 1971 a, 66; Wienold 1972 e) begründet
worden, daß diese Modelle ad-hoc-haft sind. Wir kommen unten
darauf noch zurück. Insbesondere halten wir hier fest, daß spezielle
Texte sich nicht durch das Vorkommen nur spezieller Sorten von
Sätzen auszeichnen, sondern durch spezielle Formen der Verknüpfung
von Sätzen. Wir nehmen deshalb oberhalb von Sätzen nur eine opera-
tionelle Ebene an, die des Formulierens von Texten. Diese Ebene der
Formulierung wird durch die Angabe der Art und des Vorkommens

89 Vgl. dazu Ihwe 1971a.

von Formulierungsverfahren und deren Bedingungen beschrieben. Formulierungsverfahren sind rückführbar auf elementare Verknüpfungen von Primitiven.

52. Der analytische Vorteil, der sich ergibt, besteht darin, daß je nach Untersuchungsinteresse — allgemeine Eigenschaften von Texten, Eigenschaften spezieller Sorten von Texten oder spezieller Texte — die Spezifikation der allgemeinen Form unterschiedlich gehandhabt werden kann. Fragen der Klassifikation von Texten können damit anders aufgegriffen werden als in den traditionellen Gattungslehren. Die verschiedenartigsten Kombinationen von Eigenschaften, die die analytische Apparatur zu spezifizieren erlaubt, können über Mengen von Texten hin, die nicht traditionell gleich klassifiziert werden, überprüft werden.

Die Gattungstheorie wird nicht so sehr Typen einer Art aufstellen, deren empirische Berechtigung zweifelhaft ist, als die jeweiligen Bedingungen für das Teilhaben eines Textes an bestimmten Eigenschaften angeben. Man kann beispielsweise erwarten, die Frage, ob sprachlich formulierte Erzähltexte bestimmte Eigenschaften mit filmisch formulierten Erzähltexten (Spielfilm) teilen, analytisch so zu spezifizieren, daß entsprechende Hypothesen bei Bedarf empirisch überprüft werden können.

2.1.3 Textanalyse durch Spezifikation einer allgemeinen Form von Texten ⟨

53. Die Analyseart soll hier, bevor in detaillierter Form auf Eigenschaften von Erzähltexten und dramatischen Texten eingegangen wird, noch kurz weniger spezifisch illustriert werden. Analyseobjekt ist die Kommunikation über Texte. Texte sind demnach so zu spezifizieren, daß die Bedingungen und Folgen der Kommunikation von Texten über Eigenschaften von Texten formuliert werden können, solange man glaubt, Bedingungen und Folgen tatsächlich an Texteigenschaften knüpfen zu können [§§ 40, 76 ff.]. Für Erzähltexte spielt, wie noch näher dargelegt wird, eine wichtige Rolle, daß der Rezipient die Reihenfolge der Sätze eines Erzähltextes in mehr oder minder großem Maße rearrangieren muß, um die erzählte Handlungsabfolge zu erhalten.

Diesem Rearrangement von Texten durch Rezipienten bei der Kommunikation werden wir besondere Aufmerksamkeit widmen. Denn dies ist eine der ersten greifbaren Stellen, an denen das Ineinandergreifen von Texteigenschaften und Partizipation der Rezipienten dargelegt werden kann. Wenn wir Hypothesen über Rezipientenverhalten formulieren, z. B. über das Rearrangement von Texten durch Rezipienten, dann stützen sich solche Hypothesen häufig zu einem guten Teil auf Intuitionen über eigenes Verhalten. Manche dieser Hypothesen werden mehr oder weniger evident scheinen. Die Semiotik sollte aber dazu übergehen, solche Hypothesen zu formulieren, die Rezipientenverhalten gegenüber Texteigenschaften experimentell zu untersuchen erfordern. Darüber im letzten Kapitel noch ausführlicher.

54.   Andere spezielle Eigenschaften von Texten werden durch Spezifikation der Primitivelemente angebbar. So ist beispielsweise für Erzähl- oder dramatische Texte charakteristisch, daß bestimmte Xa in bestimmten Verknüpfungsformen ein als ‚Person' spezifiziertes X führen. Für bestimmte Erzählverfahren ist es charakteristisch, daß Primitive oder Primitivverknüpfungen in spezifische andere Primitive eingebettet werden, die die Erzählperspektive regulieren.

Text-Rearrangement und Spezifikation von Primitiven sind dabei untereinander verknüpft, da z. B. identisch spezifizierte X, die an unterschiedlichen Stellen eines Erzähltextes auftreten, miteinander beim Textrearrangement verbunden werden. Als der Zusammenhang von Spezifikation und Textrearrangement in Horror-Texten untersucht wurde, ergab sich, daß Horror an die Einbettung in speziell spezifizierte Primitive, die einen Kommentar zur Handlung enthalten, gebunden ist, die diese speziellen Primitive in einer steigernden Form über einen Text verteilen (Wienold 1972 e).

55.   Eine linguistische Analyse spezieller Textsorten, z. B. von Erzähltexten, wird zunächst und vor allem die Beschreibung von Normalformen (Wienold 1971 a, §§ 40 ff.) erbringen müssen. Mit Normalform ist die Regelung der Spezifikation der allgemeinen Form von Texten gemeint. Die Basis der Strukturierung spezieller Textsorten kann zum Unterschied von der Normalform auch Neutralform genannt werden, wenn der Grad der Verbindlichkeit dieser Strukturierungsbasis eingeschränkt ist. Literarische Texte weisen in manchen Zügen u. U. noch weiter von der allgemeinen verbindlichen Strukturierungsbasis entfernte Standardisierungsformen auf, Gattungsnormen, in die speziell eingeweiht zu werden nötig ist. Hypothesen über die Normal- und Neutralformen von Texten oder Textsorten bilden, heißt, die den Teilnehmern eines Kommunikationssystems gemeinsame Basis für die Strukturierung von Einheiten dieses Systems angeben. Eine linguistische Analyse von Erzähltexten beschreibt die den Teilnehmern, Produzenten und Rezipienten gemeinsame Strukturierungskapazität, innerhalb deren ‚Verstehen‘ solche Texte stattfindet, z. B. die Steuerung der Zuordnung von erzählten Vorgängen. Damit steuern wir darauf zu, die Breite an Variation, die bei Rezeptionsprozessen von Texten vorkommt, auf der Basis einer solchen Neutralform zu erfassen, Übereinstimmung und Diversifikation der Verstehensprozesse sollen meßbar werden.

Die Entwicklung von Maßen in diesem Bereich wird zu einer Hauptaufgabe der Vorbereitung interessanter empirischer Forschung. Man wird die analytische Kapazität der allgemeinen Form auch danach beurteilen, inwieweit sie die Konstruktion geeigneter Maße erlaubt.

An literatursoziologische Arbeiten, die Entsprechungen („Homologien") zwischen Texteinheiten und Textumgebungseinheiten (= Gesellschaftseinheiten) aufstellen[90], wird von hier aus die Frage gestellt, ob sie Kommunikationseinheiten in Relation zu den Strukturierungsbedingungen für Produktion, Rezeption und Verarbeitung von Texten strukturieren. Der Aufschlußwert von Linguistik und Semiotik für andere Sozialwissenschaften könnte in der Tat danach beurteilt werden, inwieweit es gelingt, die Breite an Variation, die ihrerseits noch spezieller zu strukturieren wäre, in kommunikativen Prozessen und deren Zusammenhängen so aufzufangen, daß sie an die Normalform sprachlicher und anderer Kommunikationseinheiten (Texte) gebunden wird. Man käme von den Gemeinplätzen, das Sprache Gesellschaft oder Kultur begründe und dgl. weg und könnte spezifisch jeweilige Sozialität vorkommender Kommunikation angeben. Sozialität soll dabei die Beachtung der Normalform und die Voraussetzungen, unter denen die Beachtung der Normalform möglich ist, betreffen.

---

90 Siehe z. B. Lucien Goldmann, *Pour une sociologie du roman* (Paris, 1964); Harry Levin, "Towards a Sociology of the Novel", in: ders., *Refractions: Essays in Comparative Literature* (New York, 1966), S. 239—249.

2.2. Poetizität und Spannung in Erzähltexten

2.2.1 Normalform, Poetizitätsanalyse und Spannungsanalyse

56. Lange Zeit hat die Poetizitätsanalyse vor allem Grammatik-theoretiker interessiert. Poetische Sprache wurde nach verschiedenen Kriterien, vorzugsweise dem Kriterium der Abweichung von der Normalsprache analysiert (Baumgärtner 1969; Wienold 1971 a, 55 ff.). Wie schon angedeutet, ist diese Konzeption ungenügend [§ 48], vor allem wegen einer ungenügenden Basis. Einige Eigenschaften bestimmter Texte oder Textsorten sind relativ gut so zu charakterisieren, daß auch eine für das Interesse, das Teilnehmer solchen Texten oder Textsorten entgegenbringen, nicht zu fern liegende theoretische Rekonstruktion des Begriffes Poetizität sich ergeben hat. Gleichzeitig übernimmt man damit aber ohne theoretische Klärung den Begriff von Poetischem, der sich in jüngerer Zeit vor allem an Dichtung in Form von Lyrik gebunden hat. (Lyrik benützen wir dabei hier als umgangssprachlichen Ausdruck, über den der Theoretiker nötigenfalls von Teilnehmern am System Auskunft verlangen kann). Das liegt nicht zuletzt daran, daß die grammatiktheoretische Basis der Poetizitätsanalyse eine Satzgrammatik war. Damit wurde die Eigenschaft in Dichtung (= Lyrik) vorkommender Sätze, gegenüber Sätzen der von der Grammatik erfaßten Normalsprache eine Ausnahmesituation einzunehmen, vornehmlich interessant, z. B. als *Abweichung* von der Normalgrammatik:

> Der Menschenfresser
> hat kein Auge auf seiner Stirn
> nur Sorgenfalten
> wie ein Dackel der leidet an Tollwut
> . . .

als *Äquivalenzbildung* durch Plazierung von Elementen gleicher Klassen eines Inventars in identischen Positionen des Arrangements:

> Der Menschenfresser frißt keinen
> der nicht sein Feind ist
> wen er fressen will
> den macht er sich erst zum Feind
> . . .

als *Zusatzstrukturierung:*

> Der Menschenfresser will ungern

seine eigenen Mitbürger fressen
Er geht lieber ans Ende der Welt
um sich gehen zu lassen

. . .

Der Menschenfresser
ist in Wirklichkeit gar nicht herzlos
Er bangt um jeden
den er ausschickt sich sattzuessen

. . .

Der Menschenfresser
will nicht alles für sich behalten
Er lädt Freunde zu Tisch
mit denen er teilen will

. . .

als *Mehrdeutigkeit:*
„Er nahm seit der letzten Mahlzeit
nicht *einen* Menschen zu sich."

(Erich Fried, *Greuelmärchen)*[91]

Auf der Basis solcher Kriterien ist es auch möglich gewesen, Texte, die als Dichtung bezeichnet werden, anzugehen, indem Kohärenz der Ausnutzung solcher Poetizitätskriterien über einzelne Texte oder gar durch ein größeres Werk (eine Werkgruppe) hindurch nachgewiesen wurde, so von Rolf Kloepfer und Ursula Oomen am Beispiel von Rimbauds *Illuminations* (Kloepfer — Oomen 1970).

Im ganzen bleibt die Poetizitätsanalyse jedoch in einer herkömmlichen poetischen Klassenbildung haften. Sie kann außer spezifischen Bemerkungen zur Einzelheit nichts über Erzähltexte und Dialogtexte sagen, auch nichts über die Kombination von Erzähltexteigenschaften und Verstexteigenschaften. Denn sie verfügt nicht über ein allgemeines Modell von Texten. Textsortenbegriffe muß sie deshalb von Teilnehmern übernehmen. Doch ist sie durch ihre analytische Kriterienbildung auf ein interessantes Phänomen gestoßen.

Die Poetizitätskriterien finden sich nämlich nicht nur in traditionell für poetisch gehaltenen Texten, sondern auch in Werbeslogans *(Wer zügig fährt, fährt mit dem Zug),* in auf Rhetorik bedachten Äußerun-

---

91 Erich Fried, *und Vietnam und: Einundvierzig Gedichte* (Berlin, 1966), S. 45.

gen, in alltäglicher Rede. Die Auswertung der Kriterien legt nahe, traditionelle Textklassifikationen aufzugeben [§ 52].

57. Damit wird ein anderes Merkmal der Poetizitätsanalyse als das grammatiktheoretische Interesse weit interessanter. Er läßt sich von Texten sagen, daß sie je nach Kriterium unterschiedlich stark an der Eigenschaft „Poetizität" teilhaben. Man erhält ein Maß für Texte nach mehreren Dimensionen und damit neue Möglichkeiten der Textgruppierung. Diese Gruppierung ist keine Klassifikation nach Vorkommen oder Nichtvorkommen einer Eigenschaft, sondern nach dem Grad des Vorkommens von Eigenschaften.

Ein nach traditionellen Begriffen poetischer Text wie der folgende — er kommt in einem *Gedichte* betitelten Band vor — hat nach den behandelten Kriterien einen Grad von Poetizität, der Null recht nahe kommt:

Briefschreibenmüssen
Hier ist nichts los — außer
daß alle Kinder ahornnasen tragen[92]

Ein Schild auf Lastwagen wie das folgende ist dagegen hochgradig poetisch:

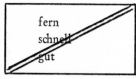

Wir heben diese Skalierung, die, einmal in den Methodenapparat der Texttheorie eingeführt [Wienold 1971 a, §§ 90 ff.], vielseitig verwendbar ist, nach Graden der Poetizität[93] deshalb so hervor, weil sich damit neue Fragemöglichkeiten ergeben, z. B. nach der unterschiedlichen Ausnutzung von Texteigenschaften wie Poetizität in unterschiedlichen Textvorkommen, z. B. politische Propaganda, Werbung, zeitgenössische Lyrik.

58. Wir übernehmen also die u. E. nützliche Eigenschaft der Poetizitätsanalyse, Skalierungen zu ermöglichen, ohne an ihrer gramma-

---

92 Christa Reinig, *Gedichte* (Frankfurt am Main, 1963), S. 41.
93 Meines Wissens zuerst ausdrücklich bei Walter A. Koch, *Recurrence and a Three-Modal Approach to Poetry* (The Hague und Paris, 1966), S. 9.

tiktheoretischen Beschränkung festzuhalten. Das soll durch eine formulierungstheoretische (texttheoretische) Orientierung erreicht werden. Eigenschaften von Texten müssen mit Bezug auf eine Theorie der allgemeinen Form von Texten angegeben werden. Die Klassenbildung ist nur durch Angabe der Operationen innerhalb dieser Theorie möglich. Vorkommende Teilnehmerklassifikationen werden aufgrund der theoretischen Klassenbildungen dann daraufhin befragbar, welche Rollen von welchen Eigenschaften mit welcher Konsistenz von Teilnehmern in welchen Aktivitäten wichtig werden (geworden sind). Textklassen werden durch Spezifikation gebildet [§ 50]. Aufgrund solcher Spezifikationen lassen sich Normalformen für Texte konstruieren. Diese Normalformen sollen die Spezifikation der Primitive und Formulierungsverfahren angeben, die Teilnehmer für so klassifizierte Texte einhalten. Vorkommende Texte können dann in bezug auf den Grad der Realisierung der in der Normalform spezifizierten Eigenschaften skaliert werden. Wenn vorkommende Texte eine Adaption des Verhaltens von Teilnehmern erfordern, soll dieses Verhalten in Relation zum Skalenwert von bestimmten Texteigenschaften untersucht werden. Wertung von Texten kann hiermit ebenfalls als Teilnehmerverhalten zugänglich werden [§§ 118, 132]. Nur für eingeschränkte Teilnehmerkreise geltende Textgruppen werden als spezialisierte Neutralformen solcher Normalformen behandelt.

59. Erzähltexte kommen im folgenden deshalb zur Diskussion, weil ihre Behandlung erst durch die Konstruktion einer Normalform möglich wird. In bezug auf eine solche Normalform wollen wir die Realisierung in bestimmten Texten nach geläufigen Poetizitätskriterien angeben. Unter der Hand nimmt der Begriff ‚Poetizität' damit einen neuen Sinn an; er kann in einer entwickelten Theorie als eine Dimension von Texteigenschaften über unterschiedlichen Textsorten rekonstruiert werden. Eine Normalform für Erzähltexte, wie sie alltäglich produziert werden, haben Labov-Waletzky 1967 konstruiert [§ 162].

Beim jetzigen Stand der Überlegungen kann nicht die Normalform von Erzähltexten voll konstruiert oder gar die Neutralform oder die nach Teilnehmergruppen und deren Eigenschaften hierarchisierte Menge der Neutralformen spezieller Erzähltexte wie von Romanen entwickelt werden. Es können nur einige Gesichtspunkte erarbeitet werden, anhand derer sich Einsichten in die Probleme ergeben sollen, die bei der Analyse von Erzähltexten auftreten. Anstatt der literaturwissenschaftlichen Versuche, die entweder eine „Theorie" des Romans anstreben oder eine Reihe für wichtig gehaltener struktureller Momente (Erzählsituation, Raum- und Zeitbehandlung, etc.) interpretativ erörtern und auf diesem Wege Klassifikationsschemata erstellen[94], werden relativ elementare Bestände besprochen. Vieles von dem, was ausgeführt wird, gilt für Erzähltexte im weiteren Sinn, ja auch für nichtsprachliche Erzähltexte, die ein erzählbares Handlungssubstrat haben (Theaterstücke, Ballette, Spielfilme etc.). Es ergibt sich daraus die Möglichkeit, Probleme der Textverarbeitung [§§ 110 ff.] in breiterem Rahmen anzugehen. Über Differenzen wird noch näher zu reden sein. Wir haben keine Definition von Roman oder Erzähltext nach analytischen Kriterien, sondern geben uns damit zufrieden, vom Teilnehmer die Menge der Romane bzw. Erzähltexte bestimmen zu lassen[95]. Als spezieller Analysetext wird ein Kriminalroman von Patricia Highsmith gewählt: *The Talented Mr. Ripley.*

Kriminalromane in diesem Zusammenhang näher anzuschauen, hat eine Reihe von Vorteilen: Die Literaturwissenschaft herkömmlicher Art hat sich in jüngerer Zeit relativ stark mit dem Kriminalroman

---

94 Vgl. z. B. Georg Lukács, *Die Theorie des Romans: Ein geschichtsphilosophischer Versuch über die Formen großer Epik,* 2. Aufl. (Neuwied und Berlin, 1963; zuerst Berlin, 1920); Viktor Šklovskij, *Theorie der Prosa* (Frankfurt am Main, 1966; zuerst russ.: Moskau, 1925); Rafael Koskimies, *Theorie des Romans* (Helsinki, 1935); William Van O'Connor (Hrsg.), *Forms of Modern Fiction* (Bloomington, Indiana, 1964); Eberhard Lämmert, *Bauformen des Erzählens,* 3. Aufl. (Stuttgart, 1968); Wayne C. Booth, *The Rhetoric of Fiction* (Chicago, 1961); Franz K. Stanzel, *Typische Erzählformen des Romans* (Göttingen, 1964); Walter Bausch, *Theorien des epischen Erzählens in der deutschen Frühromantik* (Bonn, 1964); Ralph Freedman, "The Possibility of a Theory of the Novel", in: Peter Demetz, Thomas Greene und Lowry Nelson, Jr. (Hrsg.), *The Disciplines of Criticism: Essays in Literary Theory, Interpretation, and History* (René Wellek Festschrift) (New Haven and London, 1968), S. 57—77.

95 Lubomir Doležel, „The Typology of the Narrator: Point of View in Fiction", in: *To Honor Roman Jakobson: Essays on the Occasion of His Seventieth Birthday,* 3 Bde. (The Hague und Paris, 1967), I, 541—552, stellt eine Liste von Merkmalen zusammen, die Erzähltexte als Texte mit (mitformuliertem) Sprecher von Nicht-Erzähltexten (ohne Sprecher) unterscheiden sollen. Nach diesen Kriterien würden, was keineswegs überrascht, auch Texte wie Shelleys *Ode to the West Wind* oder Keats' *Ode to a Nightingale* zu den Erzähltexten gehören.

befaßt[96], nicht nur, weil sie sich neuerdings auch für sog. Trivialliteratur interessiert, sondern besonders deshalb, weil die tradierten Wertklassenbildungen durch Kriminalromane relativ stark angegriffen werden[97]. Man kann an der breiteren Skala des Interesses auch ablesen, daß mit der Analyse von Kriminalromanen man an die Konstruktion von Normalformen und die Charakterisierung spezieller Eigenschaften von Erzähltexten eher herankommt als die Analyse von Romanen Thackerays, Gottfried Kellers oder Prousts. Schließlich erlaubt der Kriminalroman einen Aspekt des Rezipientenengagements, das der Spannung relativ leicht bloßzulegen. Von Untergruppierungen wie Detektivroman (analytischer Kriminalroman) u. ä. wird im großen und ganzen abgesehen.

Die Spannungsanalyse schließt sich dabei an die Konstruktion von Eigenschaften der Normalform an, wird aus diesen abgeleitet. Damit wird wenigstens im Ansatz die doppelte Forderung an das analytische Instrumentarium [§ 45] erfüllt.

2.2.2 Zur semiologischen Erzähltextanalyse

60. Ein Modell zur Analyse von Erzähltexten mit linguistischen Ambitionen hat die Pariser semiologische Schule [§§ 2, 5 ff.], z. T. im Anschluß an die Arbeiten der Folkloristen Vladimir Propp und Alan

---

96 Vgl. u. a. Howard Haycraft, *Murder for Pleasure: The Life and Times of the Detective Story* (New York, 1941; repr. 1968); A. E. Murch, *The Development of the Detective Novel* (London, 1958); Serge Radine, *Quelques aspects du roman policier psychologique* (Genf, 1960); Alberto Monte, *Breve storia del romanzo poliziesco* (Bari, 1962); Richard Alewyn, „Das Rätsel des Detektivromans", in: Adolf Frisé (Hrsg.), *Definitionen: Essays zur Literatur* (Frankfurt am Main, 1963), S. 117—130; Ulrich Suerbaum, „Der gefesselte Detektivroman: Ein gattungstheoretischer Versuch", *Poetica*, I (1967), 360—374; Ordeam A. Hagen, *Who Done It: An Encyclopedic Guide to Detective, Mystery, and Suspense Fiction* (New York, 1968); Rainer Schönhaar [Anm. 97]; Charles Grivel, „Observation sur le roman policier", *Entretiens sur la paralittérature* (Paris, 1970), S. 230—247.

97 So werden von Rainer Schönhaar, *Novelle und Kriminalschema: Ein Strukturmodell deutscher Erzählkunst um 1800* (Bad Homburg v. d. H. [etc.], 1969) gemeinsame Eigenschaften einer Gruppe von Novellen und von Kriminalromanen überhaupt hervorgehoben; dabei jedoch sorgfältig immer wieder die Wertunterschiede der in der literaturgeschichtlichen Kodifikation anerkannten Novellen gegenüber den Kriminal-

Dundes, entwickelt[98]. Grundeinheiten dieses Modells sind (1) Funktionen: Handlungselemente, die eine Folge haben können, d. h., die ein Risiko einschließen, und (2) Indizes: charakterisierende Elemente. Aus diesen Elementen bauen sich höhere Einheiten auf: Personenrelationen und Handlungen, die schließlich in die höchste Ebene, das Erzählverfahren, integriert werden. Am besten ausgearbeitet — im wesentlichen durch Claude Bremond — ist die Funktionsanalyse, die ein triadisches Modell ansetzt von (1) Ausgangssituation (z. B. ein Mangel), die zu (2) einer Handlung führt oder führen kann, die dieser Situation abhelfen soll, welche Handlung in (3) der Beseitigung oder Nichtbeseitigung der Ausgangssituation resultiert. Es ergeben sich dabei verschiedene Verknüpfungsformen solcher Funktionstriaden. Man kann sich ziemlich schnell davon überzeugen, daß jedes Erzählsubstrat eines Erzähltextes sich auf diese Weise analysieren läßt.

Es ist nicht sinnvoll hier, diese Arbeiten im Detail zu besprechen. So stimulierend sie sind, leiden sie allgemein darunter, daß sie nicht die Auffindungsverfahren angeben, mit Hilfe derer die Analysen durchgeführt werden können, insbesondere werden elementare Probleme der Segmentation und Klassifikation nicht vorgeführt. Die meisten Analysen der Semiologen implizieren z. B. ein Klassifikationsverfahren, das man Semem-Abstraktion nennen kann: Textaussagen, die die Beziehungen zwischen Personen betreffen, müssen so klassifizierbar sein, daß sie ein gleiches sememisches Merkmal („gleiche Beziehung", „entgegengesetzte Beziehung") haben. Oder: Funktionen in Funktionsketten, die als „Steigerung" analysiert werden, müssen so klassifizierbar sein, daß sie ein gleiches sememisches Merkmal + Augmentativsemem enthalten (z. B. *gehen — laufen — rennen =* Fortbewegung + Beschleunigung, oder drei Morde, die sich im Grad der Brutalität unterscheiden). Wir glauben, daß der semiologische Ansatz „linguistischer" wird, wenn solche semantische Operationen in

romanen hervorgehoben. Kriterien dafür werden nicht erarbeitet. Vgl. auch Gerhard Schmidt-Henkel, „Kriminalroman und Trivialliteratur", *STZ*, 1 (1961/62), 207—227.

98 Propp 1928; Barthes 1966; Bremond, 1964; Bremond, 1966; Bremond 1968; Claude Bremond, „Combinaisons syntaxiques entre fonctions et séquences narratives", in: Greimas 1970, 585—590; Todorov 1966; Todorov 1967. Dem unten entwickelten Ansatz kommt entgegen: Julia Kristeva, „La productivité dite texte", *Comm.*, 11 (1968), 72 f.

die Elementarstufe der Analyse eingeführt werden. Denn dies sind Stellen, an denen Verstehensprozesses der Rezeption und Verarbeitung ansetzen und eventuell differieren.

Ein weiterer entscheidender Punkt für die Linguistisierung des semiologischen Erzählextanalysemodells ist die Frage, ob man für spezielle Textsorten zwischen den sonst üblichen linguistischen Ebenen ‚Satz‘ und ‚Text‘ weitere neue konstruieren soll. Barthes, auf den die oben erwähnten drei Ebenen zurückgehen, müßte für andere Textsorten, für Abhandlungen, Gedichte, Nachrichten usw. wieder andere Ebenen ansetzen[99]. Schließlich wird in den semiologischen Arbeiten nicht die Frage nach den Normal- bzw. Neutralformen gestellt. Diese sind aber entscheidend für die Behandlung der Auflösung von Texten durch den Teilnehmer, wie die Grammatizität die Grundlage geboten hat, wenigstens einige Züge der Poetizität von Texten anzugeben.

61. Es werden heute relativ zahlreiche Analysen von Texten vorgelegt, die sich das Attribut ‚strukturell‘ beilegen. Und es ist diesen vielfach zuzugestehen, daß sie Relationen zwischen Texteinheiten abbilden, die andere mit gleichen Verfahren entsprechend abbilden könnten. Dennoch bleiben solche Analysen häufig aus einem Grund unbefriedigend. Sie motivieren nicht oder nicht genügend, warum diese Sorte von Analyse gemacht werden soll. Sie sagen nicht, wozu das Wissen, das man so erwirbt, nütze sein soll, bzw. was man weiß, wenn man das weiß, was diese Analysen wissen lassen. So findet man vor allem seit Todorov 1966 die Beziehungen zwischen Personen eines Erzähltextes interessant. Eine Untersuchung stellte innerhalb einer Gruppe wichtiger Personen eines Romans die Beurteilung jeder dieser Personen, soweit das relevant war, durch jede andere Person im Kontext jeder anderen Person dar. Man glaubte von da aus auf die Intentionen des Autors zurückschließen zu können[100]. Es soll deshalb

99 Ein anderes, u. E. stringenteres Ebenen-Modell der Textanalyse hat Archibald A. Hill vorgeschlagen: "Towards a Literary Analysis", *English Studies in Honor of James Southall Wilson,* University of Virginia Studies 4 (Charlottesville, Virginia, 1951), pp. 147—165. Es ist primär für Gedichte konzipiert.

100 Sorin Alexandrescu, „Analyse structurelle des personnages et conflits dans le roman *Patul lui Procust* de Camil Petrescu“, *Cahiers de linguistique théorique et appliquée,* VI (1969), 209—224. Alexandrescu bezieht sich selbst auf Greimas 1966.

ganz deutlich ausgedrückt werden, daß wir an Strukturen interessiert sind, die die Rezeption von Texten durch Rezipienten bestimmen. Wir haben von einer Reihe von Arbeiten der semiologischen Schule den Eindruck, daß sie ähnliche Ziele verfolgen bzw. nach ihrem Ansatz eigentlich verfolgen sollten. Unsere Kritik an der semiologischen Schule, hier und anderer Stelle, bezieht sich auf ein solches theoretisches Interesse. Unabhängig davon wären die Arbeiten nur immanent zu beurteilen.

2.2.3 Primitivelemente und Formulierungsverfahren in Erzähltexten, kurz illustiert

62. Ein Modell, das wie das semiologische mit semantischen Texteinheiten anders als der Bedeutung von Wörtern oder Sätzen[101] rechnet, gewinnt an Allgemeinheit, wenn es nicht von Bestandteilen der Textoberfläche ausgeht. Es soll damit nicht gesagt sein, daß Analyse von Textoberflächen nicht interessant seien oder nicht gemacht werden sollten. Man kann versuchen, bestimmte Oberflächeneigenschaften in Relation zu Text- oder Textabschnittsklassen zu setzen, und damit heuristische Vorteile gewinnen[102]. Doch kann man die Ergebnisse solcher Untersuchungen letztlich nur im Rahmen eines theoretischen Modells der Ableitung von Texten und Texteigenschaften auswerten.

Die Funktionen und Indizes der semiologischen Analysen lassen sich nicht eindeutig der Textoberfläche zuordnen. Denn die Funktionen wenigstens lassen sich nach unserer Erfahrung nur analysieren, auch wenn das nie ausgesprochen wird, wenn man vorher den Textverlauf auf ein Erzählsubstrat reduziert. Nur so kann z. B. ja gezeigt werden, wie in bestimmten Texten zunächst verdeckte Funktionsverkettungen im Verlauf der Erzählung dem Leser klar werden: Die Auffindung des Anlasses zum Mord führt zum Mörder. Andererseits ist über die Textgeneration aus solchen Einheiten wie die Textrekogni-

---

101 Satz als Grundeinheit von literarischen Texten findet sich gelegentlich in literaturwissenschaftlichen Äußerungen, siehe Roman Ingarden, *Das literarische Kunstwerk*, 2. Aufl. (Tübingen, 1960), S. 43; Edward M. Forster, *Aspects of the Novel* (London, 1949) S. 27.

102 Siehe Elisabeth Gülich, *Makrosyntax der Gliederungssignale im gesprochenen Französisch* (München, 1970).

tion nach solchen Einheiten (und die Textverarbeitung über solche Einheiten) in den semiologischen Arbeiten nicht viel mehr gesagt als über ihre Segmentierung und Klassifizierung. Und die Einheiten gelten nur für spezielle Textsorten.

Wir wählen zur Analyse den Anfang von *The Talented Mr. Ripley:*

Tom glanced behind him and saw the man coming out of the Green Cage, heading his way. Tom walked faster. There was no doubt the man was after him. Tom had noticed him five minutes ago, eyeing him carefully from a table, as if he weren't quite sure, but almost. He had looked sure enough for Tom to down his drink in a hurry, pay and get out[103].

Wir gehen entsprechend der dargelegten allgemeinen Form von der Verbindung zweier elementarer Einheiten aus: Xa, wobei ‚X‘ als Nominalphrase, ‚a‘ als Verbalphrase eines Satzes der Textoberfläche erscheinen können sollen [§§ 50 ff.]:

(X) Tom (a) glanced behind him.

Ein Primitiv kann mit anderen Primitiven kombiniert werden.

(X) Tom (a) saw ((Yb)) the man coming out of the Green Cage.

Wir rechnen damit, daß Texte sich hinsichtlich der Klassen der in ihnen verwendeten ‚X‘ und ‚a‘ wie hinsichtlich der Verknüpfung der Primitivelemente unterscheiden. Erst in der Verknüpfung zweier Xa: (Xa_1) C (Xa_2), wobei C als Tiefenrepräsentation einer Verknüpfung gelten soll, kann so etwas wie ‚eine Handlung mit Risiko bzw. Konsequenzmöglichkeit‘ entstehen. Die Barthesschen Funktionen und Indizes unterscheiden sich nicht so sehr durch ihre sememischen Komponenten als durch ihre Verkettung von den Primitivelementen. Wahrnehmung des Verfolgers ist für Tom Grund genug, sich zu beeilen wegzukommen:

C → (X) Tom (a) walked faster.

63. Es ist ein typisches Verfahren von Erzähltexten, weitere Motivation, d. h. vorausliegende Funktionen, nachzuliefern: "There was no doubt . . ." Ein Rearrangement ergäbe etwa folgendes. Wir verwenden dabei nur zwei Sorten von C, ‚+‘ für nicht weiter spezifizierte Verknüpfung, ‚→‘ für die Ableitung einer Handlung:

---

103 Patricia Highsmith, *The Talented Mr. Ripley* (1957), hier nach Pan Books Edition, 2. Aufl. (London, 1968), S. 5.

(1)	(X)	Tom (a_1) had a drink.
(2) $C+_1$	(Y)	A man (b_1) eyed him.
(3) $C+_1\rightarrow_2$	(X)	Tom (a_2) noticed (Yb_1)
(4) $C\rightarrow_3$	(X)	Tom ($a_3,\ _4,\ _5$) downed his drink in a hurry, paid and got out.
(5) $C+_2,\rightarrow_4$	(Y)	The man (b_2) followed Tom oder „gemauer" (b_2) noticed (Xa_{3-5}) and (b_{2b}) followed Tom.
(6) $C+_4,\rightarrow_3$	(X)	Tom (a_6) glanced behind him.
(7) $C+_6,\rightarrow_5$	(X)	Tom (a_7) noticed (Yb_2).
(8) $C+_6,\rightarrow_7$	(X)	Tom (a_8) walked faster.

Das Rearrangement (1) — (8) kann in verschiedener Hinsicht nicht als vollständig gelten. Zunächst liefert es nicht die Motivation dafür, daß Tom sich überhaupt verfolgt wähnt, und dafür, daß der Mann ihm folgt. Die werden erst im weiteren Textverlauf geliefert. Y ist Herbert Greenleaf, der Tom bitten will, ihm zu helfen, seinen Sohn Dickie zu überreden, aus Europa nach Amerika zurückzukehren. Tom Ripley ist in Geldverlegenheit und hat verschiedene kleine Betrügereien auf dem Gewissen. Das ergibt in grober Form etwa folgendes Rearrangement (Wir lassen einige Zwischenstücke aus, z. B., daß Herbert Greenleaf irgendwoher wissen muß, daß er Tom im Green Cage finden kann usw.):

(1')	(Z)	Dickie Greenleaf (c'_1) went to school with (X) Tom Ripley.
(2')	(Z)	Dickie (c'_2) did not want to stay with his father and work for him.
(3') $C\rightarrow_2,$	(Z)	Dickie (c'_3) went to Italy.
(1")	(Y)	Herbert Greenleaf (b''_1) made attempts to persuade
	(Z)	Dickie (c''_1) to come home.
(2")	(Y)	H. Greenleaf's (b''_2) attempts failed
(3") $C+_{2''},\rightarrow_{1'},$	(Y)	H. Greenleaf (b''_3) realized that Tom might assist him in his plans.
(4") $C\rightarrow_{3''}$	(Y)	H. Greenleaf (b''_4) tried to spot Tom in a Fifth Avenue bar.
(1''')	(X)	Tom Ripley (a'''_1) was unemployed. (Vorherliegende Funktionen übergehen **wir hier.**)

$(2''')$ $C\rightarrow_{1'''}$ (X) Tom (a'''_2) committed larceny.

$(3''')$ $C\rightarrow_{2'''}$ (X) Tom (a'''_3) was afraid (Vd) he might be discovered.

Daran würde sich (1) — (8) schließen. Diese Primitivelemente (1) — (8) wären auf die jetzt unterschiedenen Folgen von verschiedener Besetzungen der X-Stellen aufzuteilen. Der Rezeptionsvorgang kann in dieser Weise als ein fortlaufendes Rearrangement der Verknüpfung und Ordnung von Xa's beschrieben werden.

Die Analyse gewinnt an Komplexität, wenn man berücksichtigt, inwiefern sich rearrangierter Text der Leserrezeption mit den jeweiligen „rearrangierten Texten" in der Perzeption der im Text beteiligten Personen deckt. In unserem Beispiel besteht $(1''')$ — $(3''')$ nur für X als ‚rearrangierter Text', Tom liefert Herbert Greenleaf einen anderen ‚rearrangierten Text', als Motivation dafür, daß er bereit ist, ihm zu helfen. Das wird für die noch folgende Spannungsanalyse wichtig werden.

Das Rearrangement (1) — (8) ist weiter unvollständig — ähnliches gilt für (1') ff., (1") ff., (1''') ff. —, indem es Teile des Oberflächentextes nicht analysiert (z. B. *heading his way, There was no doubt . . ., five minutes ago, carefully from a table* etc.). Diese sind z. T. in einer genaueren Analyse der Formulierungsverfahren zu beschreiben, die auch die Verkehrung der Abfolge der Funktion gegenüber dem Rearrangement bestimmen, woraus sich unter anderem auch der Tempuswechsel *(glanced — had noticed)* ergibt. Die Funktionsverknüpfungen können verschieden ausformuliert werden, so daß aus

(7) $C+_{6'}\rightarrow_5$ (X) Tom (a_7) noticed (Yb_9) wird

wird: *Tom . . . saw the man coming out of . . ., heading his way.* Etwas anderer Sorte ist: *There was no doubt the man was after him.* Die Konsequenzmöglichkeiten können implizit oder sie können für einen der rearrangierten Texte (aus der Perzeption des Lesers oder eines der beteiligten Personen) ausformuliert sein, so im unmittelbar folgenden Abschnitt:

At the corner Tom leaned forward and trotted across Fifth Avenue. There was Raoul's. Should he take a chance and go in for another drink? Tempt fate and all that? Or should he beat it over to Park Avenue and try losing him in a few dark doorways? He went into Raoul's.

Wenn das entwickelt wird, kommen wir zu einer Beschreibung der Formulierungsverfahren, die die Perspektiven des Erzählverfahrens ergeben. Sie bestehen in der Zuordnung der jeweiligen rearrangierten Texte der beteiligten Personen und des Lesers zum jeweiligen erreichten Stand des Textablaufs. Ein „einheitliches" Erzählverfahren ergibt sich durch die Rekurrenz solcher Verfahren, daß z. B. Tom meistens über entscheidende Dinge mehr weiß als andere Personen, diesen abweichende rearrangierte Texte („Lügen") liefert und der Leser in seiner Textrearrangierung an die Textrearrangierung Toms weitgehend gekoppelt ist.

Schließlich sind Charakterisierung von Umständen, Handlungen usw. in den Komplex von rearrangiertem Tiefentext und Generation des Oberflächentextes über Formulierungsverfahren zu integrieren. Wir wollen vorläufig, der Konsistenz wegen, auch hier von Primitivelementen der Form Xa ausgehen, etwa

(1^{iv}) (X) Tom (a^{iv}_1) was at place l_1 at time t_1.

(2^{iv}) (Y) H. Greenleaf (b^{iv}_1) was at place l_1 attime t_1.

(3^{iv}) (Y) H. Greenleaf (b^{iv}_2) was careful in doing something $(= Yb_n [Yb_m])$.

etc.

64. Wir wollen also daran festhalten, keine Klassen von Primitivelementen wie die Barthesschen Funktionen und Indizes einzuführen, sondern deren Verwertung für einen narrativen Satz, einen deskriptiven Satz, einen deliberativen Satz usw. der Verkettung der Tiefensatzsememe zuzuweisen. „Deskriptive" Sätze können durchaus in einen Handlungsstrang integriert werden, wie etwa der Anfangssatz von Hermann Brochs *Der Tod des Vergil*[104] zeigt, „narrative" Sätze durchaus in einen Nicht-Erzähltext wie folgenden Abschnitt aus Eliots *Little Gidding:*

> If you came this way,
> Taking any route, starting from anywhere,
> At any time or at any season,
> It would always be the same: you would have to put off
> Sense and notion[105].

---

104 Hermann Broch, *Der Tod des Vergil*, Gesammelte Werke, Bd. III (Zürich, 1953), S. 9.

105 T. S. Eliot, *Four Quartets*, Faber Paperbacks (London, 1959), S. 50. Klassen von Primitivelementen wird in Wienold 1971a, § 33 f. erwogen.

Selbst eine Folge von Sätzen, die alle einem Erzähltext angehören könnten, macht noch keinen Erzähltext aus. Man lese etwa aus Bertolt Brechts *Deutscher Kriegsfibel:*

> Das Brot der Hungernden ist aufgegessen.
> Das Fleisch kennt man nicht mehr. Nutzlos
> Ist der Schweiß des Volkes vergossen.
> Die Lorbeerhaine stehen
> Abgeholzt.
> Aus den Schloten der Munitionsfabriken
> Steigt Rauch[106].

Wesentlich für die Entscheidung, ob man etwas als Modifikation von Primitivelementen oder als eigenes Primitivelement führt, scheint uns das alte linguistische Kriterium der Rekurrenz, etwa wie es in (1^{iv})—(2^{iv}) auftritt, oder als gemeinsame Komponente von Textstücken (Tom fühlt sich z. B. immer wieder verfolgt). Wenn der Leser entsprechende Komponenten extrahiert, bildet er Zusätze zum rearrangierten Text. Der Rezipient schreibt etwa Personen Charaktere zu (z. B.: Tom ist einer, der ausreißt). Wichtig ist, daß diese Rekurrenz sich auf den rearrangierten Text bezieht und nicht auf die Textoberfläche.

Die Verkettung des Tiefentextes geschieht durch Substitutionsketten an den X-, Y-, Z-Stellen, in der einfachsten Form durch Wiederholung oder Anaphorika. Abkürzend wollen wir diese in Erzähltexten im folgenden P-Stellen nennen. Wir nehmen an, daß die X, Y, Z ... solcher Substitutionsketten als ‚Person' spezifiziert sind. Der Tiefentext besteht so aus verschiedenen Teiltexten von P-Satz-Folgen (vgl. [1']—[1''']) und der Bezeichnung der Kontaktstellen zwischen diesen Teiltexten. Bei Erzähltexten wird für jede handelnde Person oder Personengruppe ein neuer P-Strang angesetzt. Die Substitution kann auch an den Kontaktstellen innerhalb der a-Stellen erfolgen: entweder durch gleiche Sememkomponenten wie in (1^{iv})—(2^{iv}) oder durch Inkorporierung: $(Xa)a$, $Xa(Yb)$ etc. Daraus ergeben sich Verflechtungen der P-Stränge. Sememgleichheit von P- oder a-Stellen bzw. Inkorporierung in a-Stellen ergibt weiterhin Personenbeziehungen aufgrund der Verkettung von P-Strängen, z. B. ist ‚Greenleaf' in (1') ff. und (1'') ff. gleich für Dickie (Z) und Herbert (Y). Aus

---

106 Bertolt Brecht, *Gesammelte Werke in 20 Bänden* (Frankfurt am Main, 1967) IX, 633 f.

(5) (Y) The man (b₂) followed Tom (= Yb [Xa])
ergibt sich die Verfolger — Verfolgter-Beziehung, die hier im Anschluß sich zwar leicht auflöst, aber später wieder aufbricht, wenn
Tom fürchtet, daß Mr. Greenleaf ihn des Mordes an seinem Sohn
verdächtigt.

65. Wir glauben mit der Etablierung einer solchen Analyseform, die
natürlich der Spezifizierung und Verfeinerung bedarf (Wienold
1972 e), gezeigt zu haben, daß Erzähltexte ohne Ansatz zusätzlicher
Ebenen zwischen ‚Satz' und ‚Text' durch Generation eines Oberflächentextes aus einem rearrangierten Tiefentext mit Hilfe verschiedener
Sorten von Formulierungsverfahren (Verfahren der Verkettung, Verfahren der Anordnung, Verfahren der Zerlegung bzw. Komplexion
von Sememen) beschrieben werden können. Wir möchten ferner behaupten, daß ein solches Analysemodell grundsätzlich für alle Texte
gilt, daß Textsorten sich im wesentlichen durch die Spezifikation der
Primitivelemente und die Sorten ihrer Verkettung in Formulierungsverfahren und die Sorten der Überführung in Oberflächentextorgani-
sation unterscheiden.

Daraus ergäbe sich eine Skalierung für die Zuweisung von Texten
zu Gattungen, je nach (Grad der) Beteiligung von Sorten von Formulierungsverfahren. Die Skalierung von Texteigenschaften soll dazu
dienen, die Art von Relationen, die Eigenschaften in Texten einer
Textmenge eingehen, näher bestimmen zu können. Solche Bestimmun-
gen könnten dazu dienen, entsprechend festgestellte Textgruppen in
Beziehung zu Teilnehmerverhalten zu setzen.

Die Rezeption des Textes wird also als Auflösung des Oberflächentextes in einen rearrangierten Tiefentext, z. B. als unterschiedliches
Arrangement von Funktionssträngen im verstandenen Tiefentext, als
unterschiedliche Rekurrenzbildung, oder als Bemerken vs. Nichtbemer-
ken von Verknüpfungs-(Auflösungs-)möglichkeiten beschrieben. „Ge-
nauigkeit" der Rezeption ließe sich danach charakterisieren, in welchem Maße auch Nichtrekurrentes gespeichert wird (z. B. bei der Beschreibung von Umwelt).

2.2.4 Spannungsanalyse

66. Weitere Möglichkeiten, die vorgeführte Analyse auszuwerten, um
Teilnehmerprozesse abzubilden, zeichnen sich ab. Wir werden in Kürze

versuchen, Charakterisierungen von Spannung abzuleiten. Ein Modell der Kommunikation über Literatur, das nicht erlaubt, so alltägliche Erfahrungen von Rezipienten, daß einer das Interesse verliert und das Buch weglegt oder daß einer vor Gespanntheit nicht weiterlesen kann oder daß einer es nicht erwarten kann, den weiteren Textverlauf zu kennen, aufzunehmen, ist u. E. ungenügend. Natürlich wird man damit rechnen, daß für so etwa wie ,Spannung' auch externe Faktoren eine Rolle spielen, z. B. unterschiedliche Textkenntnisse der Rezipienten, unterschiedlicher Erfahrungshintergrund usw. Dergleichen wäre unter breiteren Matrizes als den hier angesetzten mitaufzunehmen.

Spannung ist für die Literaturanalyse kein neues Phänomen. Doch gibt es nur relativ intuitive Nachzeichnungen von Spannungsverläufen. Tomashevski 1925 behandelt Spannung als ein Element der Thematik; Thematik ist dort allerdings ein sehr weiter Begriff [§ 73]. Das Maß der Spannung wird von Tomashevski an den Konfliktreichtum einer Situation und den Grad des Interesses der beteiligten Personen gebunden.

,Spannung' ist unter den eingangs besprochenen Gesichtspunkten ein interessantes Phänomen, als Teilnehmerreaktionen hier deutlich differieren. Mehrere Leser des *Talented Mr. Ripley* äußerten auf Befragen, daß sie den Roman „spannend" oder gar „sehr spannend" gefunden hätten, während Serge Radine, der mehrere Romane Patricia Highsmiths miteinander vergleicht, äußert, dieser sei besonders langweilig[107]. Wir wollen Spannungspotentiale in unserem Analysevorschlag kennzeichnen und, soweit in diesem Rahmen möglich, Ansatzpunkte für die Aktualisierung solcher Spannungspotentiale andeuten. Die Spannungsanalyse beziehen wir auf die Strukturierung des Textrearrangements[108].

67. Eine erste Sorte von Spannungspotential läßt sich in einer Kette mit gleicher Besetzung der P-Stelle, d. h. innerhalb eines Funktions-

---

107 Serge Radine [Anm. 96], S. 224 ff.; aber vgl. auch Patricia Highsmith, *Plotting and Writing Suspense Fiction* (Boston, 1966), S. 68 f.
108 Eine Analyse von Spannung zwischen Sätzen eines nichtrearrangierten Textes findet sich bei W. A. Koch, „Zur Ablesbarkeit von Mustern von Textanalysen", *Actes du Xe Congres International des Linguistes* III (Bukarest, 1970), S. 389—393.

stranges lokalisieren. Spannung ist einmal zu messen innerhalb der elementaren Bremondschen Triade (Mangel — Versuch, den Mangel zu beheben — Behebung/Nichtbehebung des Mangels; Aufgabe — Versuch, die Aufgabe zu lösen — Lösung/Nichtlösung der Aufgabe), nämlich am Abstand von Anfangsposition und möglicher (erwarteter) Endposition, weiter zu messen in der Verknüpfung solcher Triaden, da sie typischerweise so ablaufen, daß der Mangel (die Aufgabe) entweder nicht gleich, d. h. in einer Triade oder nicht gleich völlig behoben (gelöst) wird oder sich aus der aktualisierten Endposition einer Triade neue Ausgangspositionen (neue Mängel, neue Aufgaben) ergeben. Der Abstand zwischen Sal Paradises Entschluß, von New York an die Westküste zu fahren und der Festlegung der besten Reiseroute, um dieses Ziel zu erreichen, ist gering[109], und die sich daran anschließenden Triaden, bis er in San Francisco angekommen ist, haben ähnlich geringes Gefälle. Der Abstand zwischen Tom Ripleys Entschluß, den ermordeten Freddy Miles die Treppe des Hauses unauffällig hinunterzuschaffen und die Leiche so ins Auto zu bewegen, als hülfe er einem schwer Betrunkenen, und dem bis auf ein paar Details glücklichen Gelingen ist wegen der vielen Gefahrensmöglichkeiten bedeutend höher: Die Leiche sieht nicht ganz wie ein Betrunkener aus; sie ist eine schwere Last für Tom; andere Hausbewohner oder Besucher können dazwischenkommen; Signora Buffi, die Hauswirtin, kann etwas bemerken; Passanten können auf der Straße vorbeikommen[110]. Wir können dieses Spannungspotential messen an den aufgrund des Informationsstandes, d. h. aufgrund des bis zum gegebenen Punkt rearrangierten Textes vom Leser vorhersehbaren Risikomöglichkeiten. Aufgrund eines bestimmten Standes des Textrearrangements im Verlauf der Textrezeption wird ein zukünftiger Stand des Textrearrangements vom Leser prospiziert (Ausgangsposition). Das Feld der vorhersehbaren möglichen Füllungen dieses zukünftigen Textrearrangements bestimmt die Spannung. Ebenso prospizieren die P's aufgrund des jeweiligen Zustandes ihrer rearrangierten Texte zukünftige Textrearrangements.

Wir wollen den Zustand des Textverlaufs am Punkte der Prospektion zukünftiger Textarrangements aufgrund bisheriger Textarrange-

109 Jack Kerouac, *On the Road* (1955), Signet Books, 12th printing (New York, o. J.), S. 12.
110 Highsmith, *Mr. Ripley*, S. 113 ff.

ments ihren jeweiligen Prospektionszustand nennen. Während einer Rezeption durchläuft ein Erzähltext verschiedene Prospektionszustände. Der Prospektionszustand des Textes für einen Rezipienten, sein R-Prospektionszustand enthält entsprechend jeweils verschiedene P-Prospektionszustände, mögliche prospektive rearrangierte Texte von P's aufgrund des jeweiligen Textrearrangements dieser P's. Den P-Strängen entsprechen jeweils Folgen von P-Textrearrangements und P-Prospektionszuständen. Wie wir bereits gesehen haben, entsprechen sich weithin Tom Ripleys rearrangierter Text und der rearrangierte Text des Lesers. Tom Ripley kalkuliert aufgrund dieses (gemeinsamen) Informationsstandes seinen Plan[111]. (Damit wird eine Perspektive [Wienold 1971 a, §§ 38, 44 ff.] formuliert: Der Leser wird gedrängt, auf diese Risikomöglichkeiten zu achten.) Überraschung läßt sich entsprechend als ein Ereignis beschreiben, das aufgrund des Spannungspotentials eines rearrangierten Textes nicht vorhersehbar ist, wobei wieder Überraschung sowohl auf die jeweiligen verschiedenen P-Textrearrangements als auch das Textrearrangement des Rezipienten bezogen werden kann.

68. In der Kalkulation der Risiken deutet sich eine zweite Sorte von Spannungspotential an. Es resultiert aus der Beteiligung verschiedener P-Stellen. Ereignisse, die aus einem Y-Strang resultieren und einen X-Strang kreuzen, sind schwerer vorhersehbar als andere Risiken. Tom Ripley kann das Gewicht der Leiche und die Belastung, die er auszuhalten haben wird, ungefähr abschätzen. (Er probiert es in der Wohnung aus.) Ob Signora Buffi während des Transports im Treppenhaus erscheint, weniger genau. Nun kreuzt der Signora Buffi-Strang oder die möglicher unbekannter Personen den Tom Ripley-Strang wenig. Insofern haben sie für das besprochene Spannungspotential etwa die gleiche Bindung wie die Leiche Freddy Miles'. (Man könnte auch sagen, daß in Kriminalromanen der Y-Strang des Ermordeten den X-Strang des Mörders über den Tod hinaus in Spannung hält.) Entscheidend für diese zweite Sorte von Spannungspotential sind die große Teile des Textverlaufs bestimmenden Kontaktstellen verschiedener P-Stränge, z. B. der fortlaufende Kontakt des Tom Ripley-Stranges mit dem Marge Sherwood-Strang über ihre jeweiligen Kon-

111 Ib., S. 111 ff.

takte mit dem Dickie Greenleaf-Strang. Beide, Tom Ripley und Marge
Sherwood, wollen Dickie Greenleaf für sich. Auch das Spannungspotential des Dickie Greenleaf-Stranges für andere P-Stränge hält
über den Tod hinaus an. Tom Ripley, der sich nach dem Mord an
Dickie Greenleaf für diesen ausgibt, muß sich für die Zeit dieser
Doppelrolle vor Marge verstecken. Marge, die von Dickies Ermordung nichts weiß, versucht ihn aufzuspüren. Der Leser kann in
seinem rearrangierten Text mit der Ermordung Dickies und der Ver-
senkung der Leiche ins Meer den Dickie-Strang als abgeschlossen, nicht
fortsetzbar führen. Marge, in deren rearrangiertem Text der Tod
Dickies nicht vorkommt, der Dickie-Strang fortsetzbar ist, entwirft
prospektive Textrearrangements, in denen erneut, ziemlich spezifische
Kontakte zwischen dem Marge Sherwood-Strang und dem Dickie
Greenleaf-Strang begegnen. Ähnliches gilt für andere Figuren des
Romans. Tom Ripley entwirft immer wieder neue Textrearrangements
des Dickie-Stranges („Dickie hält sich verborgen". „Er will mit nie-
manden sprechen", „Er ist mit dem Maler Massimo aufs Land gegangen", „Er ist nach Griechenland gefahren", „Er hat Selbstmord begangen", „Er ist (von anderen) ermordet worden") für andere Personen (Marge, Mr. Greenleaf, Tenente Roverini), um prospektive
Textrearrangements dieser Person zu verhindern, in denen der Dickie-
Strang mit dem Dickie-Strang seines eigenen Textrearrangements über-
einstimmt (Entdeckung des Mordes). Für Tom Ripleys propektives
Textrearrangement gibt es nur eine Möglichkeit eines Kontaktes zwischen dem Dickie-Strang und der Marge-Strang oder denen anderer
P's: die Auffindung der Leiche in der Bucht von San Remo.

69.   Damit haben wir uns einer dritten Sorte von Spannungspotential bereits genähert. Diese ergibt sich aus der Differenz zwischen dem
jeweiligen rearrangierten Text des Lesers und dem letzten rearrangierten Text (Abschluß der Lektüre)[112]. Dabei spielen zwei Größen eine
Rolle: die Differenz zwischen jeweiligen P-Prospektionszuständen und

---

112 Der Einfachheit halber berücksichtigen wir hier nur einen Rezeptions-
prozeß. Nachfolgende neue Rezeptionen desselben Textes können natürlich zu Veränderungen des letzten rearrangierten Textes eines vorhergehenden Rezeptionsprozesses führen. Vgl. Vivienne Mylne, *"Reading
and Re-reading Novels", The British Journal of Aesthetics,* VII (1967),
67—75.

R-Prospektionszuständen und dem letzten rearrangierten Text und die Wahrscheinlichkeit der Konvergenz jeweiliger P-Prospektionszustände und R-Prospektionszustände eines Textes zum gleichen letzten rearrangierten Text.

Zunächst zur Größe ,Differenz von Prospektionszuständen gegenüber dem letzten rearrangierten Text'. Der letzte rearrangierte Text ist das, was früher „Erzählsubstrat" genannt worden ist, die Geschichte des Erzähltextes, die erzählt wird. Entscheidend ist hier nicht, ob bestimmte P-Prospektionszustände mit den jeweiligen R-Prospektionszuständen übereinstimmen oder nicht, sondern ob an einem gegebenen Prospektionszustand ein P einen mit Bezug auf den letzten rearrangierten Text bereits wesentlich besser rearrangierten Text hat als der Rezipient. Solche Differenzen gibt es in *The Talented Mr. Ripley* nur wenig. Die Differenzen, die am oben analysierten Textanfangszustand zwischen P- und R-Zuständen bestehen, werden, jedenfalls was den Tom Ripley-Zustand und den R-Zustand betrifft, schnell aufgehoben, bis auf bestimmte, später nachgeschobene Einzelheiten aus Toms Jugend, die weitere Motivationen nachliefern. Solche Differenzen sind dagegen typisch für den analytischen Kriminalroman, bei dem der rearrangierte Text des Mörders bis zur Entdeckung immer schon besser dem letzten rearrangierten Text entspricht als der anderer P's oder der R's.

Für *The Talented Mr. Ripley* ist die zweite Größe die Wahrscheinlichkeit der Konvergenz der Prospektionszustände im letzten rearrangierten Text, von größerer Bedeutung. In bezug auf die Morde sind die rearrangierten Texte sowohl des Rezipienten als auch Toms zu jedem Prospektionszustand des Textes besser rearrangiert als der der anderen P. Leser und Tom wissen, wer Dickie Greenleaf und Freddy Miles ermordet hat. Trotzdem können Leser und Tom Ripley die Wahrscheinlichkeit, ob die rearrangierten Texte der anderen P beim letzten Prospektionszustand des Textes, seinem Ende, mit denen Ripleys und des Rezipienten konvergieren, d. h. mit Bezug auf die Morde gleich gut sind, unterschiedlich beurteilen. Anders gewendet, Rezipient und Ripley können die Wahrscheinlichkeit unterschiedlich beurteilen, ob der letzte rearrangierte Text nicht nur enthält, daß Tom Dickie und Freddy umgebracht hat, sondern auch, daß Tom als Mörder entlarvt wird. Denn Tom Ripley und der Leser mögen u. U. über die gleiche Lebenserfahrung, was die Entdeckung von Mördern bzw. die Möglichkeit des perfekten Mordes angeht, verfügen. Aber der Leser

kennt u. U. Kriminalromane, während es in keinem Zustand des Textrearrangements weder des Lesers noch Tom Ripleys angedeutet ist,
daß Tom über diese Erfahrung verfügt. Der Leser darf damit rechnen,
daß die letzten Prospektionszustände Marge Sherwoods, Herbert
Greenleafs und Tenente Roverinis mit dem letzten Tom Ripleys und
dem letzten eigenen konvergieren: Tom ist entlarvt worden. Man darf
erwarten, daß er bestraft wird.

70. Zum wirklichen letzten rearrangierten Text des Romans, d. h.
zur Nichtkonvergenz der anderen P-Prospektionszustände und P-Textrearrangements mit denen Tom Ripleys und des Lesers gleich noch eine
Bemerkung. Zuvor seien die drei Sorten von Spannungspotential noch
einmal zusammengestellt. Die erste betrifft die Prospektionszustände
eines P-Stranges in einem Text im Verhältnis zu den jeweiligen R-Prospektionszuständen, die zweite betrifft die Verhältnisse der Prospektionszustände verschiedener P-Stränge zueinander und zu den R-Prospektionszuständen, die dritte betrifft die Verhältnisse zwischen P-Prospektionszuständen und R-Prospektionszuständen zum zum Teil feststehenden, zum Teil erwartbaren letzten Textrearrangement.

Für die Aktualisierung dieser Spannungspotentiale im Rezeptions-
prozeß des *Talented Mr. Ripley* denken wir, ist es wichtig, ob der
Leser in den fortlaufenden Textzuständen weitgehender übereinstim-
mender Textrearrangierung und Prospektion seitens Toms und seitens
des Lesers Sympathien für den leicht psychopathischen Betrüger und
Lügner Tom Ripley und später leicht psychopathischen Betrüger,
Lügner und Mörder Tom Ripley entwickelt, seine Talente bewun-
dert[113]. Nur dann kann der Rezipient eine vom Anfangszustand des
Textes an durchlaufende Sememkomponente der Prospektionszustände
Tom Ripleys, nämlich sich verfolgt zu fühlen, ausgestoßen zu sein, als
durchlaufende Komponente des eigenen Interesse in den Prospektionszuständen der Rezeption entfalten. Wir möchten auch sagen, daß auf
diese Weise Patricia Highsmith den Leser überreden kann, sich damit
abzufinden oder damit einverstanden zu sein, daß Tom Ripley nicht
als Mörder überführt wird. Und es ist nur ein schwacher Trost für die
Hüter der Gerechtigkeit und der Gattungsregeln des Kriminalromans,

---

113 Über Bedingungen von „Identifikation" vgl. F. E. Emery, "Psychological Effects of the Western Film: A Study in Television Viewing",
Human Relations, XII (1959), 195—213, 215—232.

daß am Ende des Textes angedeutet wird, daß Tom Ripley auch in Zukunft sich vor der Konvergenz der rearrangierten Texte der anderen P mit dem eigenen fürchten wird, vor Verfolgern, die ihn entlarven.

Wollte man Patricia Highsmiths Abwandlung des Kriminalromans auf diesem Hintergrund kennzeichnen, so könnte man sagen, daß sie mit variierenden Propektionszuständen von Morden arbeitet, Prospektionszuständen, die erwarten lassen und erklären, daß jemand zum Mörder wird *(Deep Water, The Sweet Sickness)*, Prospektionszuständen von entschuldbaren Morden, für die P verfolgt wird, ohne überführt zu werden *(The Glass Cell, A Suspension of Mercy)*, Prospektionszuständen von Morden, für die P verfolgt wird, ohne sie begangen zu haben *(The Blunderer, The Cry of the Owl, The Two Faces of January)*, Prospektionszuständen von Morden, für die P verfolgt wird, ohne daß sie überhaupt passiert sind *(A Suspension of Mercy)*, Prospektionszuständen von Morden, ohne daß überhaupt einer begangen wird *(Those Who Walk Away)*. Immer leben jedoch P's in Prospektionszuständen der Verfolgung.

2.2.5 Einige Bestandteile der Normalform von Erzähltexten

71. Kehren wir jetzt zur Frage nach den Normal- und Neutralformen zurück. Wir haben nicht die Normal- oder Neutralform des Romans gewonnen. Dafür war die Analyse und die entwickelte Analyseapparatur zu beschränkt. Es lassen sich aber abschließend einige Merkmale der Normalform des Romans bzw. von Erzähltexten überhaupt angeben. Wie Poetizität bereits durch Abweichung von der Normalform, soweit diese als Grammatizität erfaßt ist, beschrieben worden ist, wollen wir hier diese Normalform auch mit Abweichungen von ihr kontrastieren. Einen Text, der von der Normal- oder Neutralform abweicht, bezeichnen wir mit Bezug darauf als aberrant. Das impliziert selbstverständlich keine Wertung.

1. Wir nehmen an, daß in der Normalform zusammenhängende P-Ketten im rearrangierten Text zu bilden sind. *The Talented Mr. Ripley* ist mit Bezug auf diese Regel der Normalform nur gering aberrant. Nur gewisse Jugenderlebnisse Toms werden ohne allzu feste Auffüllung der Zwischenstücke der Tom Ripley-Kette des rearrangierten Textes eingefügt. Es gibt einige leere Stellen, die vorzüglich vor dem Anfangszustand des Textes liegen. Relativ stark aberrant mit

Bezug auf diese Regel ist dagegen Virginia Woolfs *The Waves*. In diesem Roman werden Teilstücke aus den Biographien verschiedener Personen berichtet, die in den jeweiligen P-Ketten relativ unverknüpft bleiben.

2. Wir nehmen an, daß in der Neutralform am Ende für den Rezipienten ein eindeutiges Textrearrangement möglich ist. *The Talented Mr. Ripley* ist nur insofern aberrant, als Zweifel über am Ende des Romans zu prospizierende künftige Textrearrangements bestehen dürfen. Mehrdeutigkeit ist ähnlich als Kriterium von Poetizität benannt worden. Relativ stark aberrant mit Bezug auf diese Regel ist Uwe Johnsons *Mutmaßungen über Jakob*. Dieser Roman läßt kein eindeutiges Rearrangement der P-Ketten zu. Ähnliche Ambiguitäten der P-Ketten des letzten Textrearrangements finden sich in Romanen Alain Robbe-Grillets.

3. Wir nehmen an, daß in Erzähltexten X-Spezifikationen mit dem Merkmal (+ Person) in P-Stellen von P-Ketten eintreten können. *The Talented Mr. Ripley* verfährt entsprechend dieser Regel. Aberrant sind Tiererzählungen, Personifikationen, Darstellungen von leblosen Sachen als handelnde Personen[114]. In der modernen Erzählliteratur kann man an bestimmte Erzählungen Franz Kafkas denken *(Die Verwandlung, Die Sorge des Hausvaters, Forschungen eines Hundes u. a.)*. In Hermann Brochs *Der Tod des Vergil* gibt es P-Ketten, bei denen eine gewisse Ambiguität besteht, ob sie das Merkmal (+ Person) führen (Plotia, der Sklave im dritten Kapitel u. a.). Ähnliches mag für den „Teufel" in Thomas Manns *Doktor Faustus* gelten.

4. Wir nehmen an, daß in der Neutralform die Konvergenz der Prospektionszustände verschiedener P-Ketten möglich ist. *The Talented Mr. Ripley* ist nur in bezug auf die standardisierte Form des Kriminalromans, in der Konvergenz stattfindet, aberrant. Aberrant ist wieder Hermann Brochs *Der Tod des Vergil,* in dem Vergil Erlebnisse hat, die anderen unzugänglich sind. Er hat Prospektionszustände, die nicht im rearrangierten Text anderer P's auftreten können. *Doktor Faustus* ist hier etwas weniger aberrant, als Adrian Leverkühn am Ende von seinem Teufelsbund erzählt. Der „Teufel" ist aber nie direkte Kontaktstelle anderer P-Ketten.

---

114 Vgl. z. B. Karin Hissink, „Leben und Empörung der Geräte", *Baessler-Archiv,* N. F., III (1955), 75—83.

5. Wir nehmen an, daß die Zuweisung von P-Vorkommen in Texten zu Ketten bzw. Kontaktstellen von Ketten eindeutig sind. Auch von dieser Regel weicht *The Talented Mr. Ripley* nicht ab. Hochgradig aberrant ist hingegen wie in vielen anderen Punkten James Joyces *Finnegans Wake*. Es ist sowohl nicht eindeutig, ob man alle Vorkommen von HCE einer P-Kette, etwa einer Humphrey Chimpden Earwicker-Kette bzw. Kontaktstellen dieser Kette und anderer P-Ketten zuweisen kann[115], als auch ob bestimmte HCE-Vorkommen überhaupt solchen P-Stellen von Erzähltexten zuweisbar sind[116].

72. Mit einer weiteren Ausarbeitung der Analyse, z. B. Erörterung der Analyseverfahren, die Primitivelemente in Oberflächentext überführen, werden sich weitere Kennzeichnungsmöglichkeiten ergeben. Das bekannte Poetizitätskennzeichen der Zusatzstrukturierung wäre an den rekurrenten semantischen Komponenten an rekurrenten Stellen nachzuweisen. Weist man solche Rekurrenz nicht der Neutralform zu, so ist die Rekurrenz des Semems ‚Verfolgtsein‘ in *The Talented Mr. Ripley* aberrant, d. h. poetisch. Für unseren Zusammenhang ist es wichtiger, darauf hinzuweisen, daß die üblichen Poetizitätsbestimmungen, die sich zumeist auf die Befolgung der Grammatik in Gedichten beziehen, stark generalisiert werden können. Mit der Beschreibung von Normal- und Neutralformen der Textbildung allgemein und der Formulierung spezieller Textsorten wird die Poetizitätsanalyse generell verwertbar.

Poetizität ist ein Kennzeichen kreativer Textbildung. Einzelne Regeln bzw. Formulierungsverfahren der Normalform oder standardisierter literarischer Formen können die Basis für die Beschreibung von Kreativität in der Textbildung liefern. (Wienold 1971 a, 160 f.). Ähnlich nehmen Gattungen verschiedene Stufen auf der Kreativitätsskala ein: Sie haben eine verbindliche Ordnung der Komplexion von Formulierungsverfahren und lassen Kreativität nur in der Erfüllung

---

115 Z. B. „Humpheres Cheops Exarchas“: James Joyce, *Finnegans Wake*, 2. Aufl. (London, 1950), S. 62.
116 Z. B. ib., S. 70: ". . . without even a luncheonette interval for House, son of Clod, to come out, you jewbeggar, to be Excuted Amen". Oder, S. 497: "Hosty's and Co, Exports". Zu HCE vgl. Joseph Campbell und Henny Morton Robinson, *A Skeleton Key to* Finnegans Wake (London, 1957), S. 15 ff., 53 ff.

oder Abwandlung zu (Ode, Tragödie) (= Stufe 1), sie haben verbindliche Formulierungsverfahren ohne allzu verbindliche Ordnung der Komplexion (Roman) (= Stufe 2) oder sie bestehen in der Erfindung neuer Formulierungsverfahren und Komplexionen (Konkrete Dichtung, Happening) (= Stufe 3). Ein Punkt der Kreativität Patricia Highsmiths läßt sich formulieren: Sie hat ein Komplexionsverfahren entwickelt, das es erlaubt, die strenge Standardform der Überführung und Bestrafung des Mörders aufzuheben.

Wenn häufig der Roman als eine sich der Definition und allgemeiner Beschreibung entziehende Gattung bezeichnet worden ist, weil seine Exemplare allzu fluktuierende Erscheinungen aufwiesen, so ergeben sich mit einer solchen Abstufung der Möglichkeiten für Kreativität nach Gattungskreativitätsstufen andere Gesichtspunkte. Die Position des Romans innerhalb der Kreativitätsstufen ist für unsere Analyse besonders reizvoll, da sie einmal zeigen kann, wie geregelt die „Grammatik", d. h. die Normal- oder Neutralform auch solcher Texte ist, zum anderen Einsicht in die sprachliche Produktivität auf höherer Ebene als der des Satzes gewinnt.

2.3. Thematik und Engagement

2.3.1. Aufgaben der thematischen Analyse

73.   Schon für den russischen Formalismus war thematische Analyse eine Teilaufgabe der strukturellen Behandlung von Texten (Tomashewski 1925). Strukturierende Analysen von Texten haben die Behandlung von Thematischem an die Diskussion, wie strukturelle Grundzüge von Textmodellen aufzufüllen seien, geknüpft. So behandelt Greimas die Thematik, Vorschläge von Etienne Souriau 1950 aufgreifend, als „investissement" seines Aktantenmodells (1966, 180 f.). So schließen Zolkovskij und Ščeglov die thematische Analyse an Propps 1928 Funktionsanalyse der russischen Volkserzählungen an[117]. ‚Thematik' von Texten wird formulierbar als Implementationskon-

---

117 A. K. Žolkovskij, Ju K. Ščeglov, "Sulle possibilità di costruire una poetica strutturale", in: Faccani-Eco 1969, 83—86; Ju. K. Ščeglov, „Per la costruzione di un modello strutturale delle novelle di Sherlock Holmes", in: Faccani-Eco 1969, 129—131.

stante von strukturellen Einheiten über einem Text oder einer Textgruppe. Thematik läßt sich somit als eine spezielle Form der Textspezifikation ansehen. Die Opposition ‚Sicherheit — Gefahr', die Ščeglov als Grundthema von Conan Doyle's Sherlock Holmes-Romanen aufstellt, ist gekoppelt an das funktionale Modell von in Erzähltexten präsentierten Handlungen. Als Grundoperation thematischer Analyse läßt sich vorläufig festhalten, daß Implementationen von rekurrenten Einheiten der semantischen Dimension von Texten auf rekurrente Komponenten hin klassifiziert werden. Im vorausgehenden Abschnitt wurde dargelegt, daß durchlaufende Komponente der Handlungsfolgen des Helden von *The Talented Mr. Ripley* Verfolgtsein bzw. Sichverfolgtfühlen ist. In einer verkürzten Generalisierung wurde angedeutet, daß eine gleiche Komponente die Thematik anderer Romane Patricia Highsmiths' prägt [§ 70]. Sorten von rekurrenten Einheiten werden identifiziert, eine gemeinsame Komponente ihrer Füllungen wird extrahiert. Die thematische Analyse betrifft also nicht so sehr die Einheiten, die X oder spezieller P repräsentieren, als die Einheiten, die *a* repräsentieren, je nach Absicht in bezug auf identische oder variable Ps oder Xs.

Diese erste Charakterisierung thematischer Analyse ist insofern besonders unbefriedigend, als sie nicht sagt, was das Ziel thematischer Analyse sei, damit man die Brauchbarkeit der vorgeschlagenen Operationen einschätzen und die Operationen spezifizieren oder erweitern könne. Wenn abstrakte semantische Einheiten wie etwa Funktion und Index in der semiologischen Erzähltextanalyse oder P-Strang und Prospektionszustand in der vorangehenden Behandlung von Poetizität und Spannung in Erzähltexten eine Rolle in der semiotischen Theorie von Literatur spielen sollen, müssen sie so konstruiert werden und muß so mit ihnen operiert werden, daß die Repräsentation von Bedeutung in Texten beschrieben werden kann. Und zwar soll das intersubjektiv Gemeinsame von Textbedeutung analysabel sein und die Referenzrolle von Texten in der Umgebung von Nichttexten. Die thematische Analyse entspricht der ersten Aufgabe, indem sie, rekurrente Komponenten der Implementation in rekurrenten Einheiten registrierend, sozusagen den Text auf einen inhaltlichen Nenner kondensiert. Man könnte das als analytische Abbildung eines Teilnehmerverhaltens bezeichnen, daß, den Erzählablauf als bekannt vorausausgesetzt, gesagt werden soll, worum es bei dem Erzählten eigentlich gehe.

Experimentelle Arbeiten zum Behalten von Prosa zeigen, daß Verständnis des Themas eines Textes dessen Erinnern Wort-für-Wort erleichtern. Teilnehmer verfügen offenbar über die Möglichkeit, abstrakte Schemata thematischer Art zu mobilisieren; deren nähere Organisation freilich ist derzeit nicht bekannt[117a].

74. Bevor wir darauf eingehen, wie die thematische Analyse der zweiten genannten Aufgabe, nämlich die Referenzrolle von Texten zu behandeln, gerecht werden kann, wollen wir die vorläufige Vorstellung der thematischen Analyse etwas explizieren. Die identische Komponente des a-Bestandteils von Xas über einem Text bleibt nicht statisch identisch, sie verändert sich, steigert sich, wird abgeschwächt, verschoben etc. In unterschiedlichen Prospektionszuständen eines Textes ergeben sich nicht nur unterschiedliche Einzelimplementationen des a, sondern unterschiedliche Perspektiven auf die endgültige Schließung der P-Stränge und der damit verbundenen P- und R-Prospektionszustände. D. h. die identische und modifizierte durchgehende Komponente, die die Spannungszustände innerhalb von P-Strängen und deren Verknüpfungen motiviert, erfährt durch den Textabschluß eine gewisse Antwort. Die Konvergenz der Prospektionszustände im letzten rearrangierten Text muß in bezug zur identifizierten rekurrenten Komponente von a gesetzt werden. Das thematische Textkondensat kommt erst durch die Einbeziehung der Konvergenz zustande. Im Fall des *Talented Mr. Ripley* wird die zunächst imaginierte, dann — nach den Morden — tatsächliche Verfolgung Ripleys zwar nicht gänzlich aufgehoben, aber auch nicht durch den Schluß: Verhaftung (und Bestrafung) erfüllt. Wir illustrieren an dieser Stelle nur Vorstellungen von thematischer Analyse, eine ausgefüllte Formulierung einer Thematik kann hier noch nicht erfolgen.

Ein weiteres zur Explikation. In der Spannungsanalyse wurde ein Moment des Engagements des Rezipienten angesprochen [§§ 66 ff.]. Eine Textanalyse, die an den strukturellen Voraussetzungen der Kommunikation über Texte und deren Verarbeitung interessiert ist, muß versuchen, auf einer formalen Ebene auch der partizipierenden Rezep-

117a F. K. Pompi und R. Lachman, "Surrogate Processes in the Short-Term Retention of Connected Discourse", *Journal of Experimental Psychology*, LXXV (1967), 143—150; D. James Dooling und Roy Lachman, "Effects of Comprehension on Retention of Prose", *Journal of Experimental Psychology*, LXXXVIII (1967), 216—222.

tion habhaft zu werden. Die individuelle Rezeption soll dadurch nicht festgelegt sein; die Variation der individuellen Rezeption soll aber mit Bezug auf das Analyseziel über Kategorien des Engagements charakterisierbar sein. Wir haben zum *Mr. Ripley* die Vermutung geäußert, daß die Aktualisierung von Spannung in einer Lektüre dieses Kriminalromans davon abhängt, ob eine solche Sorte eines Verfolgten das Interesse des Lesers findet, er sich eventuell mit Tom „identifiziert". Damit kann man es für eine thematische Analyse erheblich machen, ob die Themenextraktion über solche rekurrenten strukturellen Einheiten ausgeführt werden soll, an die man analytisch auch Momente des Rezipientenengagements bindet — in unserem Fall: die Prospektionszustände — oder nicht. Die hier entwickelte Theorie kommunikativer Prozesse über Literatur und die ihr zugeordnete Analysetechnik versucht an Momente des Textverständnisses, die für alle Teilnehmer gleich angesetzt werden — z. B. Rearrangement —, Momente, die stärkerer Variation über einer Teilnehmermenge unterliegen, zu binden. Thematische Analyse soll hier in dieser Weise konzipiert werden. Die Bindung an entsprechende strukturelle Einheiten der Textanalyse ist für uns, wie bereits begründet worden ist, für eine in diesem Rahmen brauchbare thematische Analyse entscheidend.

75. Das eben angegebene zweite Kriterium, das in der thematischen Analyse, wie hier entwickelt, beachtet werden soll, darf nicht vernachlässigt werden, wenn man Teilnehmeraktivitäten, die sich in Aussagen wie solchen, worum es in einem Text gehe, niederschlagen, erfassen will. (Das bedeutet nicht, daß eine thematische Analyse, die unter anderen Zielvorstellungen arbeitet, nicht ebenfalls sinnvoll sein kann.) Wenn die thematische Analyse rekurrente Komponenten in solchen rekurrenten strukturellen Einheiten, an die die Analyse formal die Beschreibung des Rezipientenengagements bindet, auffindet und „kondensiert", dann ergeben sich interessante Konsequenzen. Es ist nämlich durchaus nicht damit zu rechnen, daß verschiedene Rezipientenengagements, d. h. unterschiedliche Lektüren des „gleichen" Textes, die Thematik in gleicher Weise realisieren. Daraus sollte nun nicht gefolgert werden, daß die angezielte thematische Analyse nicht durchführbar oder unsinnig sei, sondern man sollte vom Analytiker fordern, daß er Thematik so beschreibbar macht, daß diese Variation der Analyse zugänglich wird.

In Theoriebildung über Literatur ist ein solcher Ansatz, soweit ich sehe, zum ersten Mal innerhalb der glossematischen Schule wenigstens angedeutet worden: bei Johansen 1949. Interpretationen von Texten werden hier als formulierte Rezeptionen von Texten, d. h. als Manifestationen der Inhaltsebene der Hjelmslevschen Sprachtheorie (Hjelmslev 1961) aufgefaßt und sollen entsprechend analysiert werden[118]. Die hier ins Auge gefaßte thematische Analyse schränkt sich demgegenüber auf einen Teilbereich ein, bindet sich andererseits nicht grundsätzlich an sog. Interpretationen als Analysesubstrat.

Damit kann nun bereits angedeutet werden, wie die thematische Analyse die Referenzrolle von literarischen Texten berücksichtigen kann. Die Themenbildung über Komponentenextraktion und -kondensation wird im Rezipientenengagement unterschiedlich realisiert und kann, wenn das Engagement entsprechend ausgebildet ist, in bezug zur nichttexthaften Umgebung des Textes, d. h. zur sog. Wirklichkeit, gesetzt werden. Wir werden nicht so sehr an einer sowieso fraglichen feststehenden Referenz literarischer Texte interessiert sein, als an den Möglichkeiten, von Texten auf Textumgebungen Schlüsse zu ziehen. Das soll Inferenz heißen.

Thema eines Textes ist mithin nicht etwas für einen Text Gegebenes, sondern für (Klassen von) Rezipientenengagements über einen Text zu Rekonstruierendes. Das weicht von gängigen Auffassung der Strukturierung des Themas eines Textes weit ab[119].

2.3.2. Strukturelle Analysen und Literaturpsychologie: Aufgaben der Engagementanalyse

76.   Bevor wir in der Darstellung der thematischen Analyse fortfahren, scheint es wichtig, das Verhältnis von strukturellen Analysen

---

118 Man kann Interpretationen methodisch so anlegen, daß unter unterschiedlichen Bedingungen zustande kommende Textauffüllungen von einander abhebbar werden, vgl. Wienold 1972a, Wienold 1972c; ferner Wienold 1971a, §§ 19, 38, 74 f. Zur glossematischen Literaturtheorie: Trabant 1970, Ihwe 1971 a, Wienold 1971 c.

119 Ruqaiya Hassan, "Linguistics and the Study of Literary Texts", *Etudes de linguistique appliquée*, V (1967), 110: "By theme I mean the generalized thesis upon which the work rests, i. e. theme is what the text is talking about in the deep sense." Vgl. auch Eugene H. Falk, *Types of Thematic Structure: The Nature and Function of Motifs in Gide, Camus, and Sartre* (Chicago und London, 1967), S. 2 ff.

allgemein, wie sie hier entwickelt werden, und einer psychologischen Untersuchung des Rezipientenverhaltens kurz zu besprechen. Unsere Aussagen sollen nicht Aussagen psychologischer oder soziologischer Art sein, sondern Aussagen über kommunikative Strukturen bzw. Strukturbedingungen, die grundsätzlich die Verhaltensmöglichkeiten aller Rezipienten in einem kommunikativen System betreffen. Wir versuchen deshalb die strukturellen Aussagen, die ausdrücklich Möglichkeiten des Rezipientenverhaltens berühren, so zu formulieren, daß sie Kategorien angeben, innerhalb deren eine zumindest prinzipiell der empirischen Forschung nicht unzugängliche Variation von Verhalten stattfindet.

Diese Kategorien, die wir unter dem Titel ‚Engagement' zusammenfassen, müssen außer der empirischen Bedingung zwei Bedingungen erfüllen.

1. Die Kategorien, die Möglichkeiten des Rezipientenverhaltens angeben, sollen mit den analytischen Kategorien, die nicht ausdrückliche Möglichkeiten des Rezipientenverhaltens betreffen, durch theoretische Aussagen verknüpft sein.

2. Die Kategorien des Rezipientenengagements müssen für die Phänomene der Textverarbeitung [§§ 110 ff.] interessantes Teilnehmerverhalten differenzierbar aufschließen.

Die erste Bedingung soll sicherstellen, daß eine zusammenhängende semiotische Theorie literarischer Kommunikation entwickelt werden kann, die die gemeinsamen Strukturierungsvoraussetzungen von Teilnehmern und die Variation im tatsächlichen Vorkommen von Strukturierungen trifft. Zur Erläuterung sollte hier hinzugefügt werden, daß wir Strukturierungen wie die des Textrearrangements, die oben [§§ 62 ff.] beschrieben wurde, nicht dem Rezipientenengagement zurechnen. D.h. wir nehmen an, Textrearrangement wird, wenn überhaupt ein für das kommunikative System relevantes Engagement eines Rezipienten stattfindet, mehr oder weniger automatisch befolgt. In der bisherigen illustrativen Analyse ist die Kategorie ‚Spannung' des Rezipientenengagements an bestimmte Stellen von P-Strängen oder P-Strangverknüpfungen gekoppelt, die wir Prospektionszustände des Textes während der Rezeption genannt haben.

Die zweite Bedingung soll sicherstellen, daß die angesetzten Kategorien des Rezipientenengagements Teilnehmerverhalten unter abgrenzbaren unterschiedlichen Gesichtspunkten, die die Textverarbeitung bestimmen, erfassen. Einige Phänomene der Textverarbeitung sind weiter unten näher behandelt [§§ 110 ff.]. Damit wird die Analyse des Engagements verknüpfbar mit Aussagen, die nicht nur sporadisches Rezipientenverhalten gegenüber Texten betreffen. In der Spannungsanalyse hat wenigstens angedeutet werden können, daß Engagement in Form von Spannungsrealisierung in Bewertungen von Texten, die an andere weitergegeben werden, übergehen kann. Es lassen sich von hier aus also zumindest Vermutungen darüber äußern, wie Wertungen strukturell mit Engagement zusammenhängen.

77. Wir nennen solche Aussagen über Rezipientenengagement strukturelle Analysen, weil sie die Bedingungen der Strukturierung von Texten betreffen, die Kommunikanten gemeinsam sind. Im Rahmen der strukturellen Analyse sprechen wir nur über Möglichkeiten der individuellen Variation innerhalb der jeweiligen Kategorie. Wir hoffen aber damit für literaturpsychologische Untersuchungen interessante Ausgangspunkte für die Beschreibung individueller Textrezeption gegeben zu haben. Interviews oder projektive Tests dürften von besonderem Interesse sein. An Prospektionszuständen oder an spezifizierten Aufgaben der Themenkondensation könnten projektive Tests entwickelt werden. In der Form des thematischen Apperzeptionstests sind projektive Tests beispielsweise bereits in der Filmpsychologie verwandt worden[120]. Man darf dem hier entwickelten Ansatz wohl deshalb einiges Interesse zuschreiben, weil in den sozialwissenschaftlichen Untersuchungen zum Teilnehmerverhalten in der sog. Massenkommunikation fast ausschließlich nur Inhalte von Kommunikation in Beziehungen zu Perzipientenvariablen *(predispositions)* gesetzt werden[121]. Nur vereinzelt kommen Variationen nach grobunterschiedenen Gattungen (Western, Kriminalfilm, Thriller) oder die Ein-

---

120 Herbert Wölker, *Das Problem der Filmwirkung: Eine experimentalpsychologische Untersuchung*, 2. Aufl. (Bonn, 1957); zu den projektiven Tests vgl. John Elderkin Bell, *Projective Techniques: A Dynamic Approach to the Study of the Personality* (New York [etc.], 1948).

121 Vgl. z. B. Arthur J. Brodbeck und Dorothy B. Jones, "Television Viewing and the Norm-Violating Practices and Perspectives of Adolescents: A Synchronized Depth and Scope Program of Policy Research", in: Leon Arons und Mark A. May (Hrsg.), *Television and Human Behavior: Tomorrow's Research in Mass Communication* (New York, 1963), S. 115, 121 f.

bettung von Inhalten in einen — nicht weiter differenzierten — strukturierenden Kontext ins Blickfeld[122].

Es ist gleich hinzuzufügen, daß sich einer psychologisch oder auch strukturell orientierten Feldforschung nicht unbeträchtliche Schwierigkeiten in den Weg stellen. Es gibt verschiedentliche Hinweise, daß eine tiefergehende Exploration des Rezipientenengagements relativ bald auf intime Bereiche stößt, über die Rezipienten nicht gern Auskunft geben [§ 103 f.]. Bei einem gelegentlichen informellen Interview zu *The Talented Mr. Ripley* äußerte ein Leser, er müsse individuelle Schwächen eingestehen, wenn er sich zu seinem Interesse an Tom Ripley während der Lektüre, d. h. über mögliche Indentifikation via Spannung, äußern solle. In Befragungen von Filmzuschauern wurde beobachtet, daß sie sich unbeteiligt, gelangweilt über gerade gesehene Filme äußerten, während gleichzeitig mit der Filmrezeption bei den Befragten aufgezeichnete physiologische Reaktionen (Veränderung des Blutdrucks, Pulsschlag, Schweiß) und die Beobachtung äußerlich wahrnehmbarer Reaktionen während der Rezeption eine ungewöhnliche psysiologische Aktivität anzeigten. Das wurde von den Experimentatoren als eine ‚Blockade' in der Bewußtmachung oder Verbalisierung des Engagements gedeutet[123].

78. Es ist fast müßig festzustellen, daß wir im gegenwärtigen Rahmen nur Kategorien des Rezipientenengagements vorschlagen und vorstellen können und mehr oder minder gelegentlich bekanntgewordene Forschungsergebnisse, die in diesem Zusammenhang von Interesse sein können, anführen werden bzw. informelle eigene Beobachtungen zur Illustration mitteilen. Wir verzichten trotzdem nicht darauf, darüber zu sprechen, weil sonst ein u. E. unentbehrliches Zwischenstück für die

---

122 Vgl. den Literaturbericht von André Glucksmann, „Rapport sur les recherches concernant les effets sur la jeunesse des scènes de violence au cinéma et à la télévision", *Comm.* 7 (1966), 109, 112 f.
123 Brodbeck und Jones, l. c. S. 122 ff. Es ist für solche Untersuchungen sicher eine differenzierte Methodik nötig wie sie bei Brodbeck und Jones erstmals sichtbar wird. Bei der Auswertung von EEGs in solchen Forschungen wird man z. B. beachten müssen, daß auch bei banalsten Filmen, die keine emotionellen Reaktionen des Zuschauers erwarten ließen, Veränderungen im EEG während des Zuschauens festgestellt wurden: G. Cohen-Séat, H. Gastant und J. Bert, „Modification de l'E.E.G. pendant la projection cinématographique", *Revue internationale de filmologie*, V (1954), 7—25.

Entwicklung einer Semiotik der Literatur als Theorie der Kommunikation über Literatur entfiele.

Horror beispielsweise läßt sich in der vorgeschlagenen Notation als eine Kombination von Ereignisse oder Zustände beschreibenden Sätzen (Xa, Yb, . . .) und einem Kommentarsatz eines Beobachters darstellen: P_c (Xa). (Wir verwenden c hier als Variable für den Kommentar.) Nicht so sehr über Beschreibungen von (vermeintlich) Horrorhaftem als über horrorbeinhaltende Stellungnahmen zu Ereignissen wird, das ist die Hypothese, Horror im Leser gesteuert. Dies geschieht durch die Kombination solcher P_c(Xa) in einem Text (Wienold 1972e).

2.3.3 Thematik, Engagement und Inferenz

79. Teilnehmer sind in der Lage, ,Inhalte' von Texten zusammenzufassen, in nicht mechanischer Weise Abstrakte von Texten zu bilden. Sie können sagen: „Es handelt sich um . . .", „Der Autor nimmt Stellung zu . . ." usw., aber auch: „Das ist realistisch", „Die Wirklichkeit wird hier verzerrt" usw. Aufgabe einer semiotischen Theorie der Kommunikation über Literatur ist u. E. nicht, festzustellen, wie ein gegebener Text sich zur sog. Wirklichkeit verhielte. Sie kann es deshalb nicht sein, weil das erforderte, über alles, was „wirklich ist", Bescheid zu wissen. Sie braucht es auch gar nicht zu leisten, weil es für die literarische Kommunikation auch gar keine Rolle spielt; die Rezipienten — nicht nur als einzelne, sondern auch als miteinander über Texte sich verständigende Menge [Textverarbeitung: §§ 113 ff.] — kommen mit begrenztem Wissen aus. Aber auch dieses Wissen ist für die hier vorgetragene Theorie nur als formale Größe interessant, sie braucht nicht über individuell im Kopf vorhandene Enzyklopädien inhaltlich Auskunft zu geben.

Traditionell hat die literarische Kritik sich häufig zum Verhältnis von literarischen Texten zur Wirklichkeit geäußert, hat etwa festgestellt, daß für eine Reihe moderner Autoren „Wirklichkeit" irgendwie fragwürdig geworden sei, hat von „Wirklichkeitszerfall" usw. gesprochen. Offensichtlich hat sie dabei nicht an das Verhältnis zu einem enzyklopädisch angebbaren Wissen über das, was „in der Wirklichkeit" der Fall sei, gedacht. Aber sie hat das, worauf sie abzielte, praktisch kaum expliziert und sehr schnell Hypostasierungen gebildet.

Die Inferenz von Texten auf anderes durch den Rezipienten in der Analyse an strukturell ausgezeichnete Momente zu binden, liegt schon deshalb nahe, weil damit zu rechnen ist, daß einzelne Rezeptionen in der Verteilung von Aufmerksamkeit über einen Text recht unterschiedlich verfahren. Strukturell für ein mit anderen Teilnehmern zu teilendes Verständnis nicht wichtige — d. h. in Kommunikationsvorgängen anhand von Texten weitgehend irrelevante — Textstücke rücken für die Analyse an sekundäre Stelle. Es ist bekannt, daß Texte — und das scheint für sog. literarische Texte in besonderem Maße zu gelten — für die Auffüllung mit Verständnis durch den Rezipienten „offen" sind und Rezipienten darin variieren können[124].

80. Deshalb binden wir, wie oben schon prinzipiell für die Methodik der hier vorgeschlagenen Analysen begründet, die Analyse von Inferenz, d. h. von Engagement an Thematik eines literarischen Textes, an strukturell ausgezeichnete Positionen, d. h. solche, die nach dieser Theorie sowieso für eine an Kommunikation über literarische Texte orientierte Rezeption relevant sind. Damit werden einige Grundannahmen dieser Theorie stark belastet, sowohl Engagement als Inferenz werden an diese Strukturierung geknüpft. Man geht damit aber einerseits der Schwierigkeit aus dem Weg, nur intuitiv — z. B. durch einen speziellen Interpretationsvorgang — festgestellte Thematiken aller Art von Anfang an berücksichtigen zu müssen. Zum anderen trägt man den ja nach strukturellen Bedingungen wechselnd großen Spielräumen einer Rezeption Rechnung und konzentriert sich auf das grosso modo jede Rezeption Steuernde.

Die thematische Analyse dieser Motivation wählt „Inhalt" an bestimmten Stellen eines Textes und verfolgt diese über einen Textzusammenhang und überlegt sodann die Möglichkeiten der Inferenz von so eruierter Thematik aus. Thematik wird damit nicht nach irgendwelchen inhaltlichen Klassen definiert, sondern nach Operationen über Inhalte im Verlauf eines Textes. Die Veränderungen eines Themas über einen Textverlauf werden tentativ zu Aussagen über das Thema formuliert, wobei dem endgültigen Zustand des Textverlaufs in bezug auf thematische Aussagen besondere Bedeutung zufallen soll. Der letzte Prospektionszustand, das letzte Textrearrangement z. B. des *Talented Mr. Ripley* läßt den wegen Mordes und Betrugs verfolgten

---

124 Wienold 1971 a, §§ 46, 50, 74 f.; Wolfgang Iser, *Die Appellstruktur der Texte: Unbestimmtheit als Wirkungsbedingung literarischer Prosa* (Konstanz, 1970).

Tom frei kommen. Natürlich werden Inferenzen von Lesern aufgrund solcher Themafüllung variieren. Wir wollen nur voraussagen, daß solche Themafüllung für Inferenz vom Gesamttext auf die Textumgebung die entscheidendere Rolle spielt, d. h. die Variation durch die Themenfüllung determiniert wird.

81. Damit fällt natürlich vieles, was auch unter dem Titel „Thematik" geführt werden könnte, außerhalb des Rahmens dieser Überlegungen. Wenn man bedenkt, daß hier nicht Interpretationen eines Textes das Ziel sind, sondern Faktoren, die Verständnisse, Interpretationen usw. eines Textes steuern, wird man diese Beschränkung für einen Vorteil halten dürfen.

Aus den oben kurz berührten Untersuchungen zur Wirkung von Inhalten von Massenkommunikation — meistens an den Wirkungen der Darbietung von Sexualität oder Gewalt in Fernsehen und Kino orientiert — geht jedenfalls hervor, daß selbst bei der Berücksichtigung von Prädispositionen die Wirkung von nicht strukturell delimitierten Inhalten wenig verläßlich beurteilt werden kann und die Aussagen recht undifferenziert ausfallen [§ 77].

Thematik wird als Relation zwischen „Inhalten" behandelt werden. Vielleicht kann, wenn einmal durch günstige Isolierung von Einzelfällen, ein heuristischer Einstieg in dieses Gebiet gewonnen worden ist, eine Typisierung von Relationen zwischen Inhalten versucht werden. Dann könnten Zusammenhänge zwischen Engagemenstrukturen und thematischen Strukturen auf einem abstrakteren Niveau angegangen werden, als das jetzt und hier möglich ist.

2.3.4 Illustration: Zur Thematik von Science Fiction

82. Zur Illustration von thematischer Analysetechnik wählen wir einige Science Fiction-Texte, weil die Ergebnisse für die Beurteilung von Science Fiction in einem nicht von jedem erwarteten Lichte interessant sein könnten. Wir besprechen nur einige Schritte einer thematischen Analyse. Wir suchen Thema-Einheiten zunächst in rekurrenten strukturellen Einheiten, die Rezipientenengagement anknüpfen lassen, als rekurrente Komponenten auf. Wir umgehen damit — abgesehen von den oben erläuterten theoretischen Vorteilen, die u. E. mit dem Verfahren verbunden sind — einige Schwierigkeiten, die sich mit anderen thematischen Analysen verbinden. Als eine thematische Analyse von Texten ist z. B. auch die Inhaltsanalyse *(content analysis)* [§§ 90, 160] zu betrachten, die unter gewissen Kategorien Publikationen nach mehreren Variablen (Ort, Zeit, Sorte von Produzent, Sorte von Rezipient, Kanal etc.) vergleicht, indem inhaltliche Elemente auf Aufschlüsse hinsichtlich der (Absichten, Einstellungen etc. der) Produzenten oder der (Wirkungen, Reaktionen etc. der) Rezipienten beurteilt werden[125].

In solche Inhaltsanalysen gehen meist, selbst wenn man spezielle Eigenschaften der Präsentation (Typographie, Bildbeigaben, Schlagzeilen etc.) mitbeachtet, strukturelle Eigenschaften von Texten nicht ein, d. h. die sprachliche Manifestation ist praktisch gleichgültig. Es muß deshalb aus prinzipiell gleichwertigen Sätzen für die jeweilige Fragestellung relevantes Material abstrahiert werden. Dabei werden Einheiten des Inhalts auch direkt als Themen bezeichnet. Ein Thema ist als Satz repräsentierbar und wird durch Abstraktion aus vorkommenden Sätzen gewonnen[126]. Diese Abstraktion muß nun auf je nach Fragestellung zu wählende und zu rechtfertigende Kategorien hin vorgenommen werden, die Etablierung des Kategorienvolumens ist eines der wichtigsten Probleme jeder Inhaltsanalyse[127].

83. Diese Problematik der Wahl und Motivation der klassifizierenden Kategorien, unter denen Vorkommendes zu Inhaltseinheiten wird, tritt bei einer thematischen Analyse, die relevante Einheiten an aufgrund anderer analytischer Techniken ausgezeichneten strukturellen Positionen aufsucht, nicht auf. Im Gegenteil, es sollen ja inhaltlich beliebige Thematiken mit Hilfe dieser Analyse greifbar werden. Es ist nicht verwunderlich, daß Erzähltextanalyseverfahren — wie die von Propp oder Bremond [§§ 60 f.] entwickelten — in einer neueren Darstellung inhaltsanalytischer Verfahrensweise benutzt werden, um die damit gegebenen Vorzüge als „qualitative" Analyse gegenüber der

---

125 Vgl. b. B. Theodor Harder, *Werkzeug der Sozialforschung* (Bielefeld-Universität Bielefeld, 1970), S. 226 ff.; Hansjörg Bessler, *Aussagenanalyse: Die Messung von Einstellungen im Text der Aussagen von Massenmedien* (Bielefeld, 1970).

126 Bernard Berelson, *Content Analysis in Communication Research* (Glencoe, Ill., 1952), S. 135 ff. "In its most compact form, the theme is a simple sentence, i. e., subject and predicate" (S. 138).

127 Berelson, l. c., S. 147 ff.; Harder, l. c., S. 229, 240 ff.; Bessler, l. c., S. 65 ff.

üblichen „quantitativen" Inhaltsanalyse hervorzuheben (de Lillo in
de Lillo 1971, 123 ff.).

Weil wir befürchten, daß solche Dichotomien wie Quantität/Quali-
tät hier eher alte Mißverständnisse bestärken, als neue Erkenntnisse
befördern, sei folgendes bemerkt: Statt nach ‚quantitativer'/‚qualitati-
ver' Analyseart zu unterscheiden, sollte man die unterschiedlichen
Probleme der Kategorienwahl und -benutzung bei der Datenerhebung
und -erschließung und die unterschiedlichen Probleme der Gewichtung von Merkmalen und der Skalierung zur Klassifikation und
Beurteilung von Analysen berücksichtigen. Thematische Analysen, die
inhaltlich nicht von vornherein festgelegte ‚Themen' — gegenüber inhaltlich festgelegten wie Behandlung bestimmter politischer Themen
in bestimmten Publikationsorganen — betreffen, sollte man eigens
abheben. Wenn diese thematischen Analysen zudem vorgegebene
Strukturen von Texten betreffen, umgehen sie mit dem Kategorien-
volumenproblem auch die Probleme der Gewichtung und Skalierung
jedenfalls auf dieser Stufe. (Auf einer anderen Analysestufe, z. B.
beim Vergleich von so gefundenen Themen in einer Textmenge und
der Auswertung eines solchen Vergleichs können sie natürlich neu auftreten. Gerade deshalb dürfte das angesprochene abstraktere Be-
schreibungsniveau der Thematik von Interesse sein.)

Wir schlagen hier vor, den Ausdruck ‚thematische Analyse' gegenüber anderen Inhaltsanalysen für Analysen von vorher nicht fest-
gelegter Thematik — es sei denn durch die Korpuswahl mit anderen
Kriterien, wie hier Science Fiction — anhand struktureller Eigenschaften von Texten zu reservieren. Im folgenden wird das skizzenhaft und illustrativ vorgeführt.

84.   Das Thema ist zunächst im Ausgangsprospektionszustand des
Erzähltextes zu suchen. Und zwar soll dort dasjenige Xa — bzw. eine
Folge von Xa — gefunden werden, das andere Xa bzw. Yb etc. als
Konsequenz zur Folge hat bzw. erforderlich macht. Aus einem Mangel
beispielsweise und möglichen Aktionen zur Behebung des Mangels läßt
sich ein möglicher Endzustand (letztes Textrearrangement) prospizieren. Eine Ausgangssituation, zu der sich, wie im Beispiel angenommen,
mögliche Endsituationen prospizieren lassen, nennen wir Topik des
Themas. Ist die Wahl des Topiks an diesem Punkt nicht eindeutig,
sind weitere Prospektionszustände des Textes aufzusuchen. Die sich
durchhaltende jeweilige Ausgangssituation von Prospektionszuständen

über den Gesamttext, d. h. die auf ihm zu abstrahierende Komponente, ist das Topik. Das Topik kann dabei, weil die Ausgangssituationen vielfältig zu charakterisiert zu sein pflegen, in sich durchaus mehrgestaltig sein. Der Comment zum Topik ergibt sich aus den möglichen letzten Textrearrangements, speziell dem tatsächlich letzten Textrearrangement. Die Konsequenz enthält die Aussage über das Topik des Themas. Die in früheren Prospektionszuständen möglichen letzten Textrearrangements sollten aber nicht unberücksichtigt bleiben. Ein unerwartetes letztes Textrearrangement — eine sog. originelle Behandlung eines Themas — ist unerwartet, weil sie gegenüber früheren, zu erwartenden letzten Textarrangements unwahrscheinlich war.

In Ken W. Purdys *The Noise*[128] sucht Barnaby Hackett, der sein Leiden nicht mehr länger ertragen kann, einen Psychiater auf: Seit früher Kindheit kann er Gedanken anderer Menschen lesen; mit der Zeit hat sich der Lärm, den die stummen Stimmen anderer in seinem Kopf verursachen, so verstärkt, daß er nach einem Ausweg suchen muß. Während das Phänomen früher nur gelegentlich auftrat, hört Hackett jetzt alles und jedes, was in einer gewissen Entfernung von ihm gedacht wird. Schließlich beginnt er sogar Tiere zu verstehen. Durch eine hypnotische Behandlung bringt der Psychiater Hackett dazu, die Gedankenstimmen abzustellen. Doch die Behandlung hat eine unwillkommene Nebenwirkung. Die Stimmen werden nicht einfach in Hacketts Kopf abgestellt, sondern in die Gehirne, aus denen sie herrühren, zurückgeschoben. Deren Besitzer können nicht mehr klar denken, verfallen ins Dösen. Als Hackett nach erfolgreicher Hypnose über eine verkehrsreiche Kreuzung geht, verursachen die zwangsweise um ihre Konzentrationsfähigkeit gebrachten Verkehrsteilnehmer eine Unfallkatastrophe. Dem Psychiater bleibt nichts, als Hackett zum Selbstmord zu hypnotisieren.

Für die Handlungsketten und Prospektionszustände ist Hacketts eigentümliches Mißgeschick, das ihn gegenüber anderen Menschen abhebt, entscheidend. Der erste Weg, ihm abzuhelfen, führt zwar für Hackett zu einer Lösung; wieder verfügt er aber über eine bislang den üblichen menschlichen Lebensbedingungen unbekannte Eigenschaft, die andere nun ins Unglück stürzt. Nur eine radikale Aufhebung der „Innovation" beseitigt den Mangel und den Menschen.

128 *The Playboy Book of Science Fiction and Fantasy*, S. 141—154.

85. Viele SF-Texte sind so konstruiert, daß sie gegenüber der bekannten Welt eine Neuerung einführen. Aus dieser Neuerung werden mögliche Handlungen abgeleitet: Wenn das und das so wäre, dann müßte das und das passieren. Wir wollen das innovatorische SF-Prädikat durch a_{in} symbolisieren. Dann läßt sich der anfängliche Prospektionszustand so notieren:

Xa_{in} C → WcCYc C → ? ... Eine Innovation (Xa_{in}) — häufig auch als ein Aggregat von Innovationen auftretend, wenn in die Zukunft projizierte Handlungen berichtet werden — hat einen Handlunsablauf zur Folge, durch die für Erzähltexteinheiten minimale Kette WbCYc symbolisiert, deren weitere Folgen prospiziert werden (C → ? ...). Mögliche Handlungsfolgen auf Xa_{in} wollen wir als Prädikate über das mit Xa_{in} gesetzte Problem, seine Lösbarkeit usw. verstehen.

In Bruce Jay Friedmans *A Foot in the Door*[129] erhält Mr. Gordon von einer Firma, die sich zunächst durch den Versicherungsvertreter Merz vorstellt, das Angebot, ihm kleinere und größere Wünsche, die er sich aufgrund seines Angestelltengehalts oder der üblichen menschlichen Beschränkungen nicht erfüllen kann, zu befriedigen. Zahlen muß er mit der Zustimmung zu kleineren und größeren Mißgeschicken oder Unglücken, die Verwandte, Familienmitglieder oder ihn selbst treffen. Schließlich verliert er seine Frau an Merz, versucht diesen letzten Vertrag umzustoßen und muß dann erfahren, daß Merz seinen Gewinn selbst mit bitteren Unglückszahlen erkauft hat:

"I can't do it", said Merz.
"Why not?", said Mr. Gordon, with firsts clenched.
"Because I took asthma, a bleeding ulcer and let a Long Island train wreck have six of my grand-children for your wife, that's why. It was under a special incentive plan us employees." Mr. Gordon understood perfectly and went away[130].

Auch in *A Foot in the Door* führt eine Innovation gegenüber üblichen Lebensbedingungen zu einer Kette von Handlungskonsequenzen, deren letzte eine gewisse Endgültigkeit gegenüber dem Ausgangspunkt besitzt. Die anfängliche Prospektionsfrage: Was würde geschehen, wenn das und das so wäre? führte beide mal zu Ereignis-

129 ib., S. 59—74.
130 ib., S. 74.

ketten, deren letztes Textrearrangement mit einem *a* von hohem negativen Wert gefüllt ist (Tod, dauernde Schädigung, schweres Unglück etc.). Wir schlagen also vor, Folgen von Prospektionszuständen als Prädikate über Eigenschaften einer veränderten oder veränderbaren menschlichen Welt zu verstehen. Der einfachste Fall, den wir hier besprechen, läßt zu, daß man solche abstrahierten Prädikate auf einer Werteskala anordnet, der man relativ starke Verbindlichkeit für einen Teilnehmerkreis gleichen zeitlichen und kulturellen Kontexts zuordnen kann. Wir kürzen das Verfahren hier stark ab; wollte man die Analyseoperationen etablieren, wären entsprechende experimentelle Untersuchungen nötig. Wir müssen uns hier damit begnügen, grundsätzlich unsere Annahmen plausibel zu machen. Vorausgesetzt, solche Wertskalen für Prädikate über Voraussetzungen von Handlungsketten in Erzähltexten sind akzeptabel, wollen wir voraussagen können, daß die thematisierte Innovation vom Leser entsprechend bewertet wird. Für die Innovationen in *The Noise* und *A Foot in the Door* würden wir eine hohe negative Bewertung annehmen.

86. Natürlich wird man, um tatsächlich stattfindende Rezeptionen und deren Weiterverarbeitung [§§ 116 ff.] beurteilen zu können, eine Reihe weiterer Variablen berücksichtigen müssen. Es wäre zu berücksichtigen, wieweit Rezipienten aus Xa_{in} abgeleitete Handlungsketten als Konsequenzen von Xa_{in} akzeptieren. Es wäre zu beachten, inwiefern sie Xa_{in} als eine Aussage über eine veränderte/veränderbare Welt aufzufassen bereit sind. Ferner hätte individuelle Variation der angenommenen Werteskalen als Variable einzugehen. Wir bilden, da wir diese und andere Variablen nur postulieren, also keine aktuellen Rezeptionen ab, sondern nur eine abstrahierte mögliche Rezeption.

SF-Texte sind natürlich nicht immer mit negativen Werten über Ereignisfolgen in Handlungsketten aus Xa_{in} formuliert. Doch sind Schrecken und Gefahren als allgemeiner Inhalt bestimmter *a*'s in P-Ketten von Science Fiction typisch. Die gelegentlich geäußerte Meinung, Science Fiction spreche nicht so sehr über eine veränderbare Welt der Zukunft, sondern über eine unveränderliche gegenwärtige Welt[131], erhält in der generellen Komponente ‚Schrecken und Gefahr'

---

131 Vgl. z. B. Manfred Nagl, „Unser Mann im All: Bemerkungen zu „Perry Rhodan", der „größten Science-Fiction-Serie der Welt", *Zeitnahe Schularbeit*, XXII (1969), 198: „Indem sich die Science Fiction

in Xa-Vorkommen solcher Texte einen interessanten Anhaltspunkt. Vorauszusetzen ist allerdings, daß Xa_{in} vom Rezipienten in Relation zur bekannten heutigen Welt gesetzt wird. Das Phantastische der imaginativen SF-Welten ist aufzulösen als eine Aussage über mehr oder weniger allgemein gültige Lebensbedingungen. Im Falle von *The Noise* und *A Foot in the Door* ist die Auflösung, daß es gut eingerichtet sei, daß wir uns die Erfüllung unserer Kinderwünsche, die Gedanken anderer lesen zu können oder auf Kosten und zum Schaden anderer zu bekommen, was man nur möchte, nicht leisten können, freilich einfach. Die biologischen Mutationen beispielsweise, die die Innovationen in SF-Romanen John Wyndhams darstellen, erfordern eine komplexere Behandlung. Aber auch Wyndham behandelt, wenn man die Thematik auf eine Formel bringt. Möglichkeiten menschlichen (= menschenwürdigen) Leben unter erhöhten Schreckensbedingungen. *The Day of the Triffids,* ein Roman von imitierten Pflanzenmonstren, die den Menschen bedrängen, endet so:

We think now that we can see the way, but there is still a lot of work and research to be done before the day when we, or our children, will cross the narrow straits on the great crusade to drive the triffids back and back with ceaseless destruction until we have wiped the last one of them from the face of the land that they have usurped[132].

Es ergibt sich eine grobe Gattungsdifferenzierung: Eine *short story* spielt eine einzelne Innovation oder eine geringe Menge von Innovationen durch, ein sog. Roman liefert eine relativ komplexe Charakterisierung der Gefährdung menschlicher Lebensbedingungen. Die Wahrscheinlichkeit der Innovation in Relation zum heutigen Leben der Länder, in denen SF vorzugsweise konsumiert wird, geht in diese komplexe Charakterisierung ein. Mit Wahrscheinlichkeit meinen wir hier nicht die häufig in der Literaturkritik behandelte „Wahrscheinlichkeit" menschlicher Handlungen[133], sondern versuchen wieder eine

an gegenwärtigen oder vergangenen gesellschaftlich und geschichtlich gebundenen Verhaltensweisen orientiert und diese lediglich in die Zukunft projiziert, verfestigt und perpetuiert sie ja zeitlich-gesellschaftlich bedingte psychologische Mechanismen und Verhaltensmuster und erhebt sie zu ewig-gültigen allgemeinmenschlichen Normen."

132 John Wyndham, *The Day of the Triffids* (1951), zitiert nach Penguin Books Edition 1954, hier repr. 1969, S. 272.

133 Vgl. z. B. Gérard Genette, „Vraisemblance et motivation", *Comm.,* 11 (1968), 5—21.

thematische Konstante der Engagementstruktur zu benennen. Das Phantastische von SF-Texten wie anderer Texte soll als eine Textstrukturierung durch das Engagement der Rezipienten erfaßt werden. Lars Gustafsson hat den schon erwähnten möglichen reaktionären Charakter von SF-Literatur damit in Verbindung gebracht, daß hier die Welt nicht als die natürliche des Menschen dargestellt werde[134]. Vielleicht sollte man ihr eher ankreiden, daß sie die mögliche Menschlichkeit der Welt durch die Beharrung des Phantastischen im Tatsächlichen, auf die die thematische Strukturierung es jeweils reduziert, abstreitet.

87. Wir behaupten also, daß die Inferenz von Rezipienten aus der Thematik von der Bezüglichkeit (Beziehbarkeit) von Xa_{in} auf den kulturellen Kontext und von der Abstraktion von Bewertungsprädikaten aus Ereignisfolgen abhängt. Interessanterweise ist Horror [§ 78] in SF-Texten (Wienold 1972 e) nicht nur an Prospektionszustände, an die Strukturierung von Textrearrangement und Spannung gebunden, wie im Horror-Film oder Schauer-Roman, sondern hat eine deutliche thematische Funktion. Horror ist eine mehr oder weniger durchgehende Komponente der Ereignisprädikate über Xa_{in}. Dabei ergeben sich interessante Verschiebungen. Bei Jules Verne ist Horror auch an (technische) Innovationen geknüpft, und zwar in der besonderen Weise, daß neue Erfindungen zum Schrecken derjenigen, die sie noch nicht kennen, eingesetzt werden. Doch wird dieser Horror für den Leser schließlich durchschaubar. Der Spuk im *Karpatenschloß (Le Château de Carpathes)* ist beendet, wenn ein beherzter Mann entdeckt, welcher physikalischen Tricks sich die üblen Schloßherren bedient haben[135]. In heutiger SF sind die Bedingungen für die unter Horror präsentierten Gefahren meist prinzipiell nicht durchschaubar.

134 Lars Gustafsson „Über das Phantastische in der Literatur", *Kursbuch*, 15 (1968), 104—116.
135 Charakteristisch für Jules Verne ist folgende Einleitung zum *Karpatenschloß:* „Die folgende Erzählung ist nicht phantastisch, sie ist *nur* romantisch. Welch ein Irrtum, sie wegen ihrer Unwahrscheinlichkeit für unwahr zu halten, leben wir doch in einer Epoche wo alles möglich ist, man muß fast sagen: wo alles bereits einmal vorgekommen ist! Unsere Träume von heute werden dank der immer weiter sich entwickelnden Wissenschaft morgen gewiß schon Wirklichkeit sein." (Jules Verne, *Das Karpatenschloß. Katastrophe im Atlantik* [Frankfurt am Main: Fischer-Bücherei, 1970] S. 7). Zu Verne vgl. auch Gustafsson, a.a.O., S. 110 ff.

Wenn Horror somit in die thematische Prädikation eingeht, darf man sagen: Engagementstrukturen gehören nicht nur zur „Rhetorik" von Erzähltexten[136], sondern sind bei der semantischen Analyse mitzuberücksichtigen. Die Möglichkeiten, thematische Inferenz an Engagementstrukturen zu koppeln, so läßt sich jetzt hypothetisch formulieren, stellen eine entscheidende Instanz in der Entwicklung literarischer Kommunikation dar. Wir setzen hierher nur noch die Frage, ob Veränderungen, Entwicklungen der Engagementstrukturen nicht eine entscheidende Dimension einer strukturellen Literaturgeschichte sein sollten, einer strukturellen Literaturgeschichte in dem Sinne, daß der Wandel von Strukturierungsvoraussetzungen für die Kommunikation über Texte das Geschichtliche an der Literatur ausmache [§§ 120 ff.].

2.3.5 Zur weiteren Entwicklung der Inferenzanalyse

88. Unser Thematikbegriff ist enger und spezifizierter als der Tomaševskijs [§ 73][137], weil wir nicht darauf abheben, alles irgendwie Inhaltliche in einer Übersicht zu erfassen, sondern Thematik an einer für die Entwicklung von Verfahren, die Kommunikation über Literatur analysieren sollen, wichtigen Schaltstelle lokalisieren. Diese Schaltstelle besteht, wie oben ausgeführt, in der Kopplung von Arrangementstrukturen und Engagementsstrukturen. Daraus wurde Inferenz als für die Rezeption von Thematischem entscheidende Kategorie entwickelt. Es soll deshalb abschließend noch etwas auf einen möglichen Ausbau der Inferenzanalyse eingegangen werden.

Es kommt darauf an, mögliche Inferenz durch Rezipienten hypothetisch so zu bestimmen, daß bei Kenntnis zusätzlicher Variablen Aussagen (Voraussagen, Beurteilungen) über tatsächlich vorkommende Inferenz gemacht werden können. Wir möchten behaupten, daß die Inferenz eine wesentliche Rolle im Verständnis von Texten und in deren Beurteilung durch Teilnehmer bildet. Für die Behandlung literarischer Kommunikationsprozesse scheint es uns nicht so sehr wichtig, über unabhängig von der Rezeption zu bestimmende Beziehungen

---

136 Wayne C. Booth, *The Rhetoric of Fiction* (Chicago, 1961).
137 Vgl. Tomaševskij l. c., S. 282: „Le systéme de motifs qui constituent la thématique d'une œuvre doit présenter une unité esthétique". In der praktischen Behandlung zeigt sich Tomaševskijs Thematik-Begriff noch weiter als hier, indem auch Personenkonstellation, Erzählverfahren und Gattungsfragen unter dem Titel „Thematik" abgehandelt werden.

zwischen Literatur und sog. Wirklichkeit zu sprechen, ob Literatur sich primär abbildhaft oder steuernd, indem Künftiges vorweggenommen wird, zur Gesellschaft verhalte, wie einige literatursoziologische Grundpositionen das erarbeitet haben [§ 37]. Es scheint uns wichtiger herausbekommen zu können, über welche Möglichkeiten Rezipienten verfügen, um Texte in Relation zu Nichttexten zu setzen. Damit ergeben sich gewisse Möglichkeiten, die Grundlagen interpretatorischer und literaturkritischer Prozesse weiter zu klären, indem diese Prozesse nicht als Aussage über Literatur mit theoretischem Status verstanden werden, sondern als Formen einer verbalisierten Partizipation an der Literatur (Wienold 1971 a, §§ 15 ff.). Und es lassen sich Ansatzpunkte für eine Erforschung der Verarbeitung von Texten in Rezeption, Kritik, Weiterverarbeitung [§§ 116 ff.] angeben. Nicht isolierte Texte, sondern was mit Texten getan wird und getan werden kann, wird Objekt. Die weitverbreitete Rede von den Texten als der „Sache selbst" verunklärt die theoretische Konstruktion des Objektbereichs, der in einer Wissenschaft behandelt wird[138].

Wir haben verständlicherweise nur ganz informell und unter großen Abkürzungen die Idee der an Thematik und Engagement gebundenen Analyse von Inferenz entwickeln können. Für eine bessere Behandlung ist die nähere Ausführung wichtiger Teilstücke nötig, deren Rolle in einer vorläufigen Systematisierung des Konzepts einer Semiotik der Literatur im letzten Kapitel besprochen wird [§§ 140 ff.]. Die Idee zu plausibilisieren ist uns derzeit vorrangig. Damit steht und fällt ja die Vernünftigkeit des ganzen Unternehmens. Eine Dimension neuer Fragestellungen deutet sich an. Man kommt zu der möglichen Einsicht, daß man sich über den Charakter des zu behandelnden Objekts bislang gründlich getäuscht hat, bzw. daß es günstiger ist, das zu behandelnde Objekt anders zu bestimmen als bislang üblich.

89. Wir wollen das Bisherige kurz in zwei Richtungen andeutungshaft erweitern, einmal zeigen, daß das Gesagte sich nicht auf SF beschränkt, zum anderen auf die Frage der Abbildhaftigkeit von Literatur noch etwas eingehen. Daran läßt sich der vorläufige Stand der Überlegungen dann besser abschätzen.

---

138 Vgl. Götz Wienold, Rez. Erwin Leibfried, *Kritische Wissenschaft vom Text: Manipulation, Reflexion, Transparente Poetologie* (Stuttgart, 1970), *Poetica* (im Druck).

Das Verhältnis von innovatorischem Xa_{in} zu Ereignisprädikaten in einer Folge von Textrearrangements ist an relativ einfachen Fällen von Science Fiction illustriert worden; es ließ sich wenigstens andeuten, daß prinzipiell auch komplexere SF-Texte dieser Analyse von Thematik, Engagement und Inferenz genügen. Das illustrierte Grundprinzip ist — darin liegt die Erweiterung — keineswegs auf Erzähltexte noch auf Science Fiction beschränkt.

Wir deuten das an zwei dramatischen Texten an. Colin Spencers *Spitting Image (Wie ein Ei dem anderen)* behandelt Handlungsketten von Ereigniskonsequenzen, die sich aus der Innovation ergeben, daß ein homosexueller Mann aus einem Verhältnis mit einem anderen ein Kind empfängt und gebiert. Gesellschaftliche Instanzen wollen das „Faktum" nicht akzeptieren, weil man sonst zugeben müßte, daß keinerlei gewichtige Unterschiede zwischen sog. Normalen und Nichtnormalen bestehen. Das Ereignis bleibt kein Einzelfall, und so setzt sich in Spencers Stück die unterdrückte Minderheit mit relativem Erfolg zur Wehr.

Die Inferenz, die wir angedeutet haben, legt nahe, die Relation zwischen innovatorischem Text und unveränderter Textumwelt auf der Ebene der Beurteilung von Tatsächlichem zu suchen. Rolf Hochhuths *Guerillas* konstruieren die innovatorische Ausgangsposition, daß in den USA revolutionäre Stadtguerillas den mehr oder weniger friedlichen Umsturz der Herrschaftsverhältnisse und einen demokratischen Sozialismus vorbereiten. Der Anführer des Untergrunds, Senator David L. Nicolson, fliegt auf und wird am Ende umgebracht. Die möglichen Konsequenzen des Xa_{in}: Vorbereitung der Revolution von oben in den USA, Chancen der Realisierbarkeit oder Nichtrealisierbarkeit werden vorgespielt.

In solchen dramatischen Texten bleibt die Inferenz u. U. in stärkerem Maß offen [§ 79]. Dem politischen Theater kann gerade an möglicher nichtverbaler, aktionaler Inferenz seitens von Rezipienten gelegen sein[139]. Im Unterschied zu Erzähltexten liegt dramatischen

---

139 Vgl. Rolf Hochhuth, *Guerillas: Tragödie in 5 Akten* (Reinbek bei Hamburg, 1970), Vorwort, S. 20: „Politisches Theater kann nicht die Aufgabe haben, die Wirklichkeit ... zu *reproduzieren,* sondern hat ihr entgegenzutreten durch *Projektion* einer neuen. Und nur dort, wo es moralisch, anstatt politisch agitiert, trifft es den Zuschauer und bewahrt es seinen eigenen Raum ... Zu viele Stücke suchen Geschehnisse nachzuspielen; dies spielt eines vor."

Texten, wie noch darzulegen sein wird [§§ 94 ff.], kein Bericht über Handlungen, sondern eine Vorführung von Handlungen als Substrat zugrunde. Nur an solche Voraussetzungen läßt sich die Idee aktionaler Inferenz, wie immer man sie im einzelnen beurteilen mag, anschließen. Darin unterscheidet sich, grob gesprochen, die Innovation in dramatischen Texten von der in Erzähltexten. Die Xa_{in} und die sich an sie anschließenden Ereignisprädikate von *Spitting Image* und *Guerillas* werden nicht über Horrorstrukturen thematisiert. Darin unterscheiden sie sich von denen der Science Fiction.

90. Es ist vielleicht schon deutlich geworden, daß wir die Beziehungen zwischen sog. Wirklichkeit und Texten anders als üblich anschauen möchten — darin besteht die zweite Erweiterung. Inhaltsanalytische [§§ 82, 160] Untersuchungen besonders zu den durch die sog. Massenmedien verbreiteten Texten haben Aussagen derart formuliert, daß Texte bestimmter Sorte, z. B. Filme, gesellschaftliche Verhältnisse verzerrt darstellten, sich der Wirklichkeit fern hielten, Problematisches tabuisierten oder harmonisierten usw.[140]. Derlei Aussagen werden allerdings meistens unter dem Interesse formuliert, aus solcher Inhaltsanalyse auf das Publikum, auf die an der Produktion Beteiligten oder auf die Ansicht dieser Produzierenden über das Publikum Schlüsse ziehen zu können. Es scheint uns für die Analyse der Kommunikation über Literatur wesentlich wichtiger, festzustellen, wie Rezipienten Möglichkeit von Texten für eigene Aussagen über sog. Wirklichkeit ausnutzen können. Es ist ja gar nicht auszumachen, wie der Anspruch an ein bestimmtes Textkorpus, Verhältnisse einer Realität relativ genau wiederzugeben, überhaupt zu begründen ist. Wir hatten ja schon bei der Besprechung der Thematik von SF gefunden, daß beispielsweise ein Selbstmord als Inhalt des letzten Textrearrangements eine bestimmte Rolle für das thematische Prädikat über die thematische Innovation spielt. Wenn man das weiß, wird man es nicht für sinnvoll halten, den prozentualen Anteil der Selbstmorde an den in einem bestimmten Erzähltextkorpus berichteten Todesfällen mit der Selbstmordstatistik des Landes zu konfrontieren, indem die Texte produ-

---

140 Eine knappe Übersicht über inhaltsanalytische Arbeiten zum Film bietet Osterland, *Gesellschaftsbilder in Filmen; Eine soziologische Untersuchung des Filmangebots der Jahre 1949 bis 1964* (Göttingen, 1970), S. 47 ff.

ziert oder rezipiert werden. Für die Inferenz sind nicht so sehr „Themen" als solche wichtig wie die Relationen zwischen thematischen Elementen in verschiedenen Stellen einer Handlungskette.

91.   Wie oben [§ 86] sollen auch hier noch einmal auf Ansätze zur Gattungsdifferenzierung aufmerksam gemacht werden — in größerem Zusammenhang wird das später als Problem der Kriterienbildung für die Textsortendifferenzierung behandelt [§§ 152 ff.]. Aus der Kombination der an unsere Analyse geknüpften Merkmale

1) innovatorisches Xa_{in}/nichtinnovatorisches Xa,
2) Bericht über Handlungen als Substrat/Vorführung von Handlungen als Substrat,
3) Horrorstrukturierung des Engagements/Nichthorrorstrukturierung des Engagements

haben sich Texte wie folgt unterscheiden lassen:

The Day of the Triffids: +1, +2, +3
Guerillas, The Spitting Image: +1, —2, —3
The Talented Mr. Ripley: —1, +2, —3.

Alle diese Merkmale sind Relationen zwischen Elementen in den Kettenbildungen von Texten und nicht Themen, die nach der „Wirklichkeit" definiert werden.

Das ist an dieser Stelle eine Zusammenfassung ad hoc, mag aber für den Leser die Behandlung der Textsorten in der Semiotik der Literatur weiter verdeutlichen. Kriterienwahl und Kriterienauswertung müssen aus dem analytischen Modell abgeleitet werden. Die in der Analyse etablierten Merkmale müssen so gewichtet werden, daß sich interessante Texteigenschaften differenzieren lassen. Was interessant ist, bestimmt sich aus dem theoretischen Ziel: In welcher Weise steuern unterschiedliche Merkmalsaggregate die Prozesse der Kommunikation über Literatur?

2.4.   Substrat und Rearrangement in dramatischen Texten

2.4.1.   Gattungsabhängiges und Gattungsunabhängiges

92.   Wir haben in diesem Abschnitt bescheidene Absichten. Es geht nicht wie bei den Erzähltexten darum, relativ genau verschiedene Eigenschaften von dramatischen Texten strukturell darzustellen, sondern nur darum, das Verhältnis von Substrat und Rearrangement in dramatischen Texten unter den Einsichten, die sich bei der Analyse von Erzähltexten eingestellt haben, zu beleuchten. Daneben soll hier bereits etwas näher auf das Problem von gattungsabhängigen und gattungsunabhängigen strukturellen Eigenschaften von Texten eingegangen werden. Damit können wir etwas beitragen zu der Frage, wie sich Textsorten und Textmodelle zueinander verhalten. Das wird im systematischen vierten Kapitel ausführlicher aufgegriffen. Dort wird es darauf ankommen zu zeigen, inwiefern allgemeine Textmodelle so ausgenutzt werden können, daß auch spezifische Textsorten durch sie beschrieben werden können. Hier soll nur an einer vorläufigen Explikation von Analysemodi die spätere Fragestellung vorbereitet werden.

Einige Merkmale, die für den Zusammenhang von Thematik und Inferenz erarbeitet wurden, zeigten in ihrer Verteilung, daß Eigenschaften der Verknüpfung von Thematik und Inferenz sich nicht auf Erzähltexte beschränken, sondern daß auch dramatische Texte an ihnen teilhaben [§§ 89 ff.]. Da auch gewisse Differenzen zwischen Erzähltexten und dramatischen Texten in dieser Merkmalsmenge charakterisiert werden, verdient es besondere Aufmerksamkeit, darüber zu reflektieren, inwieweit die hier vorgeschlagenen analytischen Verfahren gattungsabhängige oder gattungsunabhängige Eigenschaften von Texten zutage fördern. Spricht die Analyse generelle Eigenschaften von Texten an oder hebt sie nur spezifische Eigenschaften heraus? Kann die Analyse so angelegt werden, daß sie zwar generell ist, aber doch jeweils Spezifisches genügend spezifiziert charakterisiert? Das ist das Grundthema unserer Überlegungen zur Analytik. Sie soll nicht nur für die sogenannten Großgattungen spezifisch werden, sondern für Subgattungen und Untertypen von Subgattungen Relevantes anzeigen können.

Die Vorstellung von Gattung, die sich, wie bereits angedeutet [§ 52], mit unserem Konzept verbindet, entfernt sich von den traditionell bekannten Gattungsbegriffen der Art ‚Drama‘, ‚Epos‘ auf der einen Seite und der Art ‚Tragödie‘, ‚Ode‘, ‚Kriminalroman‘ usw. auf der anderen Seite gleichermaßen. D. h. Gattungen sollen nicht so nachdefiniert werden, wie Teilnehmer sie zu irgendeinem Zeitpunkt für irgendeinen pragmatischen Zweck konzipiert haben, sondern es sollen strukturelle Gattungsdefinitionen möglich sein, die dann unter Umständen relativ weit von den üblichen Gattungsvorstellun-

gen, die im „literarisches Leben" vorkommen, abliegen. Dabei ist eine
Charakteristik von Gattungen gemeint, die über eine Vielzahl von
strukturellen Eigenschaften Gattungen durch die Teilhabe an Unter-
mengen dieser Gesamtmenge von strukturellen Eigenschaften definiert. Gattungen sollen je nach Partizipation an einer Vielzahl oder
an einer geringen Zahl von Eigenschaften differenziert beschrieben
werden können. Das alte Problem der Gattungsgrenzen braucht dann
nicht noch einmal repitiert zu werden. Wenn eine solche differenzierte
Beschreibung von Gattungen in bezug auf ihre Unterschiede und Ähnlichkeiten möglich ist, dann wird sich eine Breite von Gemeinsam-
keiten, bzw. Unterschieden auf einer Skala oder in einer Matrix ab-
zeichnen lassen. Diese Konzeption (Wienold 1971 a, 157 f.) würde
sich in die Ansprüche einer Formulierungstheorie einfügen, die Texte
durch die Dekomposition in mehrstufige Kombinatorik von Formulierungsverfahren und Elemente analysieren will, einfügen [§§ 50 ff.].

Die Fragestellung wird dabei so elementar, daß sie an Einheiten,
die konventionellerweise der ‚Struktur' von dramatischen Texten
zugeordnet werden, kaum herankommt[141]. Wir bleiben auch weit entfernt von Jackson G. Barry, der zu sagen versucht, was Drama wirklich ist (Barry 1970, 9). Barrys Strukturierungen sind mehr oder weniger interpretativ evident. Zwar arbeitet er mit abstrakten Kategorien
wie ‚Handlung', ‚Ereignis', ‚elementare Ereignisfolge' ("basic pattern
of events") und gelangt gelegentlich zu Ansätze einer elementaren Ereignisfolge, wie sie eine Funktionsanalyse formulieren könnte. So wird
eine mögliche Folge auf ‚Besitz — Verlust — Wiedergewinn' reduziert (1970, 31). Doch für spezifische Texte sind die strukturierenden
Formulierungen nur mit Bezug auf eine mitgelieferte Interpretation
dieser Texte nachvollziehbar; die Strukturierung ist nicht wiederhol-
bar. Barrys Argumentation kompliziert sich dadurch, daß er dramatische Strukturen — wie literarische überhaupt — aus der Wirklichkeit
("images of man's interaction in time" [1970, 205]) abgeleitet sein
läßt, wenn auch daneben andere Organisationsprinzipien zugelassen
sind. Da seine Strukturierungen an der ‚Welt' orientiert sind, lassen
sich seine ‚elementaren Ereignisfolgen' nicht in rekurrente Elemente

---

141 James H. Conover, *Thomas Dekker: An Analysis of Dramatic Structure*
(The Hague und Paris, 1968) z. B. behandelt die "unifying devices" von
plot und Charakteren und (vermutete) Wirkung dieser beiden Einheiten.

bzw. Relationen analysieren; man bleibt bei einer mehr oder weniger impressionistischen Anschauung.

93. In den Funktionsanalysen der Pariser semiologischen Schule ist verschiedentlich darauf aufmerksam gemacht worden, daß die triadischen Funktionen, die Erzähltexten zugrunde liegen, von einer ganzen Reihe von anderen Texten unterschiedlicher Sorte geteilt werden. So charakterisieren Funktionen nicht nur das Substrat von Erzähltexten, sondern auch von Filmen und Theaterstücken und Mythen, Spielen und Tänzen[142]. Damit würden Funktionen als etwas Gattungsunabhängiges, das sogar weiter über sprachlich repräsentierte Texte hinausgeht, analytisch brauchbar. Man hätte mit der Funktionsanalyse ein allgemeines Instrumentarium in der Hand, um Texte verschiedener Gattung und verschiedener Manifestationsform — auch sprachlich, bildlich, gestisch oder in Kombination von mehreren solchen Repräsentationsformen manifestiert — zu analysieren.

Nun erstrecken sich die Bedenken, die wir oben gegen die semiologische Erzähltextanalyse vorgetragen haben [§§ 60 f.] auch auf diesen Punkt. Wir hatten zu zeigen versucht, daß sich die spezifischen Eigenschaften von Erzähltexten besser beschreiben lassen, wenn man an die Stelle der Funktionen Bremonds und Propps Komplexe von Sätzen stellt, die sich durch Konjunktion und Arrangement von Primitivsätzen mit spezifischen Eigenschaften ergeben. Man wird also bei dramatischen Texten fragen müssen, ob der Text, wie er vorliegt, sich in gleicher Weise zu einem Substrat von solchen Folgen von Primitivsätzen in entsprechenden Konjunktionen und Arrangements rearrangieren läßt.

2.4.2 Substrat in dramatischen Texten und Erzähltexten

94. Natürlich fragt man sogleich, was denn eigentlich hier zu analysieren sei, ob der geschrieben oder gedruckt vorliegende Text eines Dramas oder das in einer Aufführung präsentierte Gesamt von Sprache, Körper und Gestik und visuellen Erscheinungen anderer Art auf der Bühne, die als Szenarium oder Bühnenbild oder dergleichen bezeichnet werden. Eine Lektüre von dramatischen Texten verfährt ja

---

142 Vgl. Bremond 1964, 31 ff.; Bremond 1966, 76; Bremond 1968, 163 f.; Genette, *Comm.*, 8 (1966), 152 ff.

ebenfalls weitgehend so, daß sie das, was sprachlich manifestiert ist, durch das ergänzt, was im sprachlich Manifestierten impliziert ist. Diese Supplementation durch nichtverbale Handlung, die auch für die Lektüre eines dramatischen Textes zu seinem Verständnis angesetzt werden muß und oft in speziellen Teiltexten, z. B. in Regieanweisungen angedeutet ist, spricht dafür, als zu Analysierendes nicht den bloß sprachlich manifestierten Text anzusetzen, sondern zumindest das vom sprachlichen Text Implizierte immer mit zu berücksichtigen. Es wird aber günstiger sein, dasjenige zu analysieren, was bei einer Aufführung eines dramatischen Textes erscheint, und dann die Lektüre eines dramatischen Textes als eine reduzierte Form einer solchen Rezeption eines dramatischen Textes bei einer Aufführung zu beschreiben. Die Ergänzungen, die der Leser dann vornimmt, und die jeweiligen individuellen Variationen nach Text und Rezipient und Umständen werden dann über spezielle Probleme, die sich bei einer solchen Reduktion für unterschiedliche Variablen stellen, beschreibbar.

Dramatische Texte in Aufführung stellen eine Kombination von vorgetragener Rede (sprachlicher Text), vorgeführter Handlung (perfomativer Text) und szenischem Kontext dar. Entsprechende Unterscheidungen finden sich auch in neueren strukturellen Analysen, so bei Jansen 1968 die Unterscheidung von *plan textuel* und *plan scénique*, bei Pagnini 1970 die Unterscheidung zwischen *complesso scritturale* und *complesso operativo*. Es handelt sich bei dramatischen Texten damit um einen plurimedialen Text. Solche plurimedialen Texte stellen der Analyse besondere Probleme, die wir hier nicht aufgreifen wollen [§§ 6 f.]. Bei plurimediierter Kommunikation verteilt sich u. U. ein Substrat auf verschiedene beteiligte Repräsentationsformen. Die Analyse der Relationen (oder Kombinationen) dieser Repräsentationsformen ist deshalb vordringlich. Wir werden hier mit der Annahme arbeiten, daß performativer Text und szenischer Kontext sich in einer verbalisierten Form analysieren lassen, wollen aber nicht übergehen anzumerken, daß diese Voraussetzung keineswegs unproblematisch ist, daß die Verbalisierung einmal eine ganze Reihe großer heuristischer Probleme in sich birgt, zum andern die Probatheit eines solchen Angangs nicht ohne weiteres plausibel ist [§ 141].

95.   Wir fangen mit der Überlegung an, ob sich dramatische Texte genau wie Erzähltexte zu einem Substrat von P-Strängen, und zur Verkettung solcher P-Stränge, wie sie die Spannungsanalyse benutzt

hat, rearrangieren lassen. Man wird gleich bemerken, daß dramatische
Texte nicht dadurch zustande kommen, daß Stränge, die durch einzelne P definiert sind, nebeneinander oder nacheinander laufen und
in speziellen Formen die Schnittpunkte solcher P-Stellen zu Arrangements gefügt werden. Es ist vielmehr so, daß fast durchgehend mehrere P gleichzeitig über eine Strecke eines Textverlaufs an den dargestellten Handlungen, Vorgängen, Ereignissen usw. beteiligt sind.
Von einer Analyse in einzelne P-Stränge und deren Schnittpunkte an
bestimmten Stellen zu sprechen, würde bei der Analyse von dramatischen Texten unter Umständen zu recht kuriosen Darstellungen führen, da man gleichzeitig häufig über längere Textverläufe mehrere
P-Stränge dauernd nebeneinander verfolgen müßte und die in dramatischen Texten dauernd vorkommenden Schnittpunkte solcher P-Stränge erst als ein durch spezielle Kombinationsverfahren Zustandekom-
mendes aufnehmen könnte. Das isolierte Vorkommen eines P-Stranges ist ein besonderer Fall in einem dramatischen Text, der sich als
Monolog repräsentieren würde oder als stummes Spiel einer einzelnen
Person auf sonst personen- und handlungsfreier Bühne.

Von hier aus scheint es plausibel, daß die Analyse der Beziehungen
zwischen beteiligten Personen und der Möglichkeit von Personen zu
anderen in Beziehung zu treten als Ansatz zur Dramenanalyse gewählt wurde[143]. Bewähren muß sich jedoch ein solcher Gedanke, der
auch in der Erzähltextanalyse eine Rolle gespielt hat[144], in einer Ableitung aus einem generellen Analysemodell.

Auch die Temporalität der dargestellten Ereignisse verhält sich in
dramatischen Texten anders als in Erzähltexten. Das vielfältige Hin
und Her, daß das Rearrangement für die Analyse des Rezipienten-
arrangement in Erzähltexten besonders fruchtbar machte, weil dadurch
die spezifischen Spannungsstrukturen von Erzähltexten herausgehoben
werden konnten, würde sich für einen dramatischen Text ausgesprochen artifiziell ausnehmen. Es gibt relativ wenige dramatische Texte,
in die Vorhergegangenes von Handlungen in Rückblenden zeigen.
Sonst läßt sich zeitlich Vorhergehendes nur im sprachlichen Text als

143 Felix von Cube und Waltraud Reichert, „Das Drama als Forschungs-
objekt der Kybernetik", in: Kreuzer 1965, 333—345; Dinu 1968.
144 Todorov 1966; Sorin Alexandrescu, „Analyse structurelle des personnages et conflits dans le roman *Patul lui procust* de Camil Petrescu",
Cahiers de linguistique théorique et appliquée, VI (1969), 209—224.

Bericht (Botenbericht) repräsentieren und nur in reduzierter, nämlich in Berichtsform dargestellter performativer Textform in den dramatischen Text integrieren.

Auch von der Temporalität der dramatischen Texte her zeigt sich also, daß die Analyse, die wir für Erzähltexte eingeführt haben, sich nicht so ohne weiteres auf dramatische Texte übertragen läßt, so daß man auch gegenüber dem Anspruch der Funktionsanalyse, etwas allgemeines für Erzähltexte und andere Textsorten wie Dramen usw. aufgezeigt zu haben, stärkere Zweifel hegen kann. Mit ohne weiteres meinen wir, daß die Analyse dramatischer Texte jedenfalls nicht zu einer gleichen Form von Substrat zu kommen hoffen darf. Daß die Analyse von dramatischen Texten auch auf die Elemente, auf die die Erzähltextanalyse aufgebaut hat: Primitive, Konjunktionen, Formulierungsverfahren verzichten sollte, ist damit freilich nicht eingeschlossen. Im Gegenteil, wir würden danach suchen, für das dramatischen Texten eigentümliche Substrat, das zu einem dramatischen Text arrangiert wird, eine Analyseform zu finden, die auf ähnlichen Einheiten und Verfahren elementarer Art aufbaut. Allerdings werden wir nicht, das hat sich in den bisherigen Überlegungen nahegelegt, auf eine Folge von Handlungen im Arrangement von P-Strängen rekurrieren.

96.   Wir wollen von handlungstragenden Prädikaten ausgehen und Argumenten solcher Prädikate; diese können verschiedene Personen sein. Dabei soll die Zahl und die Sorte der beteiligten Personen wechseln können. Damit würden verschiedene szenische Konstruktionen von einer Person bis zu einer Großzahl von Personen erfaßt, und die wechselnde Beteiligung von Personen in Szenen und Szenenfolgen. Die Konjunktionen für Primitive, die wir für die einzelnen Personen nach wie vor ansetzen wollen, müssen also nicht so sehr der folgeverknüpfenden Art sein, wie wir sie in Erzähltexten eingeführt haben, sondern müßten die Kombination von Handlungen einzelner Personen zu integrativen Handlungen von dramatischen Texten vollziehen. Es wären also Konjunktionen, grob gesprochen, die zunächst eher Gleichzeitiges als aufeinander Folgendes erfassen. Ein Erzähltext entsteht, so war gesagt worden, dadurch, daß Primitivelemente spezifischer Implementation durch spezielle Sorten von Konjunktionen verknüpft werden und über diesen Verknüpfungen spezielle Rearrangementformen operieren; dramatische Texte sollen so beschrieben werden, daß Primitivelemente spezifischer Charakterisierung, über die noch nicht gesprochen worden ist, durch spezielle Konjunktionen und durch Operationen über diesen Verknüpfungen kombiniert werden. Wir glauben damit wieder ein allgemeineres Konzept anzubieten, als das in bekannten analytischen Untersuchungen zu Dramen vorliegende, daß die Grundeinheiten von Dramen entweder als Handlung oder Aktion (Pagnini 1970, 124) als Situation (Souriau 1950) oder als Konflikt (Souriau 1950) bezeichnet[145]. Pagninis Klassifikation von Themen wäre unter diesen Gesichtspunkten zu kritisieren. Pagnini klassifiziert nämlich Themen danach, ob sie Handlungen enthalten, die auf Vorausliegendes verweisen, Handlungen, die auf Zukünftiges verweisen, Handlungen mit Indexwert, Handlungen, die statisch in bezug auf eine Entwicklung sind, oder Handlungen, die etwas abschließen. Auch Kombinationen solcher Handlungen sind zugelassen, und Themen werden insgesamt dadurch charakterisiert, wieviele Sorten solcher Handlungen sie enthalten. Damit würde der unserer Ansicht nach dramatischen Texten zugrunde liegende eigentümliche Nexus von Handlungselementen, an denen mehrere Personen teilhaben, nicht beachtet.

Wir wollen hier schon andeuten, daß diese Konstellation von handlungsbeteiligten Personen in gleichzeitigen Handlungen nach bestimmten Vorschlägen auch als der entscheidende Punkt für die Engagementsstrukturierung von dramatischen Texten angesetzt wird. Souriau hat schon darauf aufmerksam gemacht, daß die Klassifikation von an der Handlung beteiligten Personen in Liebhaber und Rivale nur unter der Berücksichtigung des Engagements eines Rezipienten akzeptabel ist. Unabhängig von solchem Engagement läßt sich zwischen zwei Personen, die in bezug auf eine dritte Person als Liebende handeln, nicht nach Rivale und Liebhaber unterscheiden[146]. Souriau kann charakteristischerweise seine Situationsklassifikation nur unter

---

145 Zur Situation in Dramenanalysen vgl. beispielsweise noch Diemut Schnetz, *Der moderne Einakter: Eine poetologische Untersuchung* (Bern und München, 1967), S. 25 ff.; Reinhold Grimm und Dieter Kimpel, „Situationen" in: Reinhold Grimm und Conrad Wiedemann (Hrsg.), *Literatur und Geistesgeschichte: Festgabe für Heinz Otto Burger* (Berlin, 1968), S. 325—343. ‚Spannung' als Analysekategorie für Dramen bei Ivan und Judith Fonagy, „Ein Meßwert der dramatischen Spannung", *Lili*, I, 4 (1971), 73—98.

146 Souriau 1950, 72: „Cela veut dire que moi, spectateur, auteur ou analyste, peu importe, je me place en pensée, d'abord du côté de Henri [= Amant, G. W.] plutôt que de Robert [= Rival, G. W.]. Je com-

Berücksichtigung solcher Engagementskonzentration auf die eine oder andere Person in bestimmten Konstellationen anwenden. Der Gesichtspunkt *(point de vue)* wird für ihn zu der entscheidenden architektonischen Kategorie (Souriau 1950, 71 f; 236 ff.). Ähnlich zeigen empirische Untersuchungen Sidney D. Forseys im Bereich der Massenkommunikation, daß die Partizipationen von Rezipienten über dargestellte Konflikte und Lösungen solcher Konflikte in Identifikation mit eigenen nicht gelösten Konflikten läuft[147].

Interessanterweise deutet sich in den Untersuchungen Forseys an, daß die Vorstellung des Sinnes von Fernsehspielen als Unterhaltung unter Umständen den Sinn, den solche Texte für den Rezipienten haben, nämlich den der Behandlung oder Lösung oder repräsentativen Behandlung oder Lösung von Konflikten, gänzlich verfehlen. Auf diese Frage, was nämlich „eigentlich" mit Texten kommuniziert werde, was also den Gehalt der Kommunikation über Literatur in dem weiten und allgemeinen Sinn, den wir hier ansetzen, darstellt, werden wir im letzten Abschnitt dieses Analytikkapitels noch einmal eingehen. Wie schon oben angedeutet, sind jedenfalls weitgehend an der Oberfläche der Gesellschaft die Vorstellungen über das, wozu Literatur im täglichen Leben vorkommt, völlig unklar. Wir hatten schon angedeutet, daß das eher als ein Hinweis darauf aufzufassen ist, daß hier mehr vorkommt und Wichtigeres passiert, als sich der Einzelne oder auch Gruppen einzugestehen bereit sind.

97. Wenn man unsere unterschiedliche Betrachtung von dramatischen Texten gegenüber Erzähltexten akzeptiert, wird man nun sagen dürfen, daß Dramen im Gegensatz zu Erzähltexten nicht so sehr das Interesse am Fortgang von Handlungen, an Aufklärung, an Dar-

---

mence à partir de lui, comme protagoniste, à inventorier le situation. C'est lui que je prends pour origine, pour terme de référence de toutes les rélations."

147 "We submit that the average person in modern society to a significant degree has turned to television to find institutional support and expression for various unresolved conflicts; conflicts which were generated, in the main, from within his family of origin. Televisions has in many cases taken over one role which ... was once filled by formal religion". (Sidney D. Forsey, "The Influence of Family Structures upon the Patterns and Effects of Familiy Viewing", in: Leon Arons and Mark A. May (Hrsg.), *Television and Human Behavior* (New York, 1963), S. 66.

stellung verwickelter Zusammenhänge usw. mobilisieren, sondern daß Handlungen und Abläufe von Handlungen auf die mehr oder minder gegebene Durchschaubarkeit ihrer Motivation die Teilnahme eines Rezipienten im Drama beanspruchen. Man kann wahrscheinlich, obwohl das hier nur vorläufig als Vermutung geäußert werden kann, recht gut dramatische Texte unterschiedlicher Epochen und unterschiedlicher Art auf den Grad der Durchschaubarkeit der Motivation ihrer Handlungen betrachten und danach die Möglichkeiten des Zuschauerengagements behandeln. Damit ist auch hier in Kürze die Verbindung der analytischen Überlegungen zur Behandlung des Wandels von Literatur angedeutet.

2.4.3 Personen und Semanteme in dramatischen Texten

98. Die Durchschaubarkeit der Konflikteinheit, die Steuerung der Handlung über Motivationen ist in vielen Dramen dadurch gegeben, daß Personen, die an dramatischen Handlungen teilnehmen, über ihre Motivation, über die ihren Handlungen zugrunde liegenden Voraussetzungen Auskunft geben. Schiller z. B. arrangierte seine dramatischen Figuren fast in abstrakter Form gegenüber einander. In *Kabale und Liebe* stehen sich Repräsentanten von Ehre und Glück, oder innerer und äußerer Ehre, oder Glück im Herzen oder Glück im Sinne des Ansehens der Gesellschaft gegenüber. Die Handlungen und die Äußerungen der Personen lassen sich weitgehend solchen normativen Steuerungen zuordnen, wie sie eben genannt wurden. Der Ablauf der Handlung sollte sich auf die Konflikte abbilden lassen, die sich zwischen solchen sich entgegenstellenden Normen ergeben. Diese Idee sieht es darauf ab, Dramen so zu analysieren, daß Personen und Handlungen, die in unsere Primitivelemente und deren Verknüpfungen eingehen, von der Komplexion solcher Primitivelemente in integrativen Handlungen steuernde Semanteme abhängen. Solche Semanteme deuten sich in den beispielhaft genannten „Normen" eines Dramas wie *Kabale und Liebe* an. Nicht, daß wir uns hier auf die eigentümliche dramatische Logik etwa eines Friedrich Schiller festlegen wollten. Es ist ja bereits angedeutet worden, daß die Durchschaubarkeit der Motivation, d. h. die Art der Steuerung der integrativen Handlungsbildung in Dramen recht unterschiedlich vor sich gehen kann. Gegentyp zu Schiller könnten etwas Stücke eines Harold Pinter sein.

Diese Idee geht damit im theoretischen Anspruch zunächst weit zurück gegenüber schon entwickelten formalen Modellen, wie sie vor allem von Solomon Marcus inauguriert wurden (Marcus 1971; Dinu 1968). Solche Modelle beanspruchen eine vollständige mathematische Beschreibung von Dramen, der Abhängigkeitsbeziehungen ihrer Elemente. Solange jedoch keine Hypothesen entwickelt sind, über welche Art struktureller Eigenschaften die Partizipation der Rezipienten verläuft, ist — zumindest für eine Literaturtheorie, wie sie hier beabsichtigt wird — dies das dringendere Problem. An dieses tasten sich die Überlegungen zum Drama in diesem Kapitel heran.

Die Person-Handlungskombination im Primitivelement, ihre Aggregation zu Konflikteinheiten und deren Steuerung durch Semanteme (Normen), die sich in den sprachlichen Teiltexten formuliert finden, scheinen einen Ansatzpunkt zu bieten. Die Durchschaubarkeit der Konflikte stellt eine Möglichkeit des Engagements eines Zuschauers am dramatischen Text dar. Wenn Dramen für Schauspieler analysiert werden, findet man gelegentlich eine Auflösung der sozialen Handlung der dramatischen Personen in einer psychologischen Beschreibung dessen, was sich für die dramatischen Figuren in den sozialen Handlungen manifestiert[148]. Im experimentellen Theater mit sozialem Engagement wird versucht, dem Zuschauer ein bestimmtes Verständnis der Kräfte, die sein eigenes Leben steuern, durch ein Verständnis. das die Steuerung von Konflikten im Drama durchschaut, zu vermitteln. Enrique Buenaventura, Leiter eines Experimentaltheaters in Kolumbien, spricht ausdrücklich davon, daß die verschiedenen Klassen ihrer Rolle bewußt werden sollen und damit das Publikum gespalten werden kann. Er geht weiter, indem er die konflikthaften Komponenten im Verhalten jedes einzelnen Menschen und deren soziale Steuerung ihm bewußt machen will[149].

99. In literaturwissenschaftlichen (literaturkritischen) Dramenanalysen spielen solche Semanteme als interpretarische Kategorien eine wichtige Rolle. Theodore Ziolkowski 1970 versucht, die Grundsituation und Lösungen von Dramen Schillers, Goethes und Kleists nach der Beteiligung von Angst und Verzweiflung zu charakterisieren. Er

---

148 Vgl. z. B. Arthur Wagner, "Transactional Analysis and Acting", *Tulane Drama Review*, XI, 4 (1967), 81—88.
149 Enrique Buenaventura, „Theatre & Culture", tdr. *The Drama Review*, XIV, 2 (1970), 151—156.

entlehnt von Paul Tillich eine Unterscheidung von drei Sorten der Angst: *ontic anxiety, moral anxiety* und *spiritual anxiety* und ordnet diesen verschiedenen Sorten der Angst Erscheinungsformen der Verzweiflung zu. Die Angst des Einzelnen, der sich gegen die Gesellschaft stellt und den Konflikt mit der Gesellschaft auf sich nimmt und nachher zumeist unterliegt, und die Beschwichtigung dieser Angst für Held und Gesellschaft (Antagonisten) wären beispielsweise bei Schiller dargestellt. Nun gelingt es Ziolkowski zweifellos, verschiedenen Dramen der genannten drei Autoren unterschiedliche Formen von Angst und entsprechende Formen dramatischer Konfliktformung und -lösung zuzuordnen. Mit solchen interpretatorischen Kategorien wird eine Makrostruktur von Bedeutung dieser Dramen errichtet. Für die von uns intendierte Analyse müßte es darauf ankommen, zeigen zu können, auf welcher Basis solche interpretatorischen Kategorien, wie sie Ziolkowski auf der Basis von Paul Tillich erarbeitet hat, überhaupt ansetzen können.

Jansen stellt in einer nicht weiter ausgeführten Bemerkung seiner Dramenanalyse drei Sorten von Personenbeziehungen auf: Opposition, Unterstützung, Gleichgültigkeit (1968, 92). Mit solchen — der Opposition wegen nun so zu bezeichnenden — Mikrokategorien, kann man eine elementare Strukturierung der Personenbeziehungen einführen. Solche Gruppierungen beziehen sich auf einen Konflikt, in dessen Entwicklung es zu Umgruppierungen kommen kann. Die Art, wie ein Rezipient solche Gruppierungen und deren Entwicklung verfolgen kann, könnte der Boden werden, auf dem die Bedeutung interpretatorischer Kategorien für das Verständnis dramatischer Literatur rekonstruiert werden könnte.

100. Wenn man Partizipation an Konflikten[150] über solche Strukturierungen zu einer Basis literarischer Kommunikation über dramatische Texte macht, lassen sich dann hier weitergehende theoretische Absichten anschließen. Wie ist die soziale Konzentration von Interesse auf bestimmte Texte zu analysieren? Wie werden bestimmte

---

150 Konflikt als wichtigster Begriff der Handlungsstrukturierung findet sich auch in der filmanalytischen Literatur, z. B. bei Robert Gessner, *The Moving Image: A Guide to Cinematic Literary* (New York, 1968). Gessner verfährt dabei in der Aufführung der Konflikte und ihrer filmischen Repräsentation rein interpretativ.

Konfliktsemantemstrukturen zu Bezugspunkten für größere Publikumsmengen etc.? Aber auch Lucien Goldmanns Fragen nach den Punkten, über die sich Vorkommen bestimmter Inhalte in Texten und Entsprechungen dieser Inhalte in der sozialen Realität zueinander verhalten, können von hier aus vielleicht etwas anders gefragt werden. In seiner Studie zum Theater Jean Genets bemerkt Goldmann zum *Balkon,* hier werde ein Bewußtsein für die Bedeutung machtausübender Funktionen in einer Gesellschaft geschärft, die über Besitzverhältnisse beherrscht werde und wo man Macht sich in den Händen so überfälliger Figuren wie Bischof, Richter, General vorstelle (Goldmann 1968, 57). Dieses Bewußtsein sei, durch die Drohung der Revolution und ihre Niederlage geschaffen, ein recht genauer Reflex der westeuropäischen Geschichte zwischen 1917 und 1923.

Der Mechanismus der Inkorporierung solcher Entsprechungsverhältnisse in Literatur ist nach Goldmanns Ansicht unbewußt und ungewollt. Mentale Strukturen organisieren danach das Alltagsbewußtsein einer sozialen Gruppe und die kreative Phantasie des Autors. Die Beziehung zwischen beiden sei mehr oder weniger strikt „homolog" [§ 54]. Gerade in hervorragenden Werken zeige sich, wie die kategorialen Strukturen dieser Homologie ihnen ihren ästhetischen Charakter, der als Einheit des Werks begriffen wird, gebe. Sie seien unbewußte Prozesse ähnlich der Art wie die, die motorische und sensorische Nerventätigkeit steuern. Gefunden werden können sie nur durch eine soziologische Analyse, die solche Entsprechungsverhältnisse aufspürt (Goldmann 1968).

Goldmann unterläßt es interessanterweise in dem hier kurz referierten System, eine Hypothese darüber aufzustellen, wie literarische Kommunikation zustande kommt. Das Bewußtsein ereignet sich nur in seiner Analyse der Homologien. Wenn unbewußte Prozesse beteiligt sind, ist natürlich auch über die übliche Interpretation hier keinerlei Auskunft zu bekommen. Goldmanns Lehre von den homologischen Entsprechungen bedarf aber um aus ihrem eigenen Mysterium befreit und in ihrer Anwendbarkeit auf soziale Prozesse überprüfbar zu werden, genau dieser Erweiterung einer Annahme über die Kommunikationsprozesse. Und diese Annahme muß sich u. U. auf nicht gängige Vorstellungen über solche Prozesse einlassen.

Zumindest zu bestimmten Zeiten hat Theater ja durchaus innerhalb eines konflikthaften politischen Engagements unterschiedlicher Fraktionen gestanden. Das läßt sich in Analyse zeitgenössischer Dokumente herausarbeiten[151]. Auf die motivationellen Elemente, die strukturelle Organisation der ganzen Veranstaltung wird man erst mit einer Analyse stoßen, die Textstruktur und Engagement koppelt. Die historische Veränderbarkeit[152] des Transportmechanismus, den man hierin seit Aristoteles vermutet hat, wird gerade für politisch engagiertes Theater dann interessanter, wenn man über die Organisation bzw. Organisierbarkeit der Kommunikation brauchbarere Aussagen wird machen können.

2.5. Was analysiert die Analyse literarischer Kommunikation?

101. Als Ziel ist verschiedentlich in den bisherigen Erörterungen aufgestellt worden, Kommunikation über Literatur analysierbar zu machen. Daß Kommunikation stattfindet und welche Art von Kommunikation stattfindet, ist dabei kaum problematisiert worden. Wir wollen nun wenigstens andeuten, daß es günstig sein könnte, hier stärker zu differenzieren.

Der Begriff der Kommunikation ist unscharf und es verspricht wenig Erfolg, hier zunächst einen Begriff präzisieren zu wollen. Der Begriff läßt sich erst zureichend im Rahmen einer Theorie über einem bestimmten Objekt mit einer bestimmten Aufgabe präzisieren. Genau dem dient ja auch, was im Rahmen dieses Kapitels zum analytischen Instrumentarium ausgearbeitet wurde. Man mache sich nur kurz bewußt, daß auch Linguistik Kommunikation über Sprache bisher nur in höchst eingeschränktem Sinne behandelt hat. Regeln der Vokalisierung, Stimmführung etc., an die ein Sprecher sich hält, wenn er jemanden unter Berücksichtigung von Status-, Alter- oder Gruppendifferenzen etc. anspricht, oder je nach dem, in was für einer Sorte von Text er spricht, sind unter systematischem Blick weitgehend unbeachtet geblieben und unter dem Namen ‚Paralinguistik‘ zu Randphänomenen geworden[153].

151 Vgl. z. B. John Loftis, *The Politics of Drama in Augustan England* (Oxford, 1963).
152 Vgl. Paul K. Feyerabend, "On the Improvement of the Sciences and the Arts, and the Possible Identity of the Two", in *Boston Studies in the Philosophy of Science* III (Dordrecht, 1967), 406 ff.
153 Vgl. etwa über *speech functions* die Zusammenstellungen von Dell Hymes, J. B. Pride und D. Crystal in: Edwin Ardener (Hrsg.), *Social Anthropology and Language* (London [etc.], 1971), S. 67 ff., 106 ff., 194 ff.

Zeichentheoretisch ist an der Analyse von Sprache mithin vielfach unbesprochen geblieben, in welcher Weise Sprecher bestimmte Eigenschaften der Vokalisation usw. unter bestimmten Bedingungen anwenden[154]. Das heißt, in der Kommunikation tun Sprecher viel mehr, als mitzuteilen, was wir in der Angabe der Bedeutung von Sätzen bisher fassen können. Die breite Definition der Aufgaben der Linguistik nach ihrer Aufklärung der Kommunikation mit Hilfe von Sprache, wie sie Roman Jakobson gegeben hat[155], ist zumindest bisher nicht eingelöst. Sie ist ein Versprechen.

Man darf dann auch fragen, in welcher Weise läßt sich die Übereinstimmung über Bedeutung, die semantischen Analysen von Sätzen in der Linguistik zugrunde liegen, in einer texttheoretischen Analyse von Literatur aufnehmen? Es ist ja nicht ohne weiteres sichergestellt, daß die Gemeinsamkeit von Bedeutung, die der Linguist bei der Analyse von Sätzen annimmt, um eine Semantik von einer Sprache zu konstruieren, sich über Gesamttexte mit speziellen Aufgabenstellungen mit speziellen Verbrauchssituationen ohne weiteres durchhält.

102. Interessanterweise haben sich, von bestimmten Intentionen gesteuert, Partizipationsstrukturierungen von Texten in den Vordergrund der Analyse gedrängt. Wie sind Engagement, Spannung, Horror, thematisches Interesse und ähnliches der „Kommunikation" zuzuordnen? Sind Engagementsstrukturierungen von Erzähltexten etwas Akzessorisches, etwas, was den über Arrangement- und Rearrangementverfahren mitgeteilten Inhalten aufgesetzt wird, oder sind für sie in der Tiefenstruktur der Texte eigene Semanteme anzusetzen?

Man kann diese Frage noch etwas verschärfen. Das sei zunächst an einem Beispiel dargetan. Mihai Pop zeigt bei einer Behandlung

---

154 Das scheint ein interessanterer Ansatz, als solche Eigenschaften von Sprachen nach Peirce's Klassifikation als Anzeichen (Indexe) von individuellen oder sozialen Sprechercharakteristika auszuwerten. Vgl. z. B. J. Laver, "Voice Quality and Indexical Information", *British Journal of Disorders of Communication*, III (1968), 43—54.

155 Roman Jakobson, "Language in Relation to other Communication Systems", in: *Linguaggi nella società e nella tecnica* (Mailand, 1970), S. 3.: "The structural characteristics of language are interpreted in the light of the tasks which they fulfill in the various processes of communication, and thus linguistics may be briefly defined as an inquiry into the communication of verbal messages."

von rumänischen Zaubersprüchen[156], daß hier narrative Strukturen in etwas anderes eingehen[157]. Narrativ wird etwas mitgeteilt — z. B. eine Schädigung durch Geister und anschließende Heilung durch andere Geister. Was vom Rezipienten verstanden wird, ist aber — unter dieser Annahme stehen semantische Analysen von Zaubersprüchen — nicht ein narratives Semantem, eine ‚Handlung', sondern ein Semantem, das die Veränderbarkeit einer schlechten Situation (einer Schädigung, einer Krankheit usw.) enthält. Der ‚Handlung' würde dagegen ein Semantem der Sorte ‚Veränderung' entsprechen. Hier deutet sich eine Umkehrung des oben zunächst angenommenen Verhältnisses an. Nichtnarratives wird über eine — u. U. nur akzessorisch anzusetzende — narrative Strukturierung kommuniziert.

Wie weit kann diese spezifische Erfahrung an einer speziellen Sorte von Texten zu einer Annahme über generelle Eigenschaften von narrativen Texten ausgeweitet werden? Auch bei Mythen — sie sind gelegentlich als eine ‚Soziale Charta' definiert worden — wird man legitim davon sprechen können, daß Nichtnarratives narrativ vermittelt wird. Sind dies vielleicht Texte, die in ihren Vorkommensformen, in ihrer Gebundenheit an bestimmte soziokulturelle Bedingungen zu spezialisiert sind? Man wird bedenken, daß bloße Intuition hier leicht in die Irre führt; man wird nicht sogleich beiseite schieben, daß Fernsehkrimis, Horrorfilme, Sciencefictionsfortsetzungsserien usw. auch nach ihren recht bestimmten soziokulturellen Bedingungen zu befragen wären. Bei solcher Unentschiedenheit wäre es gerade wertvoll, etwas über die Semantik der Engagementstrukturen sagen zu können.

Die Erzähltextanalyse hat sich im Anschluß an Propp sehr stark auf die Struktur der Erzählung von Handlungen beschränkt, und zwar noch in der Einschränkung, daß als mitgeteilte und verstandene Bedeutung die Handlung gilt — wenn wir diese Analysen recht verstehen — und die Erzählung von Handlung mehr ‚technische' Aspekte hat. Doch leutet es derart ein, daß abziehbare, wiederzuerzählende Handlungsinhalte die für die literarische Kommunikation wichtigen

---

156 Mihai Pop. „L'incantation — narration, mythe, rite" (Vortrag beim IV. Symposium über Erzähltextanalyse, Konstanz, 13.—17. April 1971).

157 „L'incantation, quoique narrant un conflit, comprend l'historiola ainsi que des éléments de mythe; mais ne prend son entière signification que

Bedeutungen darstellen? Schon in der thematischen Analyse haben wir zu zeigen versucht, wie man sich vorstellen kann, wie thematisch definierte Semanteme zu narrativen Strukturen formiert werden.

103. Bevor wir weitergehen können, müssen wir — freilich recht spekulativ — einigen Annahmen über Kommunikation durch Literatur nachgehen, die uns eingefahren und unaufgeklärt scheinen. Es ist gar nicht zweifelsfrei sicher, daß ein Rezipient ohne weiteres Auskunft geben kann über das, was ein literarischer Text ‚bedeutet'. Die übliche Verbalisierung der Aufnahme von Erzähltexten in Handlungswiedergaben zieht ja typischerweise — von globalen Äußerungen („Terrific!", „Langweilig" etc.) abgesehen — (rearrangierte oder teilweise rearrangierte) Handlungsstrukturierungen von der textlichen Repräsentation inklusive der erörterten Engagementsstrukturen weitgehend ab. D. h. dieser eingeübte ‚Zwang' zu einer bestimmten verbalisierenden Weiterverarbeitung von Erzähltexten deckt u. U. andere Erfahrungen zu. Das klingt dunkler als es gemeint ist. Spannung oder Horror oder andere faszinatorische Phänomene der Textrezeption werden in ihrem Anteil an der Semantik von Texten zurückgedrängt, weil in ihnen relativ persönlich oder intim zu nennende Bereiche der Rezipienten angesprochen werden [§ 77]. Die Dunkelheit ist also nicht so sehr eine der Worte als eine der tatsächlichen Zugänglichkeit des Objekts unter den gegenwärtigen Bedingungen des ‚literarischen Lebens' [§ 112].

Unter der Engagementstrukturierung von Texten, die wir im „täglichen Vorkommen von Literatur" situiert haben [§§ 35 ff.], werden Aspekte von Kommunikation über Texte (Literatur) deutlich, die bisherige Fragestellungen nach Bedeutung im hier besprochenen Bereich erheblich verändern.

Wir stoßen in der Entwicklung unserer Fragen an die Analyse von Kommunikation über Literatur hier an eine elementare Stelle sehr allgemeiner Überlegungen zum menschlichen Zeichenverhalten. Über die Engagementstrukturierung und die Art und Weise, wie Sprecher ihr Verhalten in der Strukturierung des Engagements steuern, sind Auskünfte durch Befragung von Sprechern schwer zu erlangen. Sowohl

dans le contexte ethnographique. Pour en percevoir le sens, il faut lui délimiter la fonction et le plan de réalisation. L'incantation n'est pas seulement un signe, mais surtout un acte sémiotique." (a.a.O., S. 14).

theoretisch als methodologisch ist jetzt das eingangs benannte Dilemma der Semiotik der Literatur in ausgefalteterer Form angetroffen worden [§§ 12 ff.].

Die Beteiligung intimer Persönlichkeitsbereiche würde nun u. E. gänzlich mißverstanden, wenn man sie unter der wohlfeilen Vokabel ‚Subjektivität' als beliebig nach Rezipienten wechselnd auffassen wollte. Die Spannungs- und Horroranalysen sollten ja gerade zeigen, daß zwar mit einer Beteiligung von Persönlichkeitsvariablen an der jeweiligen Realisierung von Strukturen in Rezeptionen zu rechnen ist, aber mit einer die Kommunikation über Texte steuernde, für Rezipienten eines Systems „verbindliche" Strukturierung des Engagements an Texten vorauszusetzen sind. Die Zuweisung zu einer ‚Subjektivität', die analytisch weiter nicht zu verfolgen wäre, verdeckt erneut nur die Fragestellung nach der Sorte oder den Sorten von Kommunikation über Literatur, hier im Beispielfall: über Erzähltexte.

Wir vermuten also, daß die Bedeutung von narrativen Texten allgemein, nicht nur die von speziellen Sorten narrativer Texte, nicht nur narrativ, oder gar nicht einmal vorwiegend narrativ anzusetzen sei. Eine solche Vermutung ergibt sich als mögliche Konsequenz der oben vorgeschlagenen Auflösung der Proppschen und Bremondschen Funktionsanalyse von Texten [§§ 60 ff.] und der Erörterung des Verhältnisses von Substrat und Arrangement im Drama [§§ 92 ff.]. Wenn als Primitive eines Erzähltextes oder eines dramatischen Textes nicht Funktionen, d. h. handlungsstrukturell definierte Einheiten angenommen werden, sondern Einheiten, die erst in bestimmten Verknüpfungen mit anderen Einheiten in handlungsstrukturelle (narrative) Komplexionen übergehen, liegt die Hypothese nahe, die Semantik von Erzähltexten nicht im Narrativen zu begründen, sondern in den Primitiven und in den Konjunktionen, für deren Arrangement Spannung, Horror usw. entscheidend sind.

Wir tragen mit Absicht hier diese radikalisierende Form der früher dargelegten Annahmen vor, um eine Überprüfung einer solchen alternativen Hypothese über die Semantik narrativer Texte zu ermöglichen. Es ist ungut, einen Ausdruck wie ‚Kommunikation über Literatur' fortwährend ziemlich weit zu gebrauchen, ohne den jeweils möglichen Grad an Präzisierung dem Analysator theoretisch abzuverlangen.

104. In diesem Zusammenhang scheint es uns wichtig, die hier angestoßene Analytik kurz mit einem anderen Vorschlag zur Theoriebildung zu kontrastieren. Dieser ist wesentlich psychoanalytischer Natur. Michael Lukas Moeller hat in einer Analyse von Comic Strips[158] die Faszination von Comic Strips aufklären wollen. In Comic Strips seien Darstellungsformen der primären Wirklichkeit, wie sie vor allem die Erfahrung von Kindern bestimmt, entscheidend. Zu sensorischer oder motorischer Gratifikation führende Möglichkeiten der Sinneserregungen werden herausgearbeitet (z. B. Überführung von akustischer Sinneserregung durch Worte in dynamisierte, typographisch stark variable, am dargestellten Handlungsverlauf partizipierende Äußerungsmanifestationen). Hieran werden die vermuteten starken Wirkungen aufs Unbewußte gekoppelt. Abgesehen von der ausstehenden empirischen Überprüfung, wird man darauf aufmerksam machen, daß Textstrukturierung und Wirkung in Faszination in zweifelhafter Weise getrennt werden. Für die gesamte Wirkungsdiskussion scheint es uns entscheidend sich darüber klar zu werden, inwieweit bei sog. Wirkungen unterschieden werden kann nach

1) Strukturierungsvoraussetzungen für Textkommunikation bei Rezipienten und

2) Realisationserscheinungen solcher Strukturierungsvoraussetzungen in aktuellen Rezeptions- und Verarbeitungsprozessen.

Es ist forschungsstrategisch wahrscheinlich ungünstig, gleich das sog. Unbewußte ins Spiel zu bringen, wenn spezifischere Strukturierungen noch abgehoben werden können[159]. Auch Goldmann 1968 rekurriert ja auf unbewußte Strukturierungsvoraussetzungen, wenngleich nicht psychoanalytischer Art, ohne anzugeben, wie Kommunikationsprozesse und solche unbewußte Strukturen theoretisch zu verknüpfen sind [§ 100].

Wir können zum Abschluß des Analytikkapitels diese neue, verschobene Fragestellung nur andeuten. Denn wir stoßen hier auf entscheidende methodische Probleme, als allererstes dasjenige, wie für eine Theorie der Kommunikation über Literatur das Kommunizierte

---

158 Michael Lukas Moeller, „Zur primären Wirklichkeit in künstlerischen Comics: Ein psychoanalytischer Beitrag", in *Comic Strips: Vom Geist des Superhelden*, Schriftenreihe der Akademie der Künste [Berlin] 8 (Berlin, 1970), S. 19—92.

159 Wir stellen hier nicht in Abrede, daß psychoanalytisch gerade einiges zu den Bedingungen für Identifikation [Anm. 113] gesagt werden könnte. Vgl. Moeller, a.a.O.

von Informanten zu erfragen oder anders (z. B. durch Beobachtung bei Experimenten) zu erfahren wäre. Für andere Arten ‚künstlerischer' Kommunikation als Erzähltexte, die nichtsprachlich oder nicht nur sprachlich sind: Bilder, Filme, Comic Strips, wird dieses methodische Problem noch entscheidender.

Zur experimentellen Durchführung solcher Forschung wird man hier besondere Verfahren entwickeln müssen (Wienold 1972 b, d). Denn auf der einen Seite können Beobachtungen physiologischer Reaktionen bei der Textrezeption, etwa durch Elektroenzephalogramme[160] wirklich ein mögliches physisches Korrelat zum Engagement nachweisen, doch besteht die Hauptproblematik ja gerade darin, die Beziehungen solch eines Korrelats zum ‚Engagement' zu erkennen. Auf der anderen Seite hat sich bereits gezeigt, daß Befragungen bezüglich literarischer Objekte es schwerer haben, von den Informanten freimütige Antworten zu erhalten, als sexualwissenschaftliche wie etwa der Kinsey-Report[161]. Auf die Berührung eines Intimbereichs und emotionale Blockaden, die eine Verbalisierung durch Informanten beeinträchtigen und unergiebig machen können, wurde bereits oben hingewiesen [§ 77]. Die innere Konfliktbeteiligung der Rezipienten bleibt u. U. verborgen, wird ja vielfach bei bestimmten Textgenres, die als ‚Unterhaltung' klassifiziert werden, gar nicht vermutet [§ 96].

Erstaunlicherweise findet man in Darstellungen der Erforschung der Wirkung von Massenkommunikation nur eine höchst geringe Strukturierung des „kommunikativen Stimulus"[162]. Wahrscheinlich liegt das in der Konzeption von Äußerungen als Stimuli begründet. Unsere Strukturierungsvorschläge können vielleicht hier zu neuen Konzepten verhelfen.

---

160 Vgl. z. B. G. Cohen-Séat, H. Gastant, J. Bert, „Modification de l'E.E.G. pendant la projection cinématographique", *Revue internationale de filmologie,* V (1954), 7—25; Jacques Faure und Gilbert Cohen-Séat, „Corrélations à partir des effets de la projection filmique sur l'activité nerveuse supérieure", ib., V (1954), 191—196.

161 Robert Escarpit, „L'image historique de la littérature chez les jeunes: Problèmes de tri et de classement", in: *Littérature et Société: Problèmes de méthodologie en sociologie de la littérature* (Bruxelles, 1967), S. 162.

162 Siehe z. B. Franz Dröge, Rainer Weissenborn und Henning Haft, *Wirkungen der Massenkommunikation* (Münster, 1969), S. 29.

Drittes Kapitel

Literarisches Leben und literarischer Wandel

3.1. Dynamische Aspekte

105. Eine Semiotik der Literatur, die ernsthaft Kommunikation über Texte behandeln will, kann nicht ohne dynamische Aspekte auskommen. Im hier verfolgten Ansatz sind bereits prozeßhafte Elemente enthalten. Nicht irgendwelche Strukturierungen werden vorgeschlagen, sondern solche Strukturierungen, die in Relation zum Rezipientenverhalten relevant werden. Nicht Texte als irgendwie Vorkommendes sind Objektbereich, sondern Prozesse über Texten.

Solche prozeßhaften Elemente können nun mehrdimensional angesehen werden. Die jeweils für stattfindende Prozesse geltenden Bedingungen und die Veränderung solcher Bedingungen stellen in diesem Rahmen dar, was konventionell als Unterschied von synchroner und diachroner Beschreibung verstanden worden ist. Es lassen sich aber auch Dimensionen der Betrachtung denken, die sich nicht primär an dieser Dichotomie orientieren. Eine solche Betrachtung beträfe zum Beispiel die Verfolgung von Texten durch verschiedene Stadien ihrer Verarbeitung in unterschiedlichen Prozessen; damit käme man zu longitudinalen Studien zur Kodifikation innerhalb literarischer Traditionsbildungen. An solchen Studien wären sowohl synchrone als diachrone Aspekte beteiligt, folgt man der tradierten Dichotomie. Eine zweite Betrachtung dieser Art beträfe die Verknüpfungen von Texten und Nichttexten in einer Kette oder in Ketten von Handlungsabläufen.

Die Unterscheidung von synchroner und diachroner Analyse ist also nur innerhalb bestimmter theoretischer Systembildungen von der Ausschließlichkeit, die ihr im Gefolge de Saussures weithin beigemessen worden ist. Neben de Saussures Dichotomien *langue / parole* und *signifiant / signifié* [§§ 5 ff.] ist also auch die von Synchronie und Diachronie gründlich in Zweifel zu ziehen [§§ 122 f.].

106. Zunächst sollen zwei dynamische Aspekte einer prozessualen Analyse von literarischer Kommunikation kurz herausgehoben werden:
1. Gerichtetheit der Kapazität
2. Strukturierungswandel in der Kapazität.

Zu einem gegebenen Zeitpunkt werden im literarischen Leben einer Gesellschaft nicht völlig beliebige Verfahren der Strukturierung verwendet. Strukturieren von Literatur muß erlernt werden; gewisse Übereinstimmungen der Teilnehmer im Verfahren müssen vorhanden sein, um das Erlernen der Strukturierung zu ermöglichen. Gleichzeitig stehen die Produzenten von Texten unter dem Druck, in gewissem Sinne etwas Neues zu schaffen. Das gilt nicht nur für Literatur oder Kunst im traditionellen Sinn einer kodifizierten erweiterbaren Menge von Artefakten, sondern für Texte in dem generellen Sinn, wie wir ihn früher angedeutet haben [§ 35]. Das läßt sich leicht daran sehen, daß Produzenten sich etwas einfallen lassen müssen, wenn sie ein neues Magazin auf den Markt bringen wollen. Es besteht also innerhalb des gegebenen Rahmens der Strukturierungsmöglichkeit ein gewisser Kreativitätsdruck.

In bekannte Vorstellungen übersetzt heißt das, daß von Artefakten häufig Originalität gefordert wird. Originalität ist häufig ein „Kriterium", nach dem Artefakte beurteilt werden. Inwieweit die Teilnehmer dabei über ein mehr oder weniger objektivierbares Verfahren der Bewertung von Originalität verfügen, ist eine dabei eigens zu stellende Frage. An anderer Stelle ist vorgeschlagen worden, Originalität literarischer Texte wie andere mögliche Kriterien der Bewertung von Texten über eine Skalierung der Formulierungsverfahren zu beschreiben (Wienold 1971 a, 147 ff.).

Der angesprochene Kreativitäts- oder Originalitätsdruck kann sich nun, wie nicht beliebige Strukturierungsverfahren zur Verfügung stehen, nicht in beliebiger Richtung entwickeln. Die Kapazität eines Systems ist unter Kreativitätsgesichtspunkten nicht nur begrenzt, sondern auch gerichtet. Bestimmte Strukturierungsmöglichkeiten bieten unterschiedlich große Möglichkeiten, kreativ zu sein. Und diese Möglichkeiten sind unterschiedlich leicht zu verwirklichen. Diese Gerichtetheit der Kapazität (Wienold 1971 a, 153 ff.) gilt wieder nicht nur für Literatur oder Artefakte im traditionellen Sinne. Auch bei der Entwicklung von neuen Namen für zu verkaufende Waren stellen sich Probleme der Kreativität[163].

Originalität oder Kreativität — das sei nur noch kurz bemerkt — wird zwar zu verschiedenen Zeiten verschiedener Wert zugebilligt,

---

163 Vgl. Jean Praninskas, *Trade Name Creation: Processes and Patterns* (The Hague, 1968).

und verschiedene Sorten von Originalität werden etwa bei klassizistischen oder manieristischen Tendenzen bevorzugt. Doch verfügt natürlich auch eine literarische Tradition, die etwa dem Nachahmen von
Mustern („Klassikern") verpflichtet ist, über Originalität. Auch in
einer Literatur, wie der altenglischen Dichtung, die z. T. auf relativ
feste Verfahren verpflichtet ist, läßt sich von Originalität sprechen
(Wienold 1971 a, 152 ff.), auch relativ fixierte Gattungen wie das
Sonett, lassen originelle Lösungen zu. Es gibt Stufen von Kreativität
[§ 72].

Gerichtetheit der Kapazität ist somit eine Kategorie, die zuläßt,
Tendenzen der Veränderung zu erfassen und Wandel entgegen den
vorgezeichneten Ausnutzungsmöglichkeiten einer Kapazität herauszuheben. Ausnutzung der Strukturierungsmöglichkeiten einer Kapazität
ergibt also Prozesse, deren Verlauf unter dem Druck der Ansprüche
an das System unterschiedlich vor sich geht.

107.   Das ist nur einer mehrerer Gesichtspunkte auf die innere Dynamik der Kapazität eines kommunikativen Systems. Ein zweiter läßt
sich im Strukturierungswandel in der Kapazität fassen. Die Steuer-
barkeit eines Systems, das über moderne technische Möglichkeiten der
Reproduktion verfügt ist anders, als die in einem, das auf Mund-zu-
Mund-Vermittlung beschränkt ist (Wienold 1971 a, 176 ff.). Man kann
eine Reihe — recht grob gefaßter — Kategorien angeben, deren
Wandel die Strukturierungsmöglichkeiten für Literatur bestimmt.
Einige werden weiter unten näher erläutert [§ 123].

Während die Gerichtetheit der Kapazität auf relativ feine Möglichkeiten der Veränderung führt, lassen sich mit den angesprochenen
Kategorien des Strukturierungswandels in recht globaler Weise dynamische Aspekte eines Systems der Kommunikation über Literatur
angeben. Damit läßt sich von zwei Richtungen gleichermaßen zu-
greifen. Das ist bei der unklaren Gesamtlage sicher von heuristischem
Vorteil.

Freilich ist damit noch keine Theorie der Dynamik solcher Systeme
in Sicht. Wir müssen uns derzeit auf die Ausarbeitung von Aspekten
dieser Dynamik beschränken. Von da aus läßt sich noch einmal auf
die Unterscheidung synchron/diachron eingehen. Es ist auch sonst schon
bemerkt worden, daß die historisch gegebene jeweilige Beschränkung
von Systemen sowohl typologisch als diachron angesehen werden
kann — so von A. J. Greimas[164]. (Auch für die Linguistik ist eine

Typologie von Sprachen nach den Eigenschaften, die auf sie nicht zu-
treffen, nach ihren — in Peter Rasters Theorie des Sprachvergleichs —
„negativen Eigenschaften" — von großem Interesse[165]). Ein solches
„sowohl — als auch" heißt nun nichts anderes, als daß das Ziel der
Aussagen, die gemacht werden oder werden sollen, noch nicht eindeutig genug gemacht worden ist. Wir werden also die Synchronie-/
Diachronie-Problematik innerhalb bestimmter präzisierter Ziele wieder aufgreifen. Die angesprochenen und noch anzusprechenden dynamischen Aspekte sollen Bedingungen des Gebrauchs von Strukturierungen herausheben und eine prozessuale Beschreibung der Auswertung der Strukturierungsmöglichkeiten erlauben. Damit sind wir
höchstens begrenzt an der Abgrenzung durch bestimmte Zeitpunkte
festlegbarer historischer Systeme im Sinne der Synchronie/Diachronie-
Trennung und ebenso begrenzt an typologischer Charakterisierung
solcher Systeme interessiert.

108. Was traditionell als Literaturgeschichte aufgetreten ist, hat vielleicht im einzelnen Fragen, die in diesen Bereich fallen, gestreift,
jedoch nie systematisch sich so konstituiert und Ziele ihrer theoretischen Arbeit reflektiert, als daß sie sich Fragen des Wandels von
Literatur im Rahmen eines Systems von Kommunikation hätte zu-
wenden können. Hermann Kantorowicz hat seinerzeit in einer der
wenigen systematisierenden Arbeiten überhaupt versucht, unter wissenschaftstheoretischen Gesichtspunkten die Aktivitäten von Literar-
historikern zu ordnen und dabei „empirische", „deutende" und „kritische" „Literarhistorie" von einander abgehoben, die empirische noch
einmal in „niedere", d. h. „elementare" und „höhere", d. h. „grup-
pierende" Literaturhistorie geteilt. Davon war ihm nur die elementare empirische Literaturhistorie einer vorläufigen Systematisierung
fähig, und zwar als „Kategorienlehre" im Unterschied zu einer
„Methodenlehre". Diese Kategorienlehre hatte dabei vier Aufgaben:
„Beschreibung des Werkes", „Erforschung der Entstehungsgeschichte",

164 A. J. Greimas, „Structure et histoire", *Les Temps Modernes*, XXII,
246 (1966), 822 ff.
165 Peter Raster, *Zur Theorie des Sprachvergleiches* (Braunschweig, 1971),
S. 2 und passim, bes. S. 45; Typologie und Gerichtetheit („Disposition")
in bezug auf Veränderung von Sprachsystemen verknüpft auch Louis
Hjelmslev, *Die Sprache* (Darmstadt, 1968; dänisch: Kopenhagen, 1963),
S. 158.

„Erforschung der Vorgeschichte", „Erforschung der Nachgeschichte"[166]. Eine solche werkorientierte Literaturgeschichte kann höchstens im Einzelfall Bedingungen für das Vorkommen von Texten und über ihnen sich vollziehende Prozesse angeben. Werke oder Texte können nicht Objekte einer Theorie vom Wandel der Literatur sein.

Wie die Ansätze zu einer „strukturellen Literaturgeschichte" gering und wenig ausgeführt sind (Wienold 1971 a, 164 ff.), so sind Zielangaben diffus. So hält George Steiner die Frage für grundlegend, warum zu gewissen Zeiten bestimmte Sorten von literarischen Werken gehäuft und nach mehr oder weniger geteilter Meinung in größerer Nähe des Gelungenen, Vollendeten auftreten, zu anderen Zeiten fast gar nicht[167]. Arthur Nisin stellt der Literaturgeschichte die Aufgabe, die Geschichte des Lebens der Werke („l'histoire de la vie des œuvres") darzustellen, kann dabei aber den Wandel der Rezeption etwa Vergils, Dantes oder Ronsards nur in individuellen Perspektiven andeuten[168]. Nach Jan Brandt Corstius stellt die Literaturgeschichte unentbehrliche Daten für das Verständnis von Literatur, für literarische Kritik und für eine Theorie der Literatur, die nicht weiter angedeutet wird, bereit[169]. István Sötér erwartet von der Literaturgeschichte, daß sie Werke der Vergangenheit in einer ästhetisch-kritischen Analyse für eine jeweilige Gegenwart und deren Bedürfnisse neu aufschließe[170].

Mit solchen Zitaten, die sich beliebig vermehren ließen, soll angedeutet sein, daß die Erwartungen, die sich mit der — oder einer —

---

166 Hermann Kantorowicz, „Grundbegriffe der Literaturgeschichte", *Logos,* XVIII (1929), 102—121.

167 George Steiner, *The Death of Tragedy* (London, 1961), S. 107: "These constellations are splendid accidents. They are extremely difficult to account for. What we should expect, and actually find, are long spells of time during which no tragedies and, in fact, no drama of any serious pretentions is being produced."

168 Arthur Nisin, *Les oeuvres et les siècles* (Paris, 1960), S. 26 ff.

169 Jan Brandt Corstius, "Literary History and the Study of Literature", *NLH,* II (1970/71), 65—71.

170 István Sötér, "The Dilemma of Literary Science", *NLH,* II (1970/71), 85—100. Sötér nimmt Georg Lukács' Position wieder auf, der immer wieder die Vermittlung der Literatur der Vergangenheit an die gesellschaftlichen Aufgaben der Gegenwart ausdrücklich als Ziel angesehen hat. Vgl. z. B. *Skizze einer Geschichte der neueren deutschen Literatur* (Berlin, 1953), S. 152 f.

Literaturgeschichte verbinden, unklar und verschwommen sind. Gleichzeitig zeigen sie aber auch, daß sie sich immer auf etwas mehr als literarische Texte und/oder deren historische Kontexte richten. D. h. literaturgeschichtsschreibende Aktivität läßt sich als ein Moment der Gesamtaktivitäten über Texten begreifen. Das wird zwar gelegentlich gesehen — besonders als Zwang zur Selektion aus Werken der Vergangenheit; doch da der theoretische Rahmen nicht da ist, wird es nicht als Operation innerhalb einer Menge von Operationen über Texten thematisierbar. Ein erster Schritt besteht sicherlich darin, daß Literaturhistoriker wie beispielsweise Weimann 1971 dazu kommen, die Folge ihrer wissenschaftlichen Aktivität in die Diskussion miteinzubeziehen [§§ 28, 35].

109. Ein Modus, solche Prozesse zu thematisieren, soll im laufenden Kapitel entwickelt werden. Dieser Modus ist der schon wiederholt angesprochene, die Menge der Operationen/Prozesse über Texten als solche der Text-Verarbeitung zusammenzufassen und einer theoretischen Behandlung zugänglich zu machen. Erst hierin wird es einen günstigen Zugang geben, über so etwas wie eine strukturelle Literaturgeschichte zu sprechen.

Wenn die Vorstellung von Textverarbeitung wenigstens vorläufig entwickelt ist, können in den folgenden Abschnitten dann einige spezielle Prozesse über Texten oder Agglomerationen solcher Prozesse noch in größerem Detail behandelt werden. Dafür wählen wir die Beziehungen zwischen Produzenten und Rezipienten von Literatur, Vorgänge der Synchronisierung und Kodifikation und schließlich Aspekte der Literaturdidaktik. Literaturdidaktik eigens zu besprechen ist deshalb von Bedeutung, weil hier am deutlichsten Zusammenhänge zwischen akademischen Aktivitäten und deren Verwertungsprozessen [§§ 28 ff.] aufgerollt werden können.

In diesen Zusammenhängen wird sich dann die Aufgabe eines analytischen Instrumentariums, wie es im zweiten Kapitel in einigen Zügen vorgeführt worden ist, weiter klären lassen. Aufgabe der Theorie der Kommunikation über Literatur ist es, Probleme, die sich in diesem Bereich für eine Gesellschaft oder Gruppen in dieser Gesellschaft stellen, aufzubereiten und mitlösen zu helfen.

Variationen und Veränderungen von „Literatur im täglichen Vorkommen" [§§ 35 ff.] sollen in ihren Steuerungen durchschaubar werden. In solchem Rahmen gelingt es vielleicht auch, eine Verbindung zur soziologischen oder anthropologischen Behandlung des Wandels menschlicher Aktivitäten zu gewinnen, die mit Kategorien wie Diffusion, Innovation, Akkulturation gearbeitet hat[171].

3.2. Textverarbeitung

3.2.1. Definitionen

110. *Textverarbeitung* soll jegliche Aktivitäten von Teilnehmern eines Kommunikationssystems bezüglich eines in diesem System gegebenen Trägers von Kommunikation bezeichnen. Text bezieht sich also nicht auf sprachliche Texte allein; auch Photographien, Filme, Theateraufführungen, Hinweiszeichen usw. sollen alle unter den Bereich ‚Texte‘ fallen. Verarbeitung eines Textes deckt damit alle Vorgänge von seiner Rezeption über die Konservierung, Weitergabe an andere, Paraphrase für andere bis zur Umformung in ‚neue‘ Texte, Umsetzung in andere Repräsentationsmedien. Schließlich dürften auch solche ‚Folgen‘ von Texten, die nicht wieder Texte sind, berücksichtigt werden, z. B. Handlungen „aufgrund von" Texten. Es wäre außerordentlich willkürlich, z. B. die Umsetzung eines sprachlich — phonisch oder graphisch — repräsentierten Textes in einen pantomimischen Text oder die Fernsehübertragung eines Sportereignisses wegen einer engen, an menschlicher Sprache orientierten Vorstellung von ‚Text‘ nicht unter den Phänomenen der Textverarbeitung zu begreifen. Plurimediale Texte kommen häufig unter Verarbeitung von in den beteiligten Einzelmedien bereits formulierten Texten zustande. Am Beispiel der Fernsehübertragung eines Eiskunstlaufwettbewerbs läßt sich ein recht komplexer Zustand von Textverarbeitung zeigen: Die Kommunikation von Leistungsbeweis in einem Wettbewerb durch einen Text ‚Kür‘ verarbeitet selbst schon ein Textrepertoire und musikalische Texte, dazu treten Bewertungstexte der Preisrichter in Form vergleichender Skalenwertezuordnung für die ‚Leistungen‘ der Wettbewerbsteilnehmer, Werbetexte, die die Arena der Eisbahn garnieren, und in der Übertragung zusätzlich der verbale Kommentartext.

171 Vgl. die Übersicht bei Elihu Katz, Martin L. Levin und Herbert Hamilton, "Traditions of Research on the Diffusion of Innovation", *ASR*, XXVIII (1963), 237—252.

Daraus ergeben sich Konsequenzen für die Verwendung des Ausdrucks *Literatur*. Wir werden ihn nicht nur für alle tradierbaren bzw. tradierten verbalen Texte ohne jeglichen Einschlag von Wertung, die den üblichen Kodifikationen wie ‚die klassische Literatur‘, ‚die spanische Literatur des *Siglo de Oro*‘ usw. eigen ist, verwenden, sondern auch für nichtverbale Texte bzw. aus Sprache und nichtsprachlichen Medien kombinierte Texte (z. B. *Filme, Comic Strips* etc.) [§§ 35 ff.]. Auch der konventionelle Begriff von Literatur bedarf schon gewisser Erweiterung, wenn Vorgänge wie Aufführung von Dramen oder Verfilmung literarischer Texte im engeren Sinne nicht als lediglich marginale Phänomene gesehen werden sollen. Der Begriff von Literatur, der sich an konventionell tradierten Kodifikationen orientiert, betrifft überdies heute nur einen kleinen Bruchteil der in der Gesellschaft konsumierten Texte; ein gut Teil der als ‚Literatur‘ bezeichneten Texte wird zudem nur in kleinen Gelehrten- oder Kennerkreisen weiter verarbeitet. Das heißt, dieser traditionelle Begriff ist vor der Entwicklung neuer Medien zur Konservierung und Streuung von Kommunikation seit dem vergangenen Jahrhundert und damit der Entwicklung neuer Möglichkeiten der Textverarbeitung stehen geblieben. Dieses Stehenbleiben ist wahrscheinlich nicht unabhängig von einer fossilisierten Auffassung von Kunst. Wenn wir uns dagegen wenden, dann bedeutet das nicht, daß wir Vorgänge wie Wertung, Streit um das, was ‚Kunst‘ sei, usw. ignorieren. Wir wollen sie vielmehr als Teilbestände des Objektbereiches der Erforschung von Literatur im angegebenen Sinn erst recht etablieren, d. h. Wertung und Kodifikation sollen zu den als ‚Textverarbeitung‘ bezeichneten Verhalten zählen. Es hat sich in den linguistisch begründeten Studien zur ‚Poetizität‘ von Literatur gezeigt, daß die dort formulierten Kriterien stets einen größeren Bereich von Texten als den kodifizierter Literatur getroffen haben[172]. Ein Lyriker hat mit gutem Recht vor kurzem einen Band poetizitätshaltiger ‚Gebrauchstexte‘ wie Adressenlisten, Theaterzettel

---

172 Vgl. Walter A. Koch, „Linguistische Analyse und Strukturen der Poetizität", *Orbis*, XVII (1968), 5—22; Klaus Baumgärtner, „Der methodische Stand einer linguistischen Poetik", *JIG*, I (1969), 15—43; Wienold 1971 a, 46 ff; auch Roland Barthes' Definition von Literatur als „sémiotique connotative" hebt diese Feststellung nicht auf („L'analyse rhétorique" in: *Littérature et société: Problèmes de méthodologie en sociologie de la littérature* [Bruxelles, 1967] 32).

usw. unter dem Titel *Vorgefundene Gedichte* publiziert[173]. Mit Textverarbeitung wird der gesamte Bereich der „Literatur im täglichen Vorkommen" als Objektbereich thematisiert. Wir meinen mit ‚Literatur' immer diesen weiten Bereich, ‚literarischer Wandel' heißt Wandel in diesem weiten Bereich usw. Da viele Phänomene hier noch unvollkommen aufgeschlossen sind, z. T. sehr wenig Daten zugänglich sind, müssen allerdings häufig Beispiele von Literatur im traditionellen Sinn herangezogen werden.

111.   Die beabsichtigte strukturelle Analyse von literarischem Wandel versteht *Struktur, strukturell* folgendermaßen. Im Sinne heutiger Linguistik und Semiotik ist nicht von der Struktur eines Textes als einer zweistelligen Relation: Struktur R_S Text, wobei R_S für ‚Strukturierung' stehen soll, die Rede, sondern ‚Struktur' steht in der dreistelligen Relation:

$$R_S \text{ (Strukturierungsverfahren, Struktur, Text)}.$$

Ein Text erhält seine Struktur von ihn strukturierenden Verfahren und unter den jeweiligen Bedingungen solcher strukturierenden Verfahren. Solche strukturierende Verfahren sollen so beschrieben werden, daß über Aktivitäten von Teilnehmern bezüglich Texten Aussagen gemacht werden können. Es ist allerdings unnötig oder gar eher verwirrend, diese Beschreibung als Beschreibung einer Strukturierungskompetenz von Teilnehmern auszugeben. Damit revidiere ich auch meine eigene frühere Position (z. B. Wienold 1971 a, 47, 76, 173 f.). Wenn z. B. Linguisten von der Poetizität eines Textes gesprochen haben, dann haben sie solche Poetizität an der Grammatik gemessen, die die Steuerung der Strukturierung durch Produzenten und Rezipienten solcher Texte angeben soll [§§ 56 ff.]. Wir sagen, daß ein Rezipient R einem Text T eine Struktur S aufgrund einer Grammatik G_R gibt: G_R (S, T). (Daß über G_R hinausgehende Strukturierungsfaktoren auftreten können und auftreten, wird als Problem später aufgegriffen.) Damit tritt eine weitere Klärung des unter dem Namen ‚Literatur' zu behandelnden Objektbereichs ein. ‚Literatur' kann nicht eine irgendwie geartete Menge von Texten bezeichnen, sondern betrifft aus G, S und T durch Teilnehmer an G gebildete Aggregate. Nur unter Vernachlässigung von für die Analyse notwendigen Voraussetzungen kann jemand sagen, daß er etwas wie ‚Texte selbst' analy-

173 Horst Bienek, *Vorgefundene Gedichte: Poèmes trouvés* (München, 1969).

siere. Literatur kann nur mit Rücksicht auf Strukturierungsverfahren beschrieben werden, die Teilnehmeraktivitäten analytisch aufschließen. Natürlich ist auch innerhalb der Literaturkritik von einigen darauf insistiert worden, daß (literarische) Texte nicht als solche, sondern nur in der Beziehung zu Autor und Leser zu begreifen seien[174]. Nur gibt es über die Art der Beziehung wenig Klarheit und auch nicht darüber, ob dies die für die Analyse grundlegende Relation sei. Darüber unten mehr [§ 114].

Eine strukturelle Literaturgeschichte — der Ausdruck wurde wohl zuerst von Jan Mukařovsky gebraucht, wenn auch nicht in dem hier spezifizierten Sinn (1948, 31) — fragt also nicht nach dem Wandel von Texten oder Textelementen, sondern nach dem Wandel von Strukturierungsverfahren, die sich Teilnehmeraktivitäten in der Analyse von Literatur im täglichen Vorkommen zuordnen lassen, und nach den Bedingungen solchen Wandels. Die erste bekannte strukturelle Konzeption von Literaturgeschichte, die Jurij Tynjanovs, die Reihen (= historische Abfolgen) von nebeneinanderstehenden Systemen — etwa Literatur, Künste, Gesellschaft — und Beziehungen zwischen den Reihen bzw. ihren Systemen ansetzt (1929, 37 ff.), würde in den hier zu entwickelnden Rahmen folgenderart aufzunehmen sein: Beziehungen zwischen den Reihen, von denen man sagen kann, daß sie Texte enthalten, werden unter den Phänomenen der Textverarbeitung behandelt, Beziehungen zwischen Text-Reihen und nicht-Text-Reihen als Textvoraussetzungen oder Textfolgen. So verfolgt Umberto Ecos *Opera aperta* Beziehungen zwischen den Reihen der verschiedenen künstlerischen Disziplinen und den Reihen von Wissenschaft und Technik im 20. Jahrhundert[175]. Richard Foster Jones zeigt, daß die Wendung der *Royal Society* im England des 17. Jahrhunderts gegen eine rhetorische Stilisierung der ihr vorgelegten Versuchsberichte mit der Kritik der „experimental philosophy" an der „mechanical philosophy" zusammenhängt. In den Präsentationen letzterer sei eine Tendenz zur Metaphorisierung und

---

174 Vgl. z. B. Edgar Lohner, "The Intrinsic Method: Some Reconsiderations", in: Peter Demetz et al. (Hrsg.), *The Disciplines of Criticism: Essays in Literary Theory, Interpretation and History* (= René Wellek Festschrift) (New Haven and London, 1968), S. 168 ff.

175 Umberto Eco, *Opera aperta: Forma e indeterminazione nelle poetiche contemporanee* (Mailand 1962).

Rhetorisierung der Darstellung deutlich[176]. Die „Wirkung" einer politischen Schrift kann z. T. ihrer Sprachverwendung verdankt sein. Tom Paine scheint in *Rights of Man* (1791) seine Ausdrucksweise der politischen Agitation eines großen Publikums in kontrollierter Weise angepaßt zu haben[177].

Solche Zusammenhänge wie die in den Beispielen genannten von Textfolgen und Textvoraussetzungen lagen für manche frühere Zeit geradezu nahe. Man muß sich das auch einmal deutlich machen, um zu sehen, wie stark manche in jüngerer Zeit weitverbreitete Auffassungen von Literatur Aspekte der Literatur im täglichen Vorkommen verschüttet und verdunkelt haben. Wenn T. W. Russel ausführt, die klassizistischen Literaturkritiker hätten von zwei bedeutenden Vorstellungen sich bestimmen lassen: von der fünfaktigen, den Regeln der drei Einheiten folgenden Tragödie und vom Lehrgedicht, dann kann er unmittelbar anschließen, das epische Gedicht sei als die Gattung besonders gefördert worden, die einen Autor und seine Nation am ehesten unsterblich habe machen können, und das epische Gedicht habe die Tragödie in diesen Vorstellungen einbegriffen. Die Funktion des Epos hätten diese Kritiker darin gesehen, die bestehenden politischen Verhältnisse zu verherrlichen, der Erziehung von Prinzen und Adligen zu dienen und Hochachtung und Zurückhaltung im Volk zu stimulieren[178]. Textfolgen und -voraussetzungen waren solcher Kritik durchaus bewußt und selbstverständlich.

Textfolgen und Textvoraussetzungen, Aktionen, Interaktionen, können natürlich in weiterem Rahmen auch als Kommunikationsträger begriffen werden[179]. Dergleichen wird hier aber aus dem Bereich der Texte ausgeschlossen.

176 Richard Foster Jones, "The Rhetoric of Science in England of the Mid-Seventeenth Century", in Carrol Camden (Hrsg.), *Restoration and Eighteenth-Century Literature: Essays in Honor of Alan Dugald McKillop* (Chicago, 1963), S. 5—24.
177 Vgl. James T. Boulton, "Literature and Politics I: Tom Paine and the Vulgar Style", *Essays in Criticism*, XII (1962), 18—33; Zusammenhänge zwischen der Ausnutzung von Genre-Kategorien und politischer Rolle von Literatur werden auch deutlich in Ruth Nevo, *The Dial of Virtue: A Study of Poems on Affairs of State in the Seventeenth Century* (Princeton, N. J., 1963).
178 Trusten Wheeler Russel, *Voltaire, Dryden and Heroic Tragedy* (New York, 1946), S. 10 ff.
179 Vgl. z. B. Uriel G. Foa, "Differentiation in Cross-Cultural Communication", in Thayer 1967, 135—151.

112. Der Objektbereich einer strukturellen Literaturgeschichte läßt sich mit einem geläufigen Ausdruck als das *literarische Leben* bezeichnen, wenngleich auch dieser an den konventionellen Vorstellungen von Literatur fixiert ist, oder genauer als die Menge der Aktivitäten der Herstellung und Verarbeitung von Kommunikationsträgern durch Teilnehmer eines Kommunikationssystems. Schon Boris Ejchenbaum hielt das „Problem der Beziehung zwischen den Fakten der literarischen Evolution und des literarischen Lebens" für eine bevorzugte literaturgeschichtliche Fragestellung (1969, 469) und Zygmunt Łempicki stellte die Bedeutung dieser Kategorie heraus[180].
Strukturierungsverfahren sind wesentlich Gegenstand der Analytik. Der entscheidende Schritt besteht darin, weitergehende linguistische oder semiotische Modelle als die bisherigen Grammatikmodelle zur Beschreibung von Kommunikationsvorgängen zu entwickeln, z. B. als *Normalformen* der Strukturierung von Kommunikation in den verschiedenen Medien und Textsorten [§§ 55, 71 f.]. Mit der Konstruktion solcher Normalformen und der analytischen Koppelung von Texteigenschaften und Rezipientenverhaltenseigenschaften unterscheidet sich dieser Ansatz auch von der kommunikationswissenschaftlichen bzw. publizistischen Erforschung der Textverbreitung — vor allem der Textverbreitung in den Massenmedien —, die meistens nur die Kanäle der Kommunikationsmedien behandelt[181], nicht jedoch die interne Organisation der benutzten Zeichenmengen. Doch teilen diese Ansätze mit der hier dargestellten Position, daß sie nicht bestimmte Textsorten, z. B. die kodifizierte Literatur, von vornherein aus dem Feld der Kommunikationsträger innerhalb eines Kommunikationssystems herausheben. In dieser allgemeinen Position befinden wir uns schließlich auch in Übereinstimmung mit dem ‚semiologischen' Strukturalismus, wie ihn etwa Eco 1968 dargestellt hat.

---

180 Vgl. auch Zdzisław Libera, „La vie littéraire en tant que sujet de recherches historico-littéraires", *Acta Litteraria Academiae Scientiarum Hungaricae*, V (1962), 270—278, im Anschluß an Zygmunt Łempicki; Eva D. Becker und Manfred Dehn, *Literarisches Leben: Eine Bibliographie* (Hamburg, 1968).

181 Vgl. z. B. Roderich Dietze, „Medien der öffentlichen Aussage: das Verhältnis von Leistung und Aufwand verschiedener Mitteilungskanäle", *Publizistik*, II (1957), 74—86; Gerhard Maletzke, *Psychologie der Massenkommunikation: Theorie und Systematik* (Hamburg, 1963); J. G. Stappers, *Publicistiek en communicatiemodellen* (Proefschrift Nijmegen, 1966).

Freilich ist es zur Zeit nicht möglich, die ungeheure Menge der
Texte und der mit ihnen verbundenen Strukturierungsvorgänge als
Gegenstand der Untersuchungen zu wählen. Es geht vielmehr darum,
Entwürfe für Forschung am Feldzusammenhang dieses Objektbereiches
zu orientieren und eine jeweils zu treffende Auswahl durch Operationen im Feldbereich zu motivieren; ‚Literatur' im traditionellen Sinn
kann hier z. B. nur erfaßt werden als durch die Selektion von Texten
durch bestimmte Teilnehmergruppen gebildete Textmenge (Wienold
1971 a, 21 f.). Wir werden im Folgenden das uns zentral interessie-
rende Phänomen ‚Textverarbeitung' dadurch herausheben, daß wir bestimmte Verhalte im Objektbereich näher spezifizieren, um von da
aus zu einer Strukturierung dieses Phänomens zu kommen.

Unter diesem Begriff ‚Textverarbeitung' erscheint dann z. B. das,
was für die meisten letzter Ableger literaturwissenschaftlicher Ausbildung an den Universitäten ist: die Tradierung von Literatur in der
Schule, als eines ihrer primären Untersuchungsobjekte. Faktoren, die
die Kodifikation von Texten, ihre Bedeutungsfestlegung (durch Interpretation), ihre Bewertung steuern, werden für breite Gesellschafts-
schichten bestimmend. Für die offizielle Literaturwissenschaft ist dieser
Gegenstand völlig verstellt, weil ihr theoretischer Rahmen ihr nicht
erlaubt, solche Prozesse der Verarbeitung von Symbolisierungen und
damit auch die eigene Rolle in diesen Prozessen aufzunehmen. Damit
teilt die Tradition und Kodifikation von Literatur entscheidende Züge
mit der Tradition und Kodifikation von Geschichte über Narrative
Texte[182] in den gesellschaftlichen Ausbildungssystemen.

3.2.2 Verhalte im Objektsbereich

113.   Grundkategorie zur Beschreibung des Objektbereichs ‚literarisches Leben' soll die Textverarbeitung sein[183]. Die Menge der textverarbeitenden Vorgänge läßt sich in diesem ersten Überblick nur in

---

182 Dazu Arthur C. Danto, *Analytical Philosophy of History* (Cambridge
1965), S. 143 ff., 233 ff.
183 Roman Jakobson hat gelegentlich vorgeschlagen, den Begriff der ‚Übersetzung' zu einer ähnlichen allgemeinen Verwendung zu erweitern, und
die intralinguale, interlinguale und intersemiotische ‚Übersetzung' unterschieden („On Linguistic Aspects of Translation", in: Reuben A. Brower
(Hrsg.) *On Translation* (Cambridge, Mass. 1959) S. 233).

Form einer offenen Liste abdecken. Wir gehen von einer schematischen Grundform kommunikativer Prozesse aus:

$$\begin{array}{ccc} \text{Produzent} & & \text{Rezipient} \\ \longrightarrow & \text{Text} & \longleftarrow \\ \text{(Rezipient)} & & \text{(Produzent)} \end{array}$$

(Die Pfeilrichtung deutet an, daß die Aktivität jeweils von Produzent bzw. Rezipient ausgeht.)

Wenn wir die Verständigung durch den Grad der Gemeinsamkeit der Strukturierungsverfahren für die Einheit ‚Text‘ beschreiben — wir sehen dabei von Transmissionsermöglichungen bzw. -hemmungen ab —, lassen sich die textverarbeitenden Prozesse in der Produzenten- bzw. Rezipientenposition der Teilnehmer ansetzen. Die Formulierung eines neuen Textes (Umformung eines gegebenen Textes in einen anderen), Umsetzung eines vorhandenen Textes in ein anderes Medium (Verfilmung usw.), die Übersetzung eines sprachlichen Textes in eine andere Sprache können wir mehr oder weniger überwiegend der Produzentenposition zuordnen, die Aufnahme eines Textes (Verständniszuordnung), die Festlegung der Bedeutung eines Textes durch Paraphrase, Kommentar oder Interpretation, die Selektion von Texten durch Kritik, Kodifikation usw. mehr oder weniger überwiegend der Rezipientenposition. Wie das Schema schon andeutet, sind Teilnehmer in der Regel nicht auf eine der beiden Positionen festgelegt und sind in allen Phänomenen der Textverarbeitung sowohl Faktoren der Rezeption des Ausgangstextes (T) als auch der Produktion des Verarbeitungstextes (vT) enthalten.

Wir stellen einige Schemata von Textverarbeitungsprozessen auf, in denen verschiedene mögliche Beziehungen zwischen Einheiten von $\{T\}$ und Einheiten von $\{vT\}$ dargestellt werden. Geläufig sind durchaus Verhältnisse der Form

$$\begin{array}{ccc} v_1T_1 & v_1T_2 & v_1T_n \\ \nearrow & \nearrow & \nearrow \\ T_1 \rightarrow v_2T_1 & T_2 \rightarrow v_2T_2 & \dots T_n \rightarrow v_2T_n \\ \searrow & \searrow & \searrow \\ v_3T_1 & v_3T_2 & v_3T_n \end{array}$$

....

Unter solcher einfacher Zuordnung lassen sich etwa erwähnen Nachahmungen, Parodien, Travestien usw., Überarbeitungen, Übersetzungen, Dramatisierung, Verfilmung usw. Wir verwenden dabei zunächst durchaus die konventionellen Bezeichnungen. Die Entwicklung neuer Medien hat die Möglichkeiten dieser Form der Textverarbeitung stark erweitert[184]. Im einzelnen sieht die Lage jedoch vielgestaltiger aus. Wenig bekannt sind z. B. immer noch Verhältnisse der Form

(2)

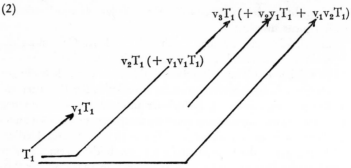

Jiři Levý hat gezeigt, wie die Textverarbeitung ‚Übersetzung‘ häufig so stattfindet, daß schon vorhandene Übersetzungen (v_1T_1, v_2T_1) zur Erstellung einer neuen (v_3T_1) ausgewertet werden (Levý 1969, 79 ff.)[185].

---

184 Vgl. u. a. Helmut Jedele, *Produktivität und Reproduktivität im Rundfunk*, Phil. Diss. Mainz, 1952 (Masch.schr.) S. 44 ff.; Werner Huth, *Funkische und epische Gestaltung bei Märchen und Sage* (Meisenheim am Glan, 1961); Etienne Souriau, „Filmologie et esthétique comparée", *Revue internationale de filmologie*, III (1952), 113—141; Walter Brosche, *Vergleichende Dramaturgie von Schauspiel, Hörspiel und Film* (Mit Berücksichtigung des Fernsehens), Phil. Diss. Wien, 1954 (Masch.-schr.); George Bluestone, *Novels into Film* (New York und London, 1957); Rudolf Rach, *Literatur und Film: Möglichkeiten und Grenzen der filmischen Adaptation* (Köln und Berlin, 1964); Fritz Martini, „Literatur und Film", *Reallexikon der deutschen Literaturgeschichte*, 2. Auflage, hrsg. Werner Kohlschmidt und Wolfgang Mohr, Bd. II (Berlin 1965), S. 103—111; Alfred Estermann, *Die Verfilmung literarischer Werke* (Bonn, 1965); Hermann-Ernst Schauer, *Grundprobleme der Adaptation literarischer Prosa durch den Spielfilm*, Phil. Diss., Berlin: Humboldt-Univ., 1965 (Msch.schr.); Saad R. Elghazali, *Literatur als Fernsehspiel: Veränderungen literarischer Stoffe im Fernsehen* (Hamburg, 1966); Alphons Silbermann, „Le phénomène d'aliénation des films par la synchronisation", in: *Littérature et société: Problèmes de méthodologie en sociologie de la littérature* (Bruxelles, 1967) S. 97—110; N. Rinaldi, *La musica nelle trasmissioni radiotelevisive* (Rom, 1960); Wilfried Scheib, „La musique dans la télévision et le montage", in: *Le*

Ein vT kommt durch Verarbeitung von Teilen verschiedener T zustande. Das erfordert allerdings eine Differenzierung des mit ———→ dargestellten Vorganges T ———→ vT in

(3)

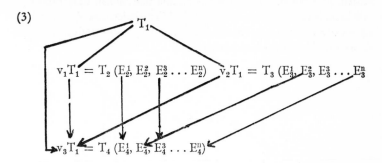

$$v_1 T_1 = T_2 (E_2^1, E_2^2, E_2^3 \ldots E_2^n) \quad v_2 T_1 = T_3 (E_3^1, E_3^2, E_3^3 \ldots E_3^n)$$

$$v_3 T_1 = T_4 (E_4^1, E_4^2, E_4^3 \ldots E_4^n)$$

In (3) seligiert der Textverarbeitungsvorgang Einheiten E_i^k aus $v_{n-m}T$ für $v_n T$ (durch senkrechten Pfeil zwischen E_i und E_j gekennzeichnet). Wir werden diesen Vorgang durch T — — — → symbolisieren. Nicht alle E_i^k sind an der Verarbeitung z T beteiligt. Generell läßt sich jedes T ———→ vT nach Bestehen und Art des Bestehens von E_T ———→ E_{vT} kennzeichnen.

Noch vielfältigere und verflochtenere Verarbeitung von Einheiten von Texten als im Schema (3) angedeutet, stellen so übliche Fälle wie die Auswahl und Kommentierung von Textabschnitten in Anthologien oder anderen Auswahlsammlungen dar. Für die heutige wissenschaftliche Kommunikationsverarbeitung ist das hierher gehörige Beispiel des Readers kennzeichnend. Mit der Selektion von Einheiten aus Texten in Komplexe, viele T und vT erfassenden Verarbeitungsprozessen wird deutlich, daß die relative Größe von Texten oder Textstücken die Art der Verarbeitungsoperationen, die einem Teilnehmer

montage de cinéma et de télévision et la formation professionnelle: Rapports présentés au Congrès de la Xème Rencontre Internationale des Ecoles de Cinéma et de Télévision, Vienne, mai 1963 (Paris, 1965) S. 95—99; Helmut O. Berg, *Die Transformation von Erzählwerken in Fernsehspiele,* Bochum, 1971.

185 Vgl. weitere Beispiele bei Suerbaum 1969, 74 ff.; Hermann Josef Real, *Untersuchungen zur Lukrez-Übersetzung von Thomas Creech* (Bad Homburg v. d. H. (etc.) 1970), S. 157 ff.; Peter Gebhardt, *A. W. Schlegels Shakespeare-Übersetzung: Untersuchungen zu seinen Übersetzungsverfahren am Beispiel des Hamlet* (Göttingen, 1970), S. 26 ff., 47 ff.

zur Verfügung stehen, bestimmt. Reader, Anthologien usw. orientieren sich an solchen Möglichkeiten[186].

Für die Verarbeitungen, die die Festlegung der Bedeutung von Texten, ihre Bewertung und Kodifikation bestimmen, sind auf jeden Fall komplexere Ansätze erforderlich. Hier finden sowohl Verarbeitungen der Form ⟶ als auch der Form — — ⟶ zwischen T und vT statt und zwischen verschiedenen vT.

(4)

T — ⟶ v_1T wäre z. B. eine Kritik oder Interpretation, T ⟶ v_2T eine Übersetzung, T ⇢ v_3T eine kombinierte Übersetzung. Solche „Erstverarbeitungen" unterliegen weiteren Verarbeitungen, die zusammen mit der Vielzahl der Verarbeitungen anderer Einheiten aus {T} die Gesamtheit des „literarischen Lebens" {T, vT} ausmachen.

114. Aus den Skizzen (1) — (4) wird deutlich, daß die übliche Auffassung, die, meist eher unausgesprochen als explizit formuliert, der literaturwissenschaftlichen Tätigkeit an Texten zugrundeliegt, keine Analyse der tatsächlichen Verhältnisse erlaubt, die Auffassung nämlich, daß in der Literatur eine Kommunikation zwischen Autor und

---

186 Hierauf hat mich Herr Hans-Georg Bulla (Konstanz) aufmerksam gemacht.

Leser stattfinde[187]. In den meisten Fällen sind die *feedback*-Möglich-
keiten zwischen Autor und Rezipient, wenn überhaupt gegeben,
schwach, durch eine Vielzahl zwischengeschalteter Kanäle unübersicht-
lich und wenig konturiert. Günstigere Verhältnisse sind nur für
wenige Auserwählte gegeben.

Für die überwiegende Mehrzahl der Fälle von Kommunikation
über Literatur darf jedoch gelten, daß die Kommunikation zwischen
verschiedenen Rezipienten untereinander stattfindet, also die Kommunikation selbst als eine Bündelung von Prozessen der Textverarbeitung (Rezeptionen, Diskussionen, Kommentare, Kritiken usw.) zu bezeichnen ist.

(5)

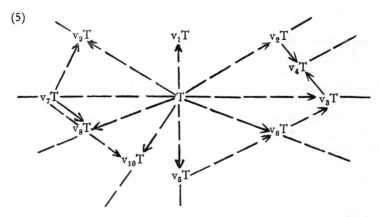

v_1T, v_2T, v_3T, v_5T, v_7T stellen Erstverarbeitungen dar, v_1T ohne
erkennbare weitere Folgen, die anderen in weitere Verarbeitungen
eintreten. v_4T ist eine Weiterverarbeitung von v_2T und v_3T, wäre also
genauer als $v_1v_2T + v_1v_3T$ zu bezeichnen (z. B. eine Diskussion). v_6T
ist eine Erstverarbeitung unter Einfluß bereits vorliegender vT (z. B.
Kinobesuch nach einem Gespräch mit solchen, die den betreffenden
Film bereits gesehen haben), wäre also: $v_6T + v_2v_3T + v_1v_5T$. v_7T
kann die Position eines Kritikers bezeichnen, der zu verschiedenen,
bereits durch ein vT beeinflußten v_8T, v_9T, $v_{10}T$ führt. Bei einer Fern-

---

187 Einer der wenigen Fälle, wo die Probleme einer solchen Annahme für
eine Interpretationstheorie expliziert werden, ist E. D. Hirsch, Jr.,
Validity in Interpretation (New York und London, 1967). — Kritik
an der dem Autor in der Literaturgeschichte eingeräumten Position übt
auch Barthes 1969, 18 f.

sehübertragung findet eine Vielzahl von Prozessen nach der in Schema (5) dargestellten Art statt. T in einem solchen vT-Netz kann dabei natürlich selbst schon wieder ein abgeleitetes T innerhalb eines mehrere Stufen umfassenden Verarbeitungsprozesses sein (z. B. die Ausstrahlung von Brechts *Antigone des Sophokles* oder eines kombinierten und zusammengeschnittenen Filmberichts von einer Sportveranstaltung).

Unsere Überlegungen haben gewisse strukturelle Ähnlichkeiten mit Elihu Katz' und Paul F. Lazarfelds *Two Step Flow Hypothesis* über die Prozesse der Meinungsbildung und Entscheidungsbeeinflussung, die besagt, daß Meinungen in vielen Fällen nicht direkt oder allein von kommunizierten Texten abgeleitet werden, sondern unter Einfluß von Kommunikation über zwischenpersönliche Kanäle zur Erstkommunikation, wobei bestimmte Meinungsträger *(opinion leaders)* eine ausgezeichnete Rolle in solchen Prozessen spielen. Dabei sind die zwischenpersönlichen Beziehungen nicht nur Kommunikationskanäle, sondern auch Quellen sozialen Drucks auf Meinungen und sozialer Unterstützung für Meinungen[188]. Erst bei viel detaillierterer Ausführung der Textverarbeitungsphänomene und entsprechender Feldforschung würden wird entscheiden können, welche Bedeutung solche Ansätze über das vorläufige Bemerken gewisser struktureller Ähnlichkeiten hinaus haben. Diese besagen jedenfalls, daß über den von uns an sich schon weit gefaßten Bereich von Literatur hinaus jede Form von Textverbreitung mit Textverarbeitung, die eine bloße Rezeption übersteigt, einhergeht, was weiter auch nicht überrascht[189].

---

188 Vgl. Elihu Katz und Paul F. Lazarsfeld, *Personal Influence: The Part played by People in the Flow of Mass Communication* (Glencoe, Ill., 1955); Elihu Katz, "The Two-Step-Flow of Communication: An Up-To-Date Report on a Hypothesis", *POQ*, XXI (1957); 61—78; Verling C. Troldahl und Robert van Dam, "Face-to-Face Communication about Major Topics in the News", *POQ*, XXIX (1965), 626—634; Verling C. Troldahl, "A Field Test of a Modified 'Two-Step-Flow of Communication Model' ", *POQ*, XXX (1966), 609—623; Brouwer 1967, 228 ff.; McQuail 1969, 48 ff., 55 ff., 80 ff.

189 Ebenso könnten im weiteren Ausbau Untersuchungen zur Gerüchtbildung und -verbreitung interessant werden, vgl. z. B. Stuart C. Dodd, "Testing Message Diffusion from Person to Person", *POQ*, XVI (1952), 147—262; H. Taylor Buckner, "A Theory of Rumor Transmission", *POQ*, XXIX (1965), 54—70.

Diese Breite sich deutlich zu machen, ist immerhin nützlich, um nicht, wie leicht möglich, auf tradierte Literaturvorstellungen zurückzufallen.

Textverarbeitung deckt also einerseits — auf dieser Stufe gesehen — relativ einfache Ereignisse wie die Rezeption eines Textes durch eine Lektüre eines Rezipienten, zum anderen weitverzweigte Ketten von Ereignissen vielfältiger Art, von der Rezeption bestimmter Textgruppen in Vorführung, Kommentierung, Übersetzung, Umarbeitung bis zur Stimulierung vom verarbeiteten Text relativ unabhängiger neuer Texte. In der Rezeptionsforschung der vergleichenden Literaturwissenschaft sind in jüngerer Zeit solche Ketten als literaturgeschichtliche Brennpunkte in den Blick geraten[190]. Von entscheidender Bedeutung für eine Rezeptionsforschung, die nicht auf die Sammlung, Sichtung und Interpretation der Äußerungen von Autoren, Rezipienten, Verarbeitern und durch Rezeption stimulierten Autoren einerseits und auf das Wiederfinden einiger gemeinsamer Züge in den Ausgangs- und Endtexten solcher in der vergleichenden Literaturwissenschaft behandelten Rezeptionsvorgänge[191] andererseits beschränkt sein will, wird die Frage, ob sich eine genügend stringente und genügend reiche Analytik für die an solchen Rezeptionsvorgängen beteiligten Textstrukturierungen entwickeln läßt. In der vergleichenden Literaturgeschichtsforschung finden sich viel zu häufig noch relativ unspezifische und deshalb nicht überprüfbare Aussagen über Verarbeitungsprozesse[192]. Die Wendung von einer Literaturgeschichte der Werke zu

---

190 Vgl. z. B. die Studie von Swana L. Hardy, *Goethe, Calderon und die romantische Theorie des Dramas* (Heidelberg, 1965).

191 Vgl. z. B. Klaus Lubbers, „Aufgaben und Möglichkeiten der Rezeptionsforschung", *Germanisch-Romanische Monatsschrift*, N. F. XIV (1964), 292—302; Marius-François Guyard, *La littérature comparée*, 4. Aufl. (Paris, 1965), S. 58 ff.; Ulrich Weisstein, *Einführung in die vergleichende Literaturwissenschaft* (Stuttgart [etc.], 1968), S. 103 ff.

192 Vgl. z. B. die folgende Formulierung: „Jeder literarische Einfluß ist mit einer sozialen Umformung des entlehnten Modells verbunden. Darunter verstehen wir eine schöpferische Umgestaltung und Anpassung an die gesellschaftlichen Verhältnisse, an die Besonderheiten des nationalen Lebens und des Nationalcharakters in der betreffenden geschichtlichen Epoche, an die nationale literarische Tradition sowie an die Eigenart der schöpferischen Individualität des entlehnenden Dichters." (V. M. Žirmunski, „Methodologische Probleme der marxistischen historisch-vergleichenden Literaturforschung", in Ziegengeist 1968, 8).

einer Literaturgeschichte der Rezeptionen von Werken[193] ist unvollständig, wenn die strukturellen Voraussetzungen für die Rezeption, d. h. Verarbeitung nicht in den Blick kommen. Ďurišin 1968 hat zwar ein klassifikatorisches System von Textverarbeitung für die vergleichende Literaturwissenschaft aufgestellt und dabei nach der „literarischen Wirkung" und der „literarischen Kongruenz" gruppiert. Doch fehlt auch hier die Klärung, worauf die wissenschaftliche Aktivität der Rezeptionsforschung eigentlich abzielt.

115.   Eine Theorie der Textverarbeitung muß über eine Analytik verfügen, die über Strukturierungsverfahrensbeschreibungen das Verhalten der an den verschiedenen Textverarbeitungsprozessen beteiligten Teilnehmer abbildet. Entsprechend den im vorigen Kapitel entwickelten Bedingungen für die Beschreibung von Strukturierungsverfahren soll eine solche Theorie Aussagen erlauben, die Texteigenschaften und Rezipientenverhaltenseigenschaften miteinander verknüpft. Erst in dem Ziel, Verhalten und Verhaltsenmöglichkeiten bei (nach, in Verbindung mit) Kommunikation über Texte aufklären zu sollen, findet die in Kapitel II angefangene Analytik ihre Rechtfertigung.

Die ‚Semiotik der Literatur‘ hat damit als Hauptstück, innerhalb dessen die Text- und Nichttexteigenschaften koppelnde Beschreibung nur Instrument ist, die Theorie der Textverarbeitung. ‚Literatur‘ ist dabei immer zu verstehen als die Menge tradierter bzw. tradierbarer Texte, die in einem Kommunikationssystem strukturiert worden bzw. strukturierbar sind. Eine Theorie der Textverarbeitung wird u. a. auch spezielle Sorten von Textverarbeitungen aus den allgemeinen Bedingungen hervorheben, auf sich wandelnde Bedingungen von Verarbei-

3.2.3 Strukturierung der Verhalte

116.   Die bisher nur recht summarisch angesprochenen Verhalte der Textverarbeitung sollen jetzt näher strukturiert werden. Das wird allerdings über Skizzen nicht hinausgehen. In einer ersten Grobstruk-

---

193 So z. B. Karol Głombiowski, „Die Geschichte der antiken Literatur aus der Sicht des Bibliothekwissenschaftlers", in: *Buch — Bibliothek — Leser: Festschrift für Horst Kunze zum 60. Geburtstag* (Berlin 1969), S. 519—531.

turierung kann man sich verschiedene mögliche Stationen und Dimentungen eingehen; d. h. sie wird sich auf um ein Verständnis des Wandels von Literatur — im genannten Sinn — bemühen. Doch gibt es innerhalb dieser Theorie nicht die übliche Dichotomie von Synchronie und Diachronie [§§ 105 ff.]. Diese vom Verständnis vieler abweichenden Vorstellungen werden unten noch näher ausgeführt [§§ 120 ff.]. sionen der Textverarbeitung vor Augen führen. Dabei tragen wir im Schema (6) horizontal *Stationen der Verarbeitung* von der Rezeption zur Kodifikation ein, vertikal *Dimensionen der Verarbeitung*, die neue Prozesse der Dimension 1 wieder von Rezeption bis zur Kodifikation ablaufen lassen. An Stationen unterscheidet das Schema in der ersten Dimension Rezeption, Kritik und Kodifikation. Zu diesen treten in weiteren Dimensionen spezifische Verarbeitungsformen, die erneut den Stationen Rezeption, Kritik und Kodifikation unterliegen. Beispielhaft treten im Schema als solche weiteren Dimensionen Bearbeitung und transmediale Überführung auf.

(6)

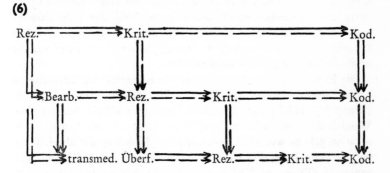

(Rez. = Rezeption, Krit. = Kritik, Kod. = Kodifikation, Bearb. = Bearbeitung, transmed. Überf. = transmediale Überführung)

Kodifikation kann im einzelnen positive wie negative Werte annehmen (Aufnahme in einen Kanon oder Ausschluß aus ihm) und geschichtet sein, d. h. rivalisierende Kodifikationen können nebeneinander bestehen und spielen eine Rolle in weiteren Verarbeitungsprozessen, können aus Ausgangspunkt dafür sein. D. h. die Stationen ‚Kritik' und ‚Kodifikation' können in einer weiteren Stufung wieder Verarbeitungsprozesse auslösen oder beeinflussen. Die Pfeile von oben nach unten beziehen sich auf alle Stationen der nächsten Dimension(en). Der Übersichtlichkeit wegen geht von jeder Station nur ein Paar aus. An den jeweiligen benannten Stationen sind dann im einzelnen die verschiedenen Formen von $T \longrightarrow vT$, $T - - - \rightarrow vT$ [§§ 113 ff.] einzusetzen. Auch das ist der Übersichtlichkeit wegen in (6) nicht dargestellt.

Mit den Übergängen von einer Dimension in die nächste geht eine Erweiterung der kommunikativen Kapazität des Systems einher. Es ergeben sich sowohl mehr Rezeptionsmöglichkeiten für den einzelnen Teilnehmer als auch mehr Möglichkeiten dafür, daß jemand Teilnehmer wird. Es hat sich gezeigt, daß das Aufkommen neuer Textverbreitungsmedien nicht dazu führt, daß der Gebrauch der vorher zur Verfügung stehenden Medien eingeschränkt wird, sondern daß die Ausnutzung alter und neuer Medien durch Teilnehmer wechselseitig im relativen Gebrauch steigt. Interesse überträgt sich von einem Medium auf ein neues; was Teilnehmer dabei für die Ausnutzung einsetzen müssen, sinkt wahrscheinlich[194]. Kurt W. Back hat die Hypothese aufgestellt, daß die Stärke des Anhaltens von Eindrücken *(impact)* von Massenkommunikation mit der Zahl der Möglichkeiten weiterer Verarbeitung in Diskussionen wächst, die unter ähnlichen Rezipientenzusammensetzungsstrukturen *(audience structure)* wie die originale Kommunikation stattfinden[195].

Die Erweiterung der kommunikativen Kapazität im Übergang zu neuen Dimensionen des Schemas (6) stellt einen Ansatz zur Dynamisierung [§§ 106 f.] dar. Schema 6 kann auch als ein Schema eines Wandels der Strukturierung von Texten in der literarischen Kommunikation gelesen werden. Es entstehen Möglichkeiten der abgeleiteten, verarbeiteten Rezeption ($R \longrightarrow vR$, $R - - \rightarrow vR$) von Ausgangstext (T) in verschiedenen Stufen der Verarbeitung (v_1T, v_2T, v_1v_1T, ...). Damit ergibt sich die Möglichkeit (6) als einen Zyklus umzuschreiben, bei dem die verwendeten vT's in Schleifen zu früheren

---

194 Vgl. Rolf Meyersohn, "Television and the Rest of Leisure", *POQ*, XXXII (1968), 102—112; vgl. auch Everett M. Rogers, "Mass Media Exposure and Modernization among Columbian Peasants", *POQ*, XXIX (1965), 617 über "audience overlapping".

195 Kurt W. Back, "Prominence and Audience Structure: The Linkage between Mass Media and Interpersonal Communication", in Leon Arons and Mark A. May (Hrsg.), *Television and Human Behavior* (New York, 1963), S. 19.

Stationen, z. B. Rezeption zurückkehren können und sich Prozesse neuerdings in Gang setzen. Insbesondere die Stationen Kritik und Kodifikation sind als mit solchen Schleifen zu Rezeption versehen zu verstehen. Diese zyklische Umformung von (6) ergibt (7).

(7)

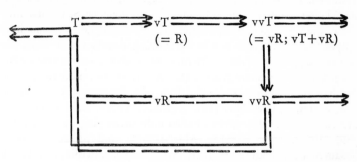

vT, vR usw. in Schema 7 sind Variable für Verarbeitungsprozesse. Die Schleifen deuten erneutes Durchlaufen gleicher Stationen an, nicht Wiederholung identischer Prozesse. Die ins Offene laufenden Pfeile bezeichnen wie in (5) die Unabgeschlossenheit. Schema 7 stellt eine Zelle einer größeren Menge von Prozessen wie sie (6) veranschaulicht. (7) kann damit als Zelle des ‚literarischen Lebens‘ gelten, das hier nicht im Diagramm vorgeführt werden kann.

117. Zwischen den einzelnen Stationen gleicher und verschiedener Stufe in (6) bzw. (7) ist als konstante Füllung der allgemeinen Form des Textverarbeitungsprozesses T — — → vT die Form T — — —→ pT einzusetzen, wobei pT für die Paraphrase eines Textes steht, die als jeden Vorgang der Form T — — → vT begleitend verstanden werden muß, ob nun verbalisiert oder nicht. Die Konstante pT ist die entscheidende Einheit für die Verfolgung der Veränderungen, denen T in den Verarbeitungsprozessen unterliegt. Teilnehmer des Systems, Sprecher einer Sprache sind in der Lage, eine Äußerung in ihrer Sprache zu paraphrasieren. D. h. sie verfügen über die Möglichkeit, substantiell verschiedene Äußerungen unter (relativem) Gleichhalten der Semantik nebeneinanderzustellen. Es ist eine entscheidende Aufgabe für die Semiotik der gesellschaftlichen Textverarbeitung, eine semantische Theorie der Paraphrase zu entwickeln, die genügend reich strukturierte abstrakte Einheiten einsetzt, um solche Prozesse der Analyse zugänglich zu machen. Wir bringen hier nur eine grobe Strukturierung der Prozesse mit einigen Beispielen. „v" in „vT" wird dabei als Variable aufgefaßt, deren wichtigste Interpretation „p" ist.

Es sei an dieser Stelle noch einmal verdeutlicht, wie wir die übliche Tätigkeit des Literaturkritikers, Interpreten, Literaturhistorikers usw. auffassen. Es ist im Früheren schon angelegt, daß wir Roland Barthes' Unterscheidung zwischen einer „institutionellen Seite" der Literatur, die „der objektiven Formulierung" zugänglich sei, und ihrer „psychologischen" („die subtile Verbindung zwischen dem Werk und seinem Schöpfer"), deren Erörterung auf einem „normativen Urteil" des jeweiligen Kritikers gründet (Barthes 1969, 34), nicht für brauchbar halten. Freilich gründen Kritiken oder Interpretationen als bedeutungsfestlegende Aktivitäten gegenüber Texten auf normierenden Setzungen, die in den meisten Fällen nicht offen gelegt werden (Wienold 1972 a, 1972 c). Solche Aktivitäten[196] sind prinzipiell weder bedauernswert noch angreifbar. Sie genügen allerdings nicht als Theorien von Literatur, sondern gehören mit zum Objektbereich ‚literarisches Leben'. Ihre jeweilige Rechtfertigung ist in dem hier konstruierten Rahmen diskutierbar. Viele Vorgänge der Literaturgeschichte wie Veränderungen in Wertungen, Kodifikationen usw. können nur über die Analyse solcher Bedeutungsfestlegungen angegangen werden[197].

Wir betrachten deshalb jetzt also das „v" in „vT" als eine Variable, das mit mehreren Interpretationen belegt werden kann: „b", „w", „k", „ü", „t" als Interpretationen von „v" beziehen sich auf die Be-

196 Vgl. zu dem Phänomen noch Todorov 1967; Roland Barthes, *Kritik und Wahrheit* (Frankfurt am Main, 1967) S. 75 ff.; Barthes 1969, 23 ff., 54 ff., 102 ff.

197 Letztlich erkennt auch Barthes diese Meta-Ebene an: „Das besondere Statut der Literatur besteht in einem Paradoxon: die Literatur ist die Gesamtheit von Gegenständen oder Regeln, von Techniken und Werken, deren Funktion in der allgemeinen Ökonomie unserer Gesellschaft darin besteht, gerade die *Subjektivität zu institutionalisieren* (1969, 35). Barthes geht allerdings u. E. darin fehl, daß er die von ihm in diesem Zusammenhang behandelten Studien zu Racine gemäß deren eigenem Selbstverständnis auf der ‚Meta-Ebene' literarhistorischer Äußerungen zu Racine beläßt, statt sie als Teilbestände der heutigen Literatur zu klassifizieren, die u. a. in bestimmten Formen, z. B. solchen der Bedeutungsfestlegung, Texte, die in der Vergangenheit produziert worden sind, verarbeiten.

deutungsfestlegung, Bewertung, Kodifikation, Übersetzung und Transformation in ein anderes Medium. Jeder Interpretation ist dabei ein „pT" zugeordnet, d. h. eine Paraphrase des Textes:

(8)

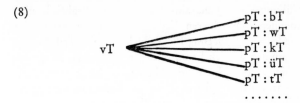

118. Für ‚bT' sind Zusatztexte, die von einem Rezipienten bei der *Bedeutungsfestlegung* benutzt werden, von besonderem Interesse. Texte werden bei der Rezeption semantisch ‚aufgeladen', indem sie in Beziehung zu anderen Texten gesetzt werden[198]. D. h. die bisher elementar gesetzte erste Rezeption eines gegebenen Textes (T $\longrightarrow$ vT) erfordert bei näherem Zusehen eine Strukturierung als möglicher zusammengesetzter Prozeß verschiedener partieller Textverarbeitungen (T_1 — — $\rightarrow$ vT_1, T_2 — — $\rightarrow$ vT_2, . . .).

(9)

$$T_0 \longrightarrow \begin{Bmatrix} T_1 \text{ — — } \rightarrow vT_1 \\ T_2 \text{ — — } \rightarrow vT_2 \\ T_3 \text{ — — } \rightarrow vT_3 \\ T_4 \text{ — — } \rightarrow vT_4 \\ \cdots\cdots\cdots \end{Bmatrix} \longrightarrow vT_0$$

Texte sind u. U. so formuliert, daß bestimmte Züge dem Rezipienten die Mitverarbeitung anderer, mehr oder weniger bestimmter Texte nahelegen können. Zitate, Anspielungen, Parodien, Gattungstitel („X. Ein Roman") und dgl. kommen hier in Frage. Es ist aber festzuhalten, daß auf der einen Seite Voraussetzung für solche Mitver-

---

198 Walter A. Koch beschreibt u. a. unterschiedliches Textverständnis von Teilnehmern durch unterschiedliche Mobilisierung von Einheiten aus einem den Teilnehmern zur Verfügung stehenden Textreservoir („Textikon") (1971 a, 43 ff., 380 ff., 397 ff.). Vgl. Wienold 1972 a, 1972 c.

arbeitung bestimmte Kenntnisse und deren Auslösbarkeit beim Rezipienten sind, auf der anderen Seite solches Nahelegen keine notwendige Voraussetzung für das Mitverarbeiten anderer Texte ist.
Rezipientenverhalten kann mit Bezug auf ‚T ———→ bT‘ durch unterschiedliche Ausfüllung von (9) charakterisiert werden. Praktisch wird
es darauf ankommen, die näheren Bedingungen, unter denen der
Spielraum der Bedeutungsfestlegung für Teilnehmer oder Teilnehmergruppen wie ausgenutzt werden kann, festlegen zu können. Wie noch
zu besprechen sein wird, richten sich Aktivitäten bestimmter Teilnehmergruppen darauf, den Spielraum für die Bedeutungsfestlegung
durch andere Teilnehmergruppen zu kontrollieren.

Für die Beschreibung von ‚T ———→ wT‘ *(Bewertung)* ist es wichtig,
Beschreibungen von Texten zu entwickeln, auf die sich vorkommende
Werturteile abbilden lassen (Wienold 1971 a, §§ 84 ff., 95). Dann
benötigt man Beschreibungen von literarischen Werturteilen, die es
erlauben, diese untereinander zu vergleichen. Es scheint uns nicht zu
genügen, lediglich die in vorkommenden zeitgenössischen Formulierungen konstanten herrschenden Normen festzustellen (so Levý 1970
[§ 45], da gar nicht feststeht, wie sich vorkommendes literarisches
Leben gegenüber solchen verbalisierten Normen tatsächlich verhält.
Eine Analyse wertender Teilnehmeraktivität ist nötig, um ‚T ———→
wT‘ behandeln zu können. Der entscheidende Schritt, der hier vorgeschlagen wird, besteht darin, nicht die Änderung oder Nichtände-
rung von Normen festzustellen[199], sondern sowohl Bewertungsformu-
lierungen als auch Normen so zu strukturieren, daß eine Beschreibung
von Wandel möglich wird. Daneben würde es sehr interessant sein,
die verbalisierten Verarbeitungen von Texten in Form von Bewertungen ihrerseits auf ihren Anspruch, materiell ästhetischen Aspekten
zu entsprechen, jeweils zu analysieren[200]. Einiger Überlegungen wert
dürfte es auch sein festzustellen, inwieweit sich Wertungsvorgänge
innerhalb der Textverarbeitungsvorgänge spieltheoretisch deuten lassen. Wenn man Werten von Texten als ‚Spiel‘ verstehen will, ist zu

---

199 Vgl. Felix Vodička, "The History of the Echo of Literary Works", in:
Paul L. Garvin, *A Prague School Reader on Esthetics, Literary Structure and Style* (Washington, D. C., 1964), S. 71—81.
200 Vgl. Ulrich Krause, „Ästhetische Wertung als Aggregation", *Lili*, I, 4
(1971), 99—114.

fragen[201]: 1) Wer sind die Spieler? Spielen Autoren gegen Rezipienten bzw. spezielle Gruppen von Rezipienten wie Kritiker, Literaturhistoriker, Herausgeber, Verleger etc.? Oder ist dieses Spiel mit Autoren als Spielen nur ein Sonderfall, spielen in der Regel Rezipienten untereinander das Spiel ,Werten'? Wir haben schon weiter oben die Bedeutung des Autors für die Textverarbeitungsprozesse als weniger groß als gemeinhin angenommen hingestellt. Man braucht ja auch nur daran zu denken, daß Wertungen ihrerseits wieder bewertet werden, usw. usf. 2) Worin bestehen die ,Auszahlungen' für die Spieler, was gewinnen Wertende und Bewertete? 3) Was sind die ,Regeln' des Spiels und wie konzipieren Spieler ihre ,Strategien'?

Die *Kodifikationsprozesse* ,T ——→ kT' sind noch wenig untersucht. Zwar gibt es in den letzten Jahren zahlreiche Studien zum Lesergeschmack, besonders im Bereich der sog. Trivialliteratur, deren Studium darunter leidet, daß der Gegenstand schon durch fixierte Kodifikationen definiert ist[202]. Aber die vielfältigen Vorgänge im Bereich der Tradierung und Kodifizierung von Texten sind wenig durchschaut, insbesondere die Rolle, die die Literaturwissenschaft durch Ausbildung von Lehrern und die die Tätigkeit der so ausgebildeten Lehrer (durch die von Literaturwissenschaft und Lehrplänen gelieferte theoretische Organisation ihrer Arbeit in kodifizierten Literaturgeschichten und stabilisierten Interpretationsanweisungen) spielen, sind kaum untersucht[203]. Eine Wissenschaft von Literatur, für die Einheiten ihres Gebietes nicht Autoren und/oder Werke und darüber sich aufbauende größere Einheiten wie Oeuvre, Gattung, Periode

201 Über die Begriffe ,Spieler', ,Auszahlung', ,Regel', ,Strategie' vgl. Martin Shubik, „Spieltheorie und die Untersuchung sozialen Verhaltens: Eine einführende Darstellung", in: ders. (Hrsg.), *Spieltheorie und Sozialwissenschaften* (Hamburg, 1965), S. 20 ff.

202 Vgl. auch Thomas Koebner, „Zum Wertungsproblem in der Trivialroman-Forschung", in: Albrecht Goetze und Günther Pflaum (Hrsg.), *Vergleichen und verändern: Festschrift für Helmut Motekat* (München, 1970), S. 74 ff.

203 Vgl. aber Walther Killy, „Zur Geschichte des deutschen Lesebuchs", in: Eberhard Lämmert et al., *Germanistik — eine deutsche Wissenschaft* (Frankfurt am Main, 1967), S. 43—49, ferner Peter-Martin Roeder, *Zur Geschichte und Kritik des Lesebuchs der höheren Schule* (Weinheim, 1961), Heinz Ide (Hrsg.), *Bestandaufnahme Deutschunterricht: Ein Fach in der Krise* (Stuttgart, 1970), S. 41 ff., 51 ff. und passim.

wären, sondern Strukturierungsvoraussetzungen der Kommunikation über Literatur, Formen der Verarbeitung von Texten usw., wird wahrscheinlich in der Lage sein, entscheidend neue Entwürfe für die Curricula des Literaturunterrichts zu begründen. Kodifikation und Selektion und ihre Rolle in der Literaturdidaktik kommen später noch ausführlicher zur Sprache [§§ 134 ff.]. Hier nur einige Bemerkungen, die die bedeutsame Rolle dieser Station in den Schemata (6) und (7) illustrieren. Die Verarbeitung ,T ——→ kT', die Kodifikation in Form eines Kanons, einer Selektion durch eine Literaturgeschichte oder einen Lehrplan, eines sozialen Gedächtnisses für Namen von Autoren oder Titeln, ist die reduzierteste Verarbeitung. Was den Umfang eines Textes betrifft, ist sie auf das Führen eines Namens in einer Liste reduziert; was die Selektion solcher Namen und Titel aus der Gesamtmenge möglicher verfügbarer Texte für das ,literarische Leben' angeht, ist sie auf eine zeitliche Perspektive reduziert, die Texte der Vergangenheit benachteiligt[204]. Sowohl die Reduktion durch Kanonisierung als auch die Verwertung im Rahmen von Kanons scheint der Einschätzung literarischer Texte durch manche Kritiker zu widersprechen[205]. Doch ist die positive Kodifikation eine wichtige Schaltstelle für das „Überleben" eines Textes für ausführliche Weiterverarbeitung. Die stabilisierende Funktion von Kritik und Literaturgeschichte im Selektions- und Kodifikationsprozeß zu erforschen, ist also von großem, für das Studium gesellschaftlicher Verhältnisse aufschlußreichem Interesse. Unsere Kenntnis über das Zustandekommen spezifischer Kanones beschränkt sich häufig auf Auflistungen[206]. Studien zu den Zusammenhängen zwischen Repertoirebildung, Theatergeschichte und Wandel kritischer Standards zei-

---

204 Robert Escarpit, „L'image historique de la littérature chez les jeunes: Problèmes de tri et de classement", [Anm. 161], S. 151—165.

205 George Watson, *The Study of Literature* (London, 1969), S. 18: "The massive part which literature plays in education is admittedly an afterthought in civilisation, and contradicts much that we know about the original impulse by which literature was created . . .".

206 Vgl. als Arbeit zur Kanonbildung bei einem einzelnen Autor z. B. Donald J. Greene, "The Development of the Jonson Canon", in: Carrol Camden (Hrsg.), *Restoration and Eighteenth-Century Literature: Essays in Honor of Alain Dugald McKillop* (Chicago, 1963), S. 407—427; zur Bildung von „Klassiker"-Kanons: Eva D. Becker, „,Klassiker' in der

gen etwas von den Faktoren, die bei der Selektion auftreten[207]. Literaturgeschichten, Klassikerkanons, Wertungsschemata („Man liest keine Kriminalromane"), Repertoires, Bibliotheken[208] u. ä. sind Instanzen der Stabilisierung und Kodifikation in der gesellschaftlichen Textverwertung.

Mit der Entwicklung struktureller Syntaxtheorien in der Linguistik haben sich wichtige Teilprozesse der Verarbeitung ‚T ———→ üT' *(Übersetzung)* als eines zusammengesetzten Prozesses ergeben: Analyse eines Textes auf seine Tiefenstrukturen, Transfer der Tiefenstrukturen und Restrukturierung[209]. Von allen hier besprochenen Textverarbeitungen lassen sich die Voraussetzungen für die Verarbeitungen ‚T ———→ üT', jedenfalls soweit es eine Satz-Satzübersetzung angeht, heute linguistisch am genauesten spezifizieren. Aber nicht nur die Voraussetzungen anzugeben, die die Übersetzung eines jeden Satzes einer Sprache in einen einer anderen strukturieren, ist für die Behandlung der Textverarbeitungen ‚Übersetzen' wichtig, sondern auch die Strategien, die Teilnehmern bei der Lösung von Übersetzungsproblemen zur Verfügung stehen[210]. Die Entscheidung darüber, was bei der Übersetzung eines Textes konstant zu halten ist, was variabel zur Verfügung steht, differiert nach Ansprüchen, die an einen Text gestellt werden. Diese Unterscheidung nach Ansprüchen an den Text scheint besser als die übliche nach Textsorten, da die Klassifikation solcher

deutschen Literaturgeschichtsschreibung zwischen 1780 und 1860", in: Jost Hermand und Manfred Windfuhr (Hrsg.), *Zur Literatur der Restaurationsepoche 1815—1845: Forschungsreferate und Aufsätze* (Stuttgart, 1970), S. 349—370.

207 Vgl. z. B. Gunnar Sorelius, *'The Giant Race before the Flood': Pre-Restoration Drama on the Stage and in the Criticism of the Restoration* (Uppsala, 1966); W. H. Bruford, *Theatre, Drama and Audience in Goethe's Germany* (London, 1950).

208 Vgl. z. B. Günther Fröschner, „Zur methodologischen Problematik zwischen Bibliothek und Gesellschaft: ein Versuch", in: *Buch — Bibliothek — Leser: Festschrift für Horst Kunze zum 60. Geburtstag* (Berlin, 1969), S. 81—86.

209 Vgl. Eugene A. Nida, "Science of Translation", *Language,* XLV (1969), 483—498.

210 Vgl. Jiři Levý, "Translation as a Decision Process", in: *To Honor Roman Jakobson: Essays on the Occasion of His Seventieth Birthday,* vol. II (The Hague, 1967), S. 1172—1182; Levý 1970, 548 ff.

Textsorten [§§ 152 ff.] bisher ungeklärt ist[211]. Die Übersetzung
erweitert die Menge der Rezipienten für einen Text, steht gleichzeitig
aber unter dem Zwang, sich den für die Kommunikation unter den
,neuen' Rezipienten geltenden Bedingungen anzupassen. Levý 1969
bietet die gründlichste Aufarbeitung einschlägiger Fragestellungen.

Die Verarbeitung ,T ———→ tT' *(Transformation* in ein anderes
Medium) schließlich ist insbesondere für die Verfügbarmachung von
Texten interessant. Ein generell für die Strukturierung von Texten
wichtiger Faktor wird bei der Untersuchung von ,T ———→ tT' auf-
fällig, daß je nach Medium unterschiedliche Restriktionen für das
Textstrukturieren gelten. Solche medienspezifische Formulierungs-
zwänge sind ein Teil der Kapazität der Textstrukturierung [§§ 106 ff.].
So unterscheiden sich z. B. Film und Fernsehen durch Beschränkungen
der Erkennbarkeit von Details im Fernsehbild in Abhängigkeit vom
Kontrast[212]. Die Medien Sprache und bewegte Fotografie verhalten
sich nach Darlegungen einzelner Autoren im Film anders zueinander
als im Fernsehen[213]. Eins der wichtigsten Desiderate für die Untersuchung von ,T ———→ tT' ist die Untersuchung der Relation von
Medien in plurimedialen Texten, da — wie schon angedeutet — mit
der Erweiterung der Kombinationsmöglichkeit von Medien die Verarbeitungsmöglichkeiten sich erhöht haben, die Relation der Medien
zueinander in verschiedenen Kombinationen aber differiert.

119. Wie in der Grobstrukturierung (6) und (7) bereits angedeutet,
wird für die genauere Charakterisierung des Komplexes ,literarisches
Leben' die Aneinanderreihung von Prozessen von Verarbeitung wichtig. Aber nicht nur Fortsetzbarkeit (6) und Erweiterbarkeit (7) machen
den Komplex aus, sondern auch Iteration und Kombination der hier
isolierten Arten von ,T ———→ vT'. So ist Kodifikation ein auf Texte

---

211 Vgl. u. a. Levý 1969, 18 f.: Jean Paul Vinay, „La traduction littéraire
     est-elle un genre à part?", *Meta,* 14 (1969), 5—21.
212 Vgl. Hans Baurmeister, *Die Verminderung der Erkennbarkeit von
     Bildeinzelheiten bei fernsehtechnisch übertragenen Bildern,* Diss. Kiel
     1957; Hans Springer, *Untersuchungen über die Erkennbarkeit kleiner
     Einzelheiten auf dem Fernsehbildschirm,* Diss. Kiel, 1957.
213 Vgl. z. B. Günter Kaltofen, „Dramatische Kunst auf dem Bildschirm",
     in: ders. (Hrsg.), *Das Bild, das deine Sprache spricht: Fernsehspiele*
     (Berlin, 1962), S. 40 ff.

und Textmengen iterierter Vorgang von Verarbeitung. In einer kodifizierten Literatur spielen weitere spezielle Normen für Verarbeitung eine Rolle. Bewertungsregeln für die Übersetzung kodifizierter Texte (Levý 1969, 68 ff.) richten sich insbesondere auf die Verarbeitung von Zusatzstrukturierungen wie Metrum und Reim[214]. Die Übersetzung ist Zwischenglied in der Erweiterung von bestehenden Kodifikationen oder in einer Neu-Kodifikation und wird damit zu einem besonderen literaturhistorischen Problem (Levý 1969, 160 ff.). Bei der Synchronisation von Filmen bestimmen die durch die Kombination von Sprache und bewegter Fotografie konstituierten Restriktionen die Übersetzungsmöglichkeiten mit[215]. Die Grundstruktur $T \xrightarrow{} vT$ ist also zu ersetzen durch

(10)

$$T \xrightarrow{} \left\{ \begin{array}{c} v^1 \\ v^2 \\ \ldots \\ v^n \end{array} \right\} T$$

3.2.4 Wandel der Verhalte

120. Mit verschiedenen Variablen von vT ist skizzenhaft eine Aufgliederung des literarischen Lebens in Prozesse der Textverarbeitung geworden. Wenn wir, durchaus stimuliert von Jurij Tynjanov, das „literarische Faktum" als dynamisches Element einer Reihe sehen (1929, 11 ff.) und wenn wir Texte als Objekte innerhalb eines dynamisch strukturierten Komplexes ansiedeln, den wir, Boris Ejchenbaum und Zygmunt Łempicki folgend [§ 112], ‚literarisches Leben' nennen, so gehen wir hinsichtlich der Formulierung von Aussagen über Vorgänge des Wandels doch etwas anders vor als die russischen Formalisten. (Tynjanov etwa formulierte Aussagen, in welchen Etappen sich bestimmte „Konstruktionsprinzipien" in Gattungen ausbreiten und ablösen [1929, 21 ff.]).

214 Vgl. z. B. Allan H. Gilbert, "Translator or Betrayer? Some Translaters of Dante", in: Friederich 1959, I, 263-272.
215 Dazu treten natürlich eine Reihe anderer Aspekte. Vgl. Otto Hesse-Quack, *Der Übertragungsprozeß bei der Synchronisation von Filmen: Eine interkulturelle Untersuchung* (München und Basel, 1969).

Die bisherige grobe Vorstrukturierung des Objektbereichs zeigt, daß mehr Größen in die Überlegungen eingehen müssen, will man wenigstens zu einer brauchbaren kategorialen Aufgliederung des Bereichs ‚Kommunikation über Literatur' kommen. Auch nur Texte und ihre Produktion betrachtend, stieß Pierre Macherey auf die Abhängigkeit der Produktion von Texten von anderen (Macherey 1966, 122), sah, daß Interpretationen von Texten neue literarische Texte ergeben (37, 159 ff.), d. h. Textverarbeitungsoperationen voraussetzen. Analyse von Wandel, die nicht auf sehr allgemeine Regeln nur aus ist, soll also von einer Analyse der Textverarbeitsprozesse ausgehen. Nur darin scheint mir auch ein Ziel für die Analyse von Wandel angebbar: nämlich die Steuerungen der Verarbeitungsprozesse zu erkennen und beeinflußbar zu machen.

121. Auch traditionelle Literaturgeschichte hat von Wandel und Veränderung gesprochen. Mit neuen Ansatzpunkten vor allem komparatistischer Art sind dabei auch Aspekte des literarischen Lebens — etwa in der *history of ideas* Aspekte einer Textverarbeitung, die nicht an traditionelle literarische Klassifikationen gebunden ist[216] — in literarhistorische Aktivitäten eingedrungen. Doch fehlt es über ein Bemerken von Veränderung bzw. von jeweils Anderem hinaus an der Entwicklung einer Analytik, die eine systematische Behandlung von Wandel erlaubte. Das läßt sich vielleicht gerade an einer so ausgefeilten und detaillierten Darstellung wie Eric A. Blackalls *The Emergence of German as a Literary Language 1700—1775* verdeutlichen (Blackall 1959). Blackall kann zwar augenfällig machen, daß Christian Wolff oder Gottsched anders schreiben als Thomasius, Ludwig Thieck anders als J. G. Schnabel, aber diese Unterschiede werden nur allzuhäufig, fast durchgehend in einem impressionistischen Zuschreiben von Eigenschaften meist evaluativer Manier formuliert. Auch Vorgänge der Terminologisierung (Blackall 1959, 19 ff.) oder Standardisierung (102 ff.) gehen über das — sorgfältige — Explizieren von Beispielen, die den Wandel erkennbar machen sollen, nicht hinaus.

---

216 Janos Hankiss, „Theorie de la littérature et littérature comparée", in Friederich 1959, I. 105 f.; siehe auch Arthur O. Lovejoy, *The Great Chain of Being: A Study of the History of an Idea* (1936; hier Harper Torchbooks, New York [etc.] 1960) S. 17 ff.

Weder kann eine Analyse derart gegeben werden, daß die Einheiten, die sich von einem zum anderen Zustand geändert haben, erkennbar werden, noch gar wie ein solcher Wandel zu denken ist. Als Stimulation zum Wandel nennt Blackall einzig Unzufriedenheit mit dem um 1700 gegebenen Zustand der deutschen Sprache bei einigen Beurteilern (2 ff.). Insgesamt wird eher deutlich, daß Stellungnahmen zu Formulierungsweisen im Laufe der Zeit anders ausfallen, als daß Änderungen in den Formulierungsweisen analytisch dargetan werden.

Weitere führen Ansätze (Wienold 1971 a, 164 ff.), die Eigenschaften von Texten angeben können, die entlang einer Zeitachse Veränderungen unterliegen. Solche Ansätze stehen häufig im Zusammenhang mit gewissen linguistischen Beschreibungsverfahren, die in den Stand setzen, Eigenschaften von Texten — meistens eher von Textbestandstücken — anzugeben und sie in ebenfalls linguistisch angegebene Einheiten zu verfolgen. Roman Jakobson beispielsweise konnte so einen Zusammenhang zwischen Sprachwandel bzw. -konstanz und Literaturwandel bzw. -konstanz in slavischen Literaturen feststellen[217]. Josephine Miles konnte innerhalb längerer Zeiträume der englischen Literatur mehrfache Wechsel in der Bevorzugung von Satztypen beobachten[218]. Claudio Guillén 1971, de Saussure, Hjelmslev und den russischen Formalisten folgend, macht Prozesse innerhalb von Strukturen und Systemen — Strukturen sind bei Guillén Relationen innerhalb von Systemen — zum Gegenstand der Literaturgeschichte, so daß Objekte, die Veränderungen unterliegen, in spezifischen Eigenschaften studiert werden können. Karl Kroeber 1971 bemerkt wie über einer Gruppe von englischen Romanautoren in zeitlicher Folge — Jane Austen, George Eliot, Emily Brontë; z. T. mit Einbezug von Walter Scott und Charles Dickens — der Gebrauch von Nomina für Körperteile, der Gebrauch bestimmter Verbgruppen, der Gebrauch sog. abstrakter Nomina zunimmt. Von solchen recht spezifischen Beobach-

---

217 Roman Jakobson, "The Kernel of Comparative Slavic Literature", *Harvard Slavic Studies*, I (1953), 22 ff.
218 Siehe u. a. Josephine Miles, "Toward a Theory of Style and Change", *JAAC*, XXII (1963), 63—69; dies., *Style and Proportion:The Language of Prose and Poetry* (Boston, 1967); dies., "A Change in the Language of Literature", *Eighteenth-Century Studies*, II (1968), 35—44. Wandel von Lexika: Burghard Rieger, „Wort- und Motivkrise als Konstituenten lyrischer Umgebungsfelder; Eine quantitative Analyse semantisch bestimmter Textelemente", *Lili*, I, 4 (1971), 23—41.

tungen gelangt er dazu, Veränderungen in Eigenschaften größerer Einheiten anzugehen, z. B. Dialoggebrauch, bestimmte zentrale Szenen, Eigenschaften der gesamten Anlage von Romanen, die sich wenigstens grob quantifizieren lassen *(time, setting, action, character)*. Damit etabliert er die Einsicht, daß Wandel von Literatur als Wandel innerhalb der Relationen von Eigenschaften studiert werden muß (171).

Kroeber stößt dabei auch auf entscheidende methodologische Probleme, die bei der Bestimmung von Einheiten und der Entwicklung von Metriken anfangen. Den ansteigenden Gebrauch von Körperteilbezeichnungen in Romanen entlang einer Zeitachse festzustellen, heißt noch nicht, diese Beobachtung in Aussagen über Wandel von Literatur einführen zu können. Kroeber will im wesentlichen — das ist der entscheidende Verdienst seiner Arbeit — Ansatzpunkte und Verfahren herausbekommen. Die Relationierung von Eigenschaften, die wenigstens in grober Form benannt und bemessen werden können, führt fort von den doch immer gleichgebliebenen generellen Topoi einer Stilgeschichte oder komparativen Stilistik, die die Eigenschaften ihrer Vergleichsobjekte global angehen wollte[219].

Produzenten von Texten unterliegen in ihrer Produktion anscheinend steuernden Regeln, ohne daß ihnen bewußt zu sein braucht. Das zeigen nicht nur die Analysen mündlicher Literatur oder strenger Gattungen wie Propp 1928 es gezeigt hat, sondern auch die Werke „schöner" oder „hoher" Literatur. Die Autoren haben auf große Strecken nur die Illusion der Wahl (Macherey 1966, 61). Kreativität kann nur innerhalb solcher Steuerungen begriffen werden [§ 106]. Man kann aber weitergehen und sagen: Kreativität findet erst in der Verarbeitung des Kreierten durch Rezipienten einer Gesellschaft — Rezeption, Bewertung, Kodifikation — seine Vollendung (Morazé 1970)[220]. D. h. wir behaupten, Aussagen über Wandel werden erst im Rahmen einer Textverarbeitungstheorie, die Texteigenschaften in Ver-

---

219 So betont Žirmunski, Sujet, Bilder, Komposition, dichterischer Gehalt seien allesamt Gegenstand und letztlich von sozialen Gegebenheiten abhängig, aber damit bleibt man immer wieder in interpretativen Aussagen (V. M. Jirmounski, „Les problèmes de la stylistique comparée", *Acta litteraria Academiae Scientiarum Hungaricae*, V [1962], 79—82).

220 Vgl. auch James S. Ackermann, "A Theory of Style", *JAAC*, XX (1962), 232: „The pattern of change is a product of the tension in society and in the artist between the instinct for stability and security of established

arbeitungsprozessen lokalisiert, sinnvoll, so weit man jedenfalls am Verständnis der Kommunikation über Literatur interessiert ist. Damit kommen wir zu einigen verallgemeinernden Aussagen.

122. Die Schemata (6) und (7) und die anschließenden Spezifikationen haben schon eine gewisse Dynamik der Textverarbeitungsprozesse erkennen lassen. Doch ist die sich darin andeutende historische Dimension bewußt vernachlässigt worden. Diese historische Dimension der Kommunikation über Texte läßt sich im Bereich der Textverarbeitungsprozesse in zwei Aspekten erschließen:

1. Unterschiede nicht zufälliger Art in den Verarbeitungen eines Textes zu verschiedenen Zeitpunkten, die auf Unterschiede in den Voraussetzungen für die Textverarbeitung zurückgeführt werden können;

2. Unterschiede in den Voraussetzungen für die Verarbeitung von Texten allgemein zu verschiedenen Zeitpunkten.

D. h. über die Veränderung von Vorgängen von ‚T ⟶ vT' soll der Wandel der strukturellen Voraussetzungen für die Textverarbeitung und allgemein für Aktivitäten bezüglich Texten in einem Kommunikationssystem erschlossen werden. Solche Fragestellung steht Änderungen der linguistischen Theoriebildung der jüngsten Zeit nahe. Wandel von Sprache wird nicht mehr beschrieben als Veränderung vorkommender Oberflächeneinheiten von Äußerungen, auch nicht in der für jede Veränderung von Oberflächeneinheiten isoliert angegebenen Veränderung von Voraussetzungen, sondern als Veränderung des Zusammenhanges der ein Kommunikationssystem bestimmenden strukturellen Voraussetzungen. In der Theorie der generativen Grammatik wird versucht, Wandel von Sprache als Wandel der zur Generierung nötigen Regelsysteme zu beschreiben[221].

Die Probleme, die sich mit der in modifizierter Form auch heute von vielen noch aufrechterhaltenen de Saussureschen Interpretation

schemes and the human capacity (resulting, partly from biological and psychological differences) for creating something unique and individualized. Change is slow when the former is stronger, rapid when the latter prevails."

221 Vgl. u. a. Morris Halle, "Phonology in Generative Grammar", in: Jerry A. Fodor and Jerrold J. Katz (Hrsg.), *The Structure of Language* (Englewood Cliffs, N. J.,, 1964), S. 344 ff.; Elisabeth Closs, "Diachronic Syntax and Generative Grammar", *Language*, XLI (1965), 402—415;

des Synchronie-/Diachronie-Verhältnisses als Abfolge von Sprachzu-
ständen ergaben, die von der Linguistik als Beschreibung der Veränderungen in einer Abfolge von sog. synchronen Schnitten abgebildet
werden[222], stellen sich damit anders. Man überlege Sachverhalte wie
den folgenden. Ein Sprecher der heutigen deutschen Sprache (S_{20})
kann Sätze (Texte) der deutschen Sprache des 17. Jahrhunderts
($= S_{17}$) verstehen. Gleichzeitig ist zu bemerken, daß ein Sprecher von
S_{20} „gewisse Schwierigkeiten" beim Verständnis von Äußerungen von
Sprechern von S_{17} hat, die er unter Umständen durch Vermutungen
auf Grund seiner Kenntnis von S_{20}, durch Nachschlagen in einem
Wörterbuch oder einer „Grammatik" oder dergl., durch Befragen
eines Fachmannes usw. zu beheben sucht. Diese Umschreibungen für
Behebung von Schwierigkeiten legen nahe, daß die Grammatiken G
(S_{20}) und G (S_{17}) einerseits insoweit übereinstimmen, daß die Beherrschung von G (S_{20}) große Teile der Aufgaben, die die Beherrschung
von G (S_{17}) leistet, auch erfüllen kann, aber mit einer gewissen Defizienz. Wandel ist als eine Beziehung zwischen Grammatiken partiell
ungleicher Kompetenz darzustellen[223]. Damit fallen die Argumente,
die Literarhistoriker gegen den Strukturalismus wegen der „Kluft",

---

Horst Isenberg, „Diachronische Syntax und die logische Struktur einer
Theorie des Sprachwandels", *Studia Grammatica*, Bd. V (Berlin, 1965),
S. 133—168; T. M. Lightner, "On the Phonology of the Old Church
Slavonic Conjugation", *International Journal of Slavic Linguistics and
Poetics*, X (1966), 1—28; Alphonse Juilland, „Perspectives du struc-
turalisme évolutif", *Word*, XXIII (1967), 350—361; Paul M. Postal,
Aspects of Phonological Theroy (New York [etc.], 1968), S. 231 ff.;
Noam Chomsky und Morris Halle, *The Sound Pattern of English*
(New York [etc.] 1968), S. 249 ff.; Paul Kiparsky, "Linguistic Univer-
sals and Linguistic Change", in: Emmon Bach und Robert T. Harms
(Hrsg.), *Universals in Linguistic Theory* (New York, 1968), S. 171—202;
Robin T. Lakoff, *Abstract Syntax and Latin Complementation* (Cam-
bridge, Mass., und London, 1968), S. 218 ff.; Robert T. King, *Historical
Linguistics and Generative Grammar* (Englewood Cliffs, N. J., 1969);
Elizabeth Closs-Traugott, "Towards a Grammar of Syntax Change",
Lingua, 23 (1969) 1—27.

222 Siehe z. B. W. P. Lehmann, "Saussure's Dichotomy between Descriptive
and Historical Linguistics", in: Lehmann-Malkiel 1968, 3—20.

223 Damit ist nur Vorläufiges ausgesprochen. Die Beziehungen zwischen
solchen Grammatiken lassen unterschiedliche theoretische Behandlung zu;
vgl. E. S. Klima, "Relatedness between Grammatical Systems", *Language*, XL (1964), 1—20.

die die de Saussuresche Synchronie/Diachronie—Dichotomie auf-
risse, erhoben haben, weg. [224].

Die Idealisierung, die die generative Grammatik bei der Beschreibung der Sprecher-Hörer-Kompetenz vornimmt, verdeckt nun eine
Voraussetzung, die man für das Verhalten von Sprechern einer Sprache, die mit Namen wie „das heutige Deutsch" oder „das Deutsch des
17. Jahrhunderts" belegt wird, sowieso machen muß, daß sie nämlich
an einem mehrdimensional partiell differenzierten System von Sprache
teilnehmen. Uriel Weinreich, William Labov und Marvin I. Herzog
haben zu zeigen versucht, daß zur Erklärung von Sprachwandel von
den Verhältnissen solcher differenzierter, nichthomogener Systeme
ausgegangen werden muß (Lehmann-Malkiel 1968, 95—195). Sprecher sind in der Lage, innerhalb eines nichthomogenen Kommunikationssystems „mehr oder weniger erfolgreich" an Kommunikation
teilzuhaben, müssen Varianzen und Defizienzen in der Kommunikation überbrücken können. Die Beobachtung der sozialen Stratifikation
von Sprache hat gezeigt, daß die Sprecher einer nichthomogenen
Sprache, über eine — in sich wieder differenzierte — Diskriminations-
und Bewertungsfähigkeit für Äußerungen innerhalb des nichthomogenen Systems verfügen[225]. Die Fähigkeit, die Varianz zwischen G
(S_{20}) und G (S_{17}) u. ä. zu überbrücken, kann damit als ein Sonderfall
einer allgemeinen Leistung von Sprechern, partielle Variation auszu-
gleichen, aufgefaßt werden. Damit ist wenigstens auf Veränderungen
in den Voraussetzungen für Textverarbeitung hingewiesen.

123. Die traditionelle Literaturwissenschaft hat wohl nicht zuletzt
aus dem Grunde es so schwer gehabt, die linguistische Diskussion des
Verhältnisses von Synchronie zu Diachronie für ihr Objekt für relevant zu befinden, daß sie nur ungenügende Vorstellungen von dem,
was als ihr Objektbereich konzipiert werden sollte, entwickelt hat.
Wenn eine Wissenschaft von Literatur erst einmal die ihr kontempo-
rären Prozesse des literarischen Lebens, d. h. im wesentlichen der Text-

224 Siehe z. B. M. B. Chrapčenko, „Typologische Literaturforschung und
ihre Prinzipien", in: Ziegengeist 1968, 34.
225 William Labov, "Stages in the Acquisition of Standard English", in:
Roger W. Shuy (Hrsg.), *Social Dialects and Language Learning: Proceedings of the Bloomington, Indiana, Conference, 1964* (Champaign,
Ill., o. J.), pp. 77—104; Götz Wienold „Einige Überlegungen zur Theorie der kontrastiven Grammatik", *FL*, V (1971), 35—43.

verarbeitung, zu ihrem Objekt macht, ist eine der sich unmittelbar anschließenden Konsequenzen eine Redefinition der Aufgaben und Probleme der sog. Literaturgeschichte. (Claudio Guillen hat schon mehrfach darauf insistiert, daß Gegenstand der Literaturgeschichte nicht Perioden, sondern das Nebeneinanderbestehen und die Konfrontation von Prozessen innerhalb von Systemen, die von der Literaturwissenschaft zu definieren seien [1971, 420 ff., 473 ff.], wenn er auch in der Entwicklung einer Beschreibungssprache kaum eigene Schritte geht.) Wir können Wandel in diesem Bereich in dieser vorläufigen und programmatischen Studie zunächst nur so aufschließen, daß wir einige grobe Parameter für den Strukturierungswandel entwickeln (Wienold 1971 a, 176 ff.). Die folgenden Gesichtspunkte haben sich in bisherigen Überlegungen als berücksichtigenswert erwiesen:

Streubarkeit,

Verfügbarkeit,

Stabilisierbarkeit,

Kombinierbarkeit,

Objekt-Text-Transformierbarkeit.

Diese Kategorien sind nicht unabhängig voneinander, bezeichnen aber unterschiedliche Aspekte der Veränderung von Textstrukturierungen. Die Kategorien sollen keine abgeschlossene Liste sein.

,Streubarkeit' bezieht sich auf die Möglichkeit, Teilnehmer eines Textes zu sein. Ein mündlicher Text, durch Radiowellen verbreitet, kann mehr Teilnehmer und Teilnehmer in größerer Entfernung erreichen, als ein mündlicher Text, der nur durch die von der menschlichen Artikulation erzeugten Schallwellen verbreitet wird. Ein mündlicher Text, auf Magnetband konserviert, erreicht Teilnehmer zu unterschiedlichen Zeiten.

,Verfügbarkeit' bezieht sich auf die Möglichkeit für Teilnehmer, Zugang zu Texten zu haben. Texten, deren Repräsentationen im Druck standardisiert sind, setzen weniger Spezialkenntnisse voraus als solche, deren Repräsentation in individuellen Handschriften stärker voneinander abweichen kann. Daß diese Kategorie nicht die gleiche wie ,Streubarkeit' ist, kann man daran sehen, daß eine Fotografie einer Handschrift Texte stärker streubar macht, ohne dabei den mit der Handschriftlichkeit gegebenen Verfügbarkeitsgrad aufzuheben.

,Stabilisierbarkeit' betrifft den Grad der Permanenz von Texten. Alltägliche Texte sind meist relativ instabil, sie brauchen nicht wiederholt zu werden. Grundsätzlich sind sie allerdings auch verarbeitbar, indem sie im Gedächtnis gespeichert und bei Bedarf in mehr oder weniger verarbeiteter Form wiedergegeben werden können. In mündlich tradierter Dichtung erreichen Texte, die nach Streubarkeit und Verfügbarkeit sich nicht von anderen durch die Mithilfe der menschlichen Stimmorgane produzierten Texten unterscheiden, eine relativ große Stabilität.

,Kombinierbarkeit' betrifft die zur Verfügung stehenden Möglichkeiten, mehrere Repräsentationsformen für Texte miteinander in Texten zu verbinden. Mit steigender Möglichkeit der technischen Konservierung und Reproduktion von Repräsentationen von Texten erweitern sich die Möglichkeiten für unterschiedliche Sorten von Kombinationen von Repräsentationen. Jedesmal wenn mehr als eine Repräsentation zur Verfügung steht, z. B. Schrift und Bild, ist die Möglichkeit der Kombination gegeben, die somit nicht mit der Streubarkeit, Verfügbarkeit, Stabilisierbarkeit der Teil-Repräsentationen zusammenfällt.

,Objekt-Text-Transformierbarkeit' schließlich bezieht sich auf die Möglichkeit bisher nicht zeichenwertig gewordener Objekte, Zeichencharakter anzunehmen. Da grundsätzlich alles Zeichen werden kann, ist auch diese Kategorie grundsätzlich unabhängig von den anderen genannten anzusetzen.

Diese Aufstellungen fassen nur Bekanntes zusammen. Es ist selbstverständlich, daß mit ihnen allein nur relativ grobe, allerdings wichtige Aussagen über den Strukturierungswandel gemacht werden können. Interessanter wird es schon, wenn man den Blick auf die verschiedenen Formen des Zusammenwirkens dieser Aspekte lenkt. Dabei muß zunächst gesagt werden, daß ein Strukturierungswandel nicht in einsinniger Entwicklung innerhalb der verschiedenen Kategorien zu erwarten ist, also etwa vom weniger Streubaren zum mehr Streubaren, vom weniger Kombinierbaren zum mehr Kombinierbaren. Nichtkombinierte Texte z. B. können nicht als eine empirisch zu rekonstruierende notwendige Vorstufe von kombinierten Texten angesetzt werden. Für die „Dichtung" kulturgeschichtlich auf früher Stufe stehender Gruppen ist häufig die Kombination der drei Medien Sprache, Musik und Tanz behauptet worden[226].

226 Vgl. C. M. Bowra, *Primitive Songs* (Cleveland und New York, 1962) S. 28 ff.

124. Die grobe Vorstrukturierung des Strukturierungswandels durch die fünf skizzierten Kategorien gibt zwar einen Überblick über wichtige Phänomene, läßt aber weite Felder kaum strukturiert. Wir wollen wenigstens andeutungsweise zeigen, wie auch spezifischere Strukturen der Textproduktion und -rezeption und deren Wandel in Abhängigkeit von den genannten Kategorien erfaßt werden können. Daß das hier nur andeutungsweise geschehen kann, liegt an der geringen und wenig systematischen bisherigen Forschung in diesem Bereich. So sind zwar im groben bekannt und auch im Detail beachtet Aspekte der graphischen Repräsentation von Sprache und deren Wandel bei Änderungen der Repräsentation in bezug auf Streubarkeit, Verfügbarkeit, Stabilisierbarkeit (Druck)[227]. Aber es existiert kein Modell, das systematisch wechselseitige Abhängigkeiten solcher strukturellen Veränderungen abbilden könnte. Auch die traditionelle Sprachgeschichte[228] hat ja auf engerem Bereich, höchstens bis zur Satzgrenze blickend, hier unsystematisch verfahren; denn erst die linguistische Behandlung von Fragen der Sprachplanung hat solche Kategorien wie die ‚Graphisierung‘ einer Sprache, ‚Standardisierung‘, ‚Modernisierung‘ (z. B. auf dem Wege der Terminologisierung oder der Internationalisierung von lexikalischen Einheiten in Sprachkontakten) als systematischen Charakters für den Wandel von Sprache herausgestellt[229]. D. h. erst wenn Verhalten von Sprechern, die Probleme, die sie dabei zu lösen haben, und die Lösungen, die sie finden bzw. die ihnen angeboten werden können, zum Gegenstand linguistischer Theorie werden, erschließt sich dieser Bereich.

Der Erwerb des Lesen- und Schreibenkönnens in größeren Teilnehmergruppen eines Kommunikationssystems, in dem bislang graphische Repräsentation von Sprache entweder gar nicht bekannt oder nur geringen Gruppen zugänglich war — wir wollen diesen Vorgang

---

227 Vgl. z. B. die Übersicht bei Joyce O. Hertzler, *A Sociology of Language* (New York, 1965), S. 441 ff.

228 Vgl. jedoch eine Arbeit wie A. C. Partridge, *Tudor to Augustan English: A Study in Syntax and Style from Caxton to Johnson* (London, 1969).

229 Die Kategorien ‚Graphisierung‘, ‚Standardisierung‘, ‚Modernisierung‘ nach Charles A. Ferguson, "Language Development", in: Joshua A. Fishman et al. (Hrsg.), *Language Problems of Developing Nations* (New York [etc.], 1968), S. 27—35.

‚Literarisierung' nennen[230] —, bezieht sich zunächst auf die Erweiterung der Möglichkeiten von Textproduktion und -rezeption (nach den eingangs skizzierten fünf Kategorien). Zwar gehen die davon abhängigen strukturellen Wandlungen von der Textebene hinab bis zur Repräsentationsebene, wo sich etwa die phonische Repräsentation in Abhängigkeit von der graphischen Repräsentation ändern mag *(spelling pronunciations)* etc. Doch der originäre Wandel betrifft die neuen Textproduktions- und Rezeptionsmöglichkeiten und -probleme.

125. Wir wollen diesen Wandel als Wandel von Formulierungsverfahren, die die Erzeugung und Erkennung von sprachlichen Äußerungen auf der Textebene steuern, beschreiben. Eine mündlich tradierte Literatur[231] verfügt über Formulierungsverfahren, die den relativ direkten Kontakt zum Rezipienten sichern, die vorkommende Mißverständnisse korrigieren etc. Eine schriftlich tradierte Literatur muß den geringeren oder gar nicht vorhandenen Feedback ersetzen durch den Einbau zusätzlicher Formulierungsverfahren. Auf der anderen Seite kann ein als Buch verbreiteter Text so formuliert werden, daß dem Rezipienten zugemutet werden kann, vor- und zurückzublättern. In graphischer Repräsentation verbreitete Texte können — zusätzlich zur oder in Ersetzung von der Metrik phonischer Segmente — eine Metrik graphischer Segmente erhalten, in der z. B. eine zusätzliche Bedeutung formuliert werden kann (Simias u. a. in den *Bucolici Graeci*, George Herbert, Arno Holz, Mallarmé, Apollinaire,

---

230 Die Literatur bezieht sich zumeist auf den Erwerb einer ‚functional literacy': William S. Gray, *The Teaching of Reading and Writing* (Paris: UNESCO, 1956); Everett M. Rogers, "Mass Media Exposure and Modernization among Columbian Peasants", *POQ*, XXIX (1965), 614—624; F. B. Waisanen und Jerome T. Durlak, "Mass Media Use, Information Source Evaluation and Perception of Self and Nations", *POQ*, XXXI (1967), 400 f.; Detlev Bald, „Geschichte, Aufgaben und Probleme der Massenmedien im politisch-kulturellen Wandlungsprozeß Schwarzafrikas", *Publizistik*, XIV (1969), 47—71.

231 Vgl. Melville Jacobs, *The Content and Style of an Oral Literature: Clackamas Chinook Myths and Tales* (Chicago, 1969); James A. Notopoulos, "Studies in Early Greek Oral Poetry", *Harvard Studies in Classical Philology*, LXVIII (1964), 1—77; Dundes 1965, 231 ff.; Ruth Finnegan, *Limba Stories and Story Telling* (Oxford, 1967); Nora K. Chadwick und Viktor Zhirmunski, *Oral Epics of Central Asia* (Cambridge, 1968); Finnegan 1970; Wienold 1971 a, 86 ff., 140 ff., 180 ff.

Konkrete Dichtung). Wenn Filme einmal so verfügbar sein werden, daß man sie, wie man Bücher hin- und herblättert, hin- und zurückspult, werden Filme andere Formulierungsverfahren entwickeln, um diese neuen Komplexionsmöglichkeiten auszunutzen. Die Verarbeitung eines Dramas für das Fernsehen erlaubt es, das immer gleiche Gesichtsfeld eines Zuschauers während einer Aufführung zu verändern: Entfernung vom Objekt (Text), Perspektive, Beleuchtung usw. können variieren. Etwas, was im Theater durch szenisches Arrangement formuliert wird, kann z. B. im Fernsehen durch Schnitt zur Großaufnahme formuliert werden[232]. Gerhard Rühms *DA*[233] benutzt zur Konstruktion einer Gattung ‚Buchstabengeschichte' Formulierungsverfahren der Anordnung von Graphen auf einer Fläche, der Deformation von Graphemen zur Formulierung eines durch Buchstaben gebildeten Bildteiltextes und Formulierungsverfahren der Kombination von Sprach- und Bildteiltexten, die Zügen der Bildteiltexte Bedeutungen zuordnen. Texte, die in der Verwendung von lexikalischen Einheiten terminologisch stabilisiert sind, erfordern bei der Verarbeitung ‚Übersetzung' spezielle Verfahren der stabilisierenden Terminologisierung in der Zielsprache[234]. Es erscheint also möglich, in Abhängigkeit von den genannten und eventuell weiteren Kategorien des Strukturierungswandels Wandel von Strukturen der Textproduktion und Textrezeption als Wandel von Formulierungsverfahren zu beschreiben.

3.2.5 Rezipientenengagement und Textverarbeitung

126.   Die vorläufige Liste von Kategorien des Strukturierungswandels hat etwas Beliebiges an sich. Diese Beliebigkeit wird dann abnehmen, wenn es, wie zuletzt angedeutet, gelingt, Strukturierungsverfahren in der Beschreibung von Textverarbeitung und Kategorien des Wandels miteinander zu verknüpfen. Die Strukturierung des Rezi-

---

232 Vgl. Saad R. Elghazali, *Literatur als Fernsehspiel* [Anm. 184], S. 48 f., 65.
233 Gerhard Rühm, *DA: Eine Buchstabengeschichte für Kinder* (Frankfurt am Main, 1970).
234 Material hierzu findet sich in Rudolf Walter Jumpelt, *Die Übersetzung naturwissenschaftlicher und technischer Literatur: Sprachliche Maßstäbe und Methoden zur Bestimmung ihrer Wesenszüge und Probleme* (Berlin, 1961, S. 141 ff.).

pientenengagements über eine Beschreibung von Texteigenschaften
hatte deshalb ausdrücklich als Bedingung zu erfüllen, in solche Text-
verarbeitungsanalysen eingehen zu können [§ 76]. Sonst ist das
analytische Instrumentarium innerhalb einer Semiotik der Literatur
nicht brauchbar. Auch die Frage nach Textsorten ist ähnlich gelagert:
Nur eine Klassifizierung von Merkmalsmengen, die Aussagen über
Rezipientenverhalten wie Textverarbeitungsprozessen erlaubt, ist für
die Analyse von Kommunikation über Literatur brauchbar [§ 91].

Elementare textverarbeitende Prozesse ‚T$\xrightarrow{\quad}$pT' wird man
als Konstanten im Wandel von Strukturierungsverfahren festhalten.
Die Verarbeitungsoperationen in weiterer Auffächerung, wie sie in
Teilen skizziert worden sind, werden von den Kategorien des Struk-
turierungswandel unterschiedlich affiziert. D. h. die Variablen von
‚T$\xrightarrow{\quad}$vT' sollen auch als durch Wandel variierbar gelten. Die
Kategorien des Strukturierungswandels lassen sich dabei in ein mehr-
faches Verhältnis zu den Verarbeitungsoperationen setzen. Z. B.:

1. Der Strukturierungswandel erschließt zusätzliche Verarbeitungs-
modi, die bisherige ersetzen oder erweitern; d. h. Rezipientenengagement wird steuerbarer, breiter oder auch durchschaubarer,
wenn Teilnehmer in die Mechanismen der Verarbeitungsprozesse
einwirken können.

2. Mögliches Rezipientenengagement kann von Textproduzenten
unterschiedlich ausgenutzt werden.

Bei der Besprechung von Science Fiction-Texten hatte sich angedeutet, daß heute Science Fiction bevorzugt wird, dessen Horror
meist nicht (oder nur bedingt) durchschaubar ist bzw. durchschaubar
gemacht wird, während Jules Verne seinen Lesern eine Erklärung
des Horrors anbot [§ 87]. Wenn man hierin einen für die Kommunikation über Literatur bedeutsamen Wandel sieht, müßte zu zeigen
sein, daß Durchschaubarkeit bzw. Nichtdurchschaubarkeit über verschiedene Rezipientenengagement (z. B. thematische Inferenz) zu
unterschiedlichen Verarbeitungen führt: z. B. in der Verbalisierung
von Inferenz in weiterer Kommunikation.

127. Wenn solche Behauptungen einen wissenschaftlichen Sinn haben
sollen, benötigt die Theorie der Textverarbeitung eine Methodik, die
Aussagen über Rezipientenverhalten überprüfbar macht. Sie müßte
z. B. erlauben anzugeben, wann zwei Verhalte (zwei Manifestationen
in Verarbeitungen) als unterschiedlich gelten sollen; ob beispielsweise

Leser von durchschaubarer Science Fiction unter kontrollierten Bedingungen andere Aussagen über Beurteilung von Situationen machen als Leser von nichtdurchschaubarer Science Fiction; ob unterschiedliche Spannungspotentiale unter kontrollierten Bedingungen zu unterschiedlichen Auswirkungen auf Affekte oder Einstellungen führen; ob Rezipienten von Texten mit bestimmten Eigenschaften sich eher zu bestimmten Handlungen hinreißen lassen usw.

D. h. wir stellen die Frage nach den empirischen Überprüfungsmöglichkeiten [§§ 103 f., 156 ff.]. Diese Möglichkeiten sind derzeit außerordentlich beschränkt. Und die Gedanken dieses Buches sind, obwohl sie durchaus sich auf ein solches Ziel hinbewegen möchten, noch weit davon entfernt, die entsprechende Methodologie hier anbieten zu können.

Das liegt einmal am Stand der Daten, die verfügbar zu machen sind. Zwar sind aus vielfachen Ansätzen Möglichkeiten für weitere Forschungsarbeit zu extrapolieren, sonst könnte vieles hier gar nicht geäußert werden. Doch sind die Materialien allermeistens sehr beschränkt. Es ist ja noch nicht einmal klar, welche Sorten von Daten in welcher Beschreibungssprache gebraucht werden.

128.   Wenn wir also als Vorarbeit jetzt noch auf Datenbereiche zu sprechen kommen, muß vorgängig noch einmal der intendierte Objektbereich deutlich gemacht werden. Objektbereich sind hier nicht mehr Texte, schon gar nicht Texte in Buchform. Objektbereich ist das Gesamt der Verarbeitungsprozesse über Texte. Auch Literatur konventionelleren Verständnisses, die unter den hier besprochenen Formen von Verarbeitung nicht als ‚vT‘, sondern nur als ‚T‘ erscheint — etwa in der Schemata 5, 6, 7 —, wird nicht als originäre Einheit begriffen. Originalität wird mit Bezug auf ein System von Formulierungsverfahren beschrieben. Man kann dann u. U. hoffen, Textreihen — Oeuvres oder Teile von Oeuvres, Gattungen oder Teile von Gattungen, Texte eines Zeitabschnittes oder Teilmengen solcher Texte — mit Bezug auf ein solches System von Formulierungsverfahren charakterisieren zu können. Auf Beschreibung von Wandel absehend, könnte man u. U. hoffen zu zeigen, wie Texte einer solchen Textreihe in einer zu spezifizierenden Verarbeitungsrelation zueinanderstehen.

Das ist aber, solange man sich an Klassenbildungen, wie sie die konventionellen Literaturverständnisse aufweisen, hält, nur ein Extrakt aus sehr verwickelteren Verhältnissen von Verarbeitungsprozessen. Diese haben sich zu solchen Klassen erst unter bestimmten Verarbeitungsprozeduren herausdestilliert.

129. Zur Erschließung von Daten wird man gerade solche Prozesse, die die unüberschaubare Verwickeltheit der Verarbeitungsprozesse für Teilnehmer strukturieren, genauer anschauen müssen. Man trifft hier auf ein Moment, das in den bisherigen Überlegungen noch kaum berührt worden ist. Bestimmte Prozesse der Textverarbeitung heben einen Wandel, der stattgefunden hat, partiell auf. Übersetzungen, Adaptionen, Anthologien, historisch-chronologische Darstellungen von Texten und Autoren (,Literaturgeschichten') dienen der ,Synchronisierung' vergangener Literatur, machen diese — durch Zulieferung von Strukturierungshilfen — wieder rezipierbar. Vielleicht kann man von hier aus den um Literatur bemühten Soziologen[235] das Angebot einer besseren Erschließung des Objektbestandes als durch Kategorien wie ,Werk', ,Autor', ,Periode' usw. machen [§ 25 f.]. Die Aufhebung der grundsätzlichen Trennung von Literaturwissenschaft und Literatursoziologie, die sonst schon gefordert worden ist (Höhle 1966, 482 f.), scheint in einem solchen Rahmen lösbar.

Als weitere Aufgabe stellt sich damit die Analyse der Strategien, über die Textverarbeitungsprozesse in der Gesellschaft gesteuert werden. Kanones aller Art, Kodifikationen, Repertoires, Textselektionen in Programmen textdisseminierender Institutionen wie Presse, Rundfunk, Fernsehen, Videotape sollten gezielt unter Gesichtspunkten analysiert werden, die die Beteiligung an den Strukturierungsmöglichkeiten in stratifizierten, nichthomogenen Kommunikationssystemen erfassen. Die Literaturdidaktik hat hier einen prominenten Stellenwert [§ 112].

Um die Probleme der Datenerschließung ein wenig weiter behandeln zu können, werden also im folgenden einige Momente der Textverarbeitung noch näher skizziert: das Verhältnis von Produzenten und Rezipienten im Komplex von Verarbeitungsprozessen, und Synchronisierung und Kodifikation.

---

235 Vgl. die Übersicht bei Dietrich Sommer, „Entwicklungstendenzen der bürgerlichen Literatursoziologie", *Wissenschaftliche Zeitschrift der Martin-Luther-Universität Halle-Wittenberg,* Gesellschafts- und sprachwissenschaftliche Reihe, XV (1966), 463—476.

3.3. Über Daten des literarischen Lebens

130. Wenn man davon ausgeht, daß über das literarische Leben als Komplex von Textverarbeitungsprozessen relativ wenig bekannt ist, fragt man am besten gleich, warum dem so ist. Denn für bestimmte Bereiche stehen durchaus Informationen auch über länger zurückliegende Perioden bereit, z. B. über Druck und Verbreitung von Büchern[236]. Derartige Arbeiten stellen nun zwar interessante Grundinformationen zum literarischen Leben dar, greifen aber wenig auf den Bereich der Textverarbeitung über. Dieser Bereich scheint vor allem deshalb so wenig auch nur durch brauchbare Daten erschlossen, weil die Kommunikationssituation gründlich verkannt wird. Nicht nur in der Literaturgeschichte findet man nämlich die Auffassung, daß das Verhältnis von Autor und Leser die elementare Kommunikationssituation in der Literatur sei [§ 114], sondern auch in literatursoziologischen Arbeiten[237].

Selbst bei Urs Jaeggi, der zweifellos mehr an Reflexion aufzuweisen hat, ist das Verhältnis Autor: Leser anscheinend ein solches Grundverhältnis. Er überschreibt seine Arbeit: „Lesen und Schreiben: Thesen zur Literatursoziologie" (Jaeggi 1970). Die Opposition von autonomen Kunstwerk und außerliterarischen Aspekten, die Jaeggi aus bisheriger auch soziologisch orientierter Diskussion über Literatur bezieht, scheint auf diese undiskutiert übernommene Annahme eines Grundverhältnisses Autor — Leser in der literarischen Kommunikation zurückzugehen (157 ff.). Sicher kann man auch soziologisch interessante Aussagen über Schriftsteller machen, Aussagen über Zwänge, unter denen sie arbeiten, über Möglichkeiten, mit denen sie arbeiten können usw. Sicher kann man auch soziologisch inter-

---

236 Vgl. z. B. B. D. Richard Altrick, *The English Common Reader: A Social History of the Mass Reading Public 1800—1900* (Chicago, 1951); H. S. Bennett, *English Books and Readers 1558 to 1603* (Cambridge, 1965); Hellmuth Lehmann-Haupt, *The Book in America: A History of the Making and Selling of Books in the United States* (New York, 1952); Dan Lacy, "The Economics of Publishing, or Adam Smith and Literature", in: Albrecht 1970, 407—427; Escarpit 1965 (Anm. 73).

237 Vgl. z. B. Marta Mierendorff und Heinrich Tost, *Einführung in die Kunstsoziologie* (Köln, 1957); Hans Norbert Fügen, *Die Hauptrichtungen der Literatursoziologie* (Bonn, 1964); Ute Glockner, *Literatursoziologische Untersuchung des Thailändischen Romans im XX. Jahrhundert* (Freiburg, 1967).

essante Aussagen über Leser machen, über Leserrollen, über Erwartungen an Leser, über Erwartungen an Schriftsteller durch Leser usw., über Erwartungen an Schriftsteller durch Kritiker, über Erwartungen an Leser durch Kritiker usw. Indessen setzt alles das voraus, daß man zunächst wenigstens einmal in einem vereinfachten Modell abbildet, wie man sich literarisch-kommunikative Vorgänge, über die man literatursoziologisch zu handeln denkt, überhaupt vorstellt. Oder man müßte sagen, daß man über literarische Kommunikation nicht sprechen will, sondern über anderes, dann darf man jedoch fordern, daß hierfür eine Begründung geliefert wird. Man wird nicht ein vorkommendes Bild von Literatur übernehmen dürfen, um darauf die Analyse der kommunikativen Prozesse über Literatur aufzubauen.

Das Studium der Massenmedien hat gezeigt, daß die Beziehung von Autor und Leser nur eine von ganz vielen und im Grunde eine nur geringe Rolle spielende Beziehung ist. Es ist ja erstaunlich, daß Vorgänge, wie die Synchronisierung von früher produzierter Literatur, Sammlung, Selektion, Katalogisierung, Kanonisierung, Kodifikation, Repertoirebildung usw. in die an dem Verhältnis Autor — Leser orientierten literatursoziologischen Arbeiten überhaupt nicht eingehen. Traditions- und Kodifikationsprozesse hemmen die Kommunikation mit Literatur, die zum gegenwärtigen Zeitpunkt produziert wird. Traditions- und Kodifikationsprozesse steuern die Erwartungen, die Verarbeitungsmöglichkeiten, die Leser und neu das Lesen Lernende haben und auf Dauer ausüben können. Es scheint, daß erst aus dem Studium der Massenmedien sich entsprechende Modellvorstellungen ergeben. z. B. in der Filmsoziologie von George A. Huaco (Albrecht 1970, 549 ff.)[238].

131. Die Semiotik der Literatur, die wir hier in einer gewissen Systematik entwickeln wollen, ist keine Literatursoziologie. Sie interessiert sich aber natürlich dafür, wie Literatursoziologen oder literatursoziologisch interessierte Autoren die kommunikativen Prozesse in der Literatur, die ihren Arbeiten zugrunde liegen, auffassen. Und sie interessiert sich dafür, ob es nicht in der Soziologie selbst auch Anstöße geben könnte, den Objektbereich ‚Literatur‘ anders zu bestim-

---

238 Vgl. die Literaturübersicht bei Alfons Silbermann und Heinz Otto Luthe, „Massenkommunikation", in: René König (Hrsg.), *Handbuch der empirischen Sozialforschung*, Bd. II (Stuttgart, 1969), S. 684 ff.

men, als es bisher üblich gewesen ist. Gerade weil im Textverarbeitungsmodell der Ansatz nicht von Autoren, Texten, bestimmten Aussagen, die formuliert vorliegen, ausgeht, sondern von Prozessen, die bei der Kommunikation über Literatur stattfinden, kann man von hier aus eine Neuorientierung eines Bereichs von wissenschaftlicher Aktivität erwarten.

In dieser Situation lohnt es sich, den Blick auf die Verhältnisse in der Massenkommunikation fortzusetzen. Die Verhältnisse sind dort so offensichtlich kompliziert, daß man von einer einfachen Beziehung zwischen Autor und Leser oder Produzent und Rezipient gar nicht sprechen kann. Es sind so viele Vermittler und Verarbeiter eingeschaltet bzw. nebeneinander beteiligt, und die Kommunikatoren, die dem Rezipienten ins Auge fallen, sind häufig oder in der Großzahl der Fälle nicht die gleichen wie die Autoren der übermittelten Texte. So kommt hier kaum jemand auf den Gedanken, ein Verhältnis Verfasser/Rezipient zum Ausgangspunkt der Analyse der kommunikativen Vorgänge in den Massenmedien zu machen. Die soziologische Erforschung der Massenkommunikation und ihrer Bedingungen ist natürlich wesentlich weiter gespannt als unsere Fragestellung nach einer Grundlegung der strukturellen Voraussetzungen für Kommunikation in den Massenmedien. Für die weitergehenden soziologischen Darstellungen vergleicht man am besten den Überblick von McQuail 1969. Geradezu toposhaft findet man bei ihm die Rede von der Unpersönlichkeit der Beziehungen zwischen Kommunikatoren und Rezipienten (1969, 9). Die soziologische Erforschung der Auditorien von Massenkommunikation (*audience research*) zeigt die Verflechtung vielfältiger Beteiligungen von Kommunikatoren an Massenkommunikation. Ihre Vermittlungs- und Verarbeitungstätigkeit ist Hauptbestandteil der strukturierenden Faktoren in solchen massenkommunikativen Vorgängen.

In diesem Zusammenhang ist noch einmal auf die große Bedeutung der *two-step flow hypothesis* von Katz und Lazarsfeld zurückzukommen [§ 114]. Die von Katz und Lazarsfeld herausgehobene wichtige Schaltstelle der Vermittler und Verarbeiter in der Kommunikation könnte unserer Ansicht nach einen geradezu befreienden Effekt auf übliche Vorstellungen von literarischer Kommunikation ausüben: In der Auditorien-Forschung innerhalb der Massenkommunikationsforschung sind Autoren von einem ausgesprochen geringen Interesse. Viel stärker stehen im Vordergrund die Vermittlungsfunktionen der verschiedenen Schaltstellenverarbeiter oder wie immer man sie nennen will. Besonderes Interesse hat der sogenannte *Gate-Keeper* gefunden, der die entscheidende Selektion der zu vermittelnden Information übernimmt (McQuail 1969, 64 ff.). Brouwer 1970 schlägt vor, die informelle Kommunikation, die in Unterhaltungen und ähnlichen Kontakten stattfinde, als fundamental für Prozesse von Massenkommunikation anzusehen. Des weiteren regt er an, Einheiten — wie Fernsehprogramme etc. — auf ihrem Weg durch solche Kommunikationsprozesse zu verfolgen.

132. Man wird bemerken, daß sich in diesen Darstellungen der letzten Seiten stillschweigend und unter der Hand der Begriff von Literatur genau wie früher verschoben hat. Wir waren ausgegangen von soziologischen Überlegungen zur Literatur und zur Literaturkommunikation und hatten dabei uns an Darstellungen orientiert, die genau so stillschweigend und unter der Hand einfach traditionelle und kodifizierte Literaturverständnisse zugrunde gelegt hatten und diese nicht befragt haben. Dann waren wir übergegangen zu Verhältnissen der Massenkommunikation und hatten dort ganz genau so selbstverständlich akzeptiert, daß dort zunächst einmal gar keinerlei Unterschiede zwischen verschiedenen Sorten vermittelter Texte und bestimmten Wertvorstellungen in der Gesellschaft hinsichtlich der übermittelten Texte gemacht werden. Es zeigt sich erneut, daß Wertklassifikationen, Kodifikationen, Traditionen usw. nicht einfach in irgendeiner Form von Literaturforschung übernommen werden sollten, sondern daß man es gerade zum Objekt machen muß, solche Wertungs-, Kodifikations- und Traditionsvorgänge mitbeschreiben zu können und Erklärungen für ihr Vorkommen und die Bedingungen ihrer Veränderung zu finden.

Der Vorwurf, der gelegentlich immer wieder noch von Literaturwissenschaftlern gegenüber strukturalistischen, z. B. linguistischen Ansätzen der Literaturanalyse erhoben wird, daß solche strukturalistisch orientierte Ansätze nicht die „inhärenten" Werte von Literatur und ihrer kulturellen Einschätzungen mitbeschreiben und miterklären könnten, überläßt sich ganz selbstverständlich den Voraussetzungen bestimmter Werte und Traditionen und fühlt sich in keiner Weise gebunden oder aufgefordert, Erklärungen für das Vorkommen solcher Wertungen zu finden. Eine solche Auffassung, wie sie z. B. noch bei Uitti 1969 zu finden ist (254 ff.), erübrigt damit jede weitere Diskussion in unserem Zusammenhang. D. h. wir gehen davon aus, daß Werte nicht am Objekt aufzufinden sind, sondern daß Werte auf Grund der Kontexte, in denen Objekte vorkommen, zu erklären sind [§ 118]. Es ist ganz entscheidend, an dieser Stelle zu sehen, daß damit die Veränderung und die Veränderbarkeit von Wertvorstellungen in literarischer Kommunikation der Beschreibung zugänglich gemacht werden soll. Man könnte sich überlegen, daß gerade hier entscheidende Ansätze für eine semiotische Literaturforschung liegen, die für weitergehende, praktisch überaus relevante Fragestellungen ausgebaut werden sollten.

In diesem Zusammenhang werden Studien wie die von M. U. Martel und G. J. McCall besonders interessant, die gezeigt haben, wie der Wandel von Inhalten von Erzählungen in Massenpublikationen und der Wandel des Publikums dieser Publikationen zusammenhängen (Martel — McCall 1964). Dieser Ansatz ist um so bemerkenswerter als er nicht, wie auch sonst schon geübt, Wertvorstellungen in der Literatur mit kulturellen Kontexten vergleicht, dabei aber die traditionelle Wertordnung der Literatur aufrechterhält[239]. Arbeiten zur sog. Trivialliteratur wie Davids 1969 sind ja aus dem Grund interessant, weil sie der Datenkenntnis auf diesem Gebiet wenigstens etwas auf den Weg helfen. Martell-McCall 1964 arbeiten allerdings mit methodisch sichererem Instrumentarium. Man darf dann auch bemerken, daß die ästhetischen Werte, die Literaturkritiker häufig herauszufinden suchen oder herauszufinden zu suchen vorgeben, präskriptive Werte sind, d. h., daß es sich nicht um Werte handelt, die empirisch in irgendeiner Weise am Verhalten oder an Folgen von Verhalten von Rezipienten orientiert sind. Das wird besonders deutlich, wenn man sich Arbeiten anschaut, die wie die von Elihu Katz den Gebrauch, den Rezipienten von Texten machen, und die Gratifikationen, die Rezipienten von Texten erlangen oder zu erlangen suchen, erkunden[240].

---

239 Vgl. z. B. Howard Lee Nostrand, "Literature in the Describring of a Literate Culture", in: Albrecht 1970, 562—573; grobe Vorstellungen vom Wandel in Literatur, wie ihn Martel und McCall vorführen, gibt bereits Harold H. Punke, "Cultural Change and Changes in Popular Literature", *Social Forces*, XV (1937), 359—370.
240 Elihu Katz, "Mass Communication Research and the Study of Culture", *Studies in Public Communication*, II (1959), 1—6; vgl. die Übersicht bei McQuail 1969, 71 ff.

133. Schreibende, bei denen man denken möchte, daß sie wesentlich direkter mit ihren Lesern kommunizieren als Schriftsteller, Schreibende wie Journalisten haben praktisch bemerkt, daß sie vielfach „ins Leere" kommunizieren. Die Kommunikation über das, was sie schreiben, findet wesentlich in der Redaktion statt. Die Redaktion stabilisiert folgerichtig häufig die Einstellungen und Wertungen, denen der Journalist in seiner schreibenden Tätigkeit folgt[241], wie festgestellt worden ist, daß fehlender Feedback Zweifel am Erfolg der Kommunikation beim Kommunikator auslöst[242].

Wie Wertungen als Textverarbeitungsoperation in die kommunikativen Prozesse eingreifen, kann also auch erst ersichtlich werden, wenn die einfachen Vorstellungen der Autor-Leser-Kommunikation in der Literatur aufgegeben werden. Wertungen sind wie Kodifikationen, Kanonisierungen und dgl. eingeschaltete Operationen, die für die Rezipienten und ihre Verarbeitungsoperationen wesentlich wichtiger werden als für die Autoren.

134. Wertung und Kodifikation haben die Funktion der Kollektion von Texten für Teilnehmer — das ist vor allem in der literaturgeschichtlichen Arbeit häufig eine wichtige Funktion gewesen. Weiter haben sie die Funktion der Selektion von Texten für Teilnehmer und der ihrer Mediation, z. B. durch beigegebene Bedeutungsfestlegungen. Die Ausbildung von Lehrerstudenten in der Interpretation würde gar nicht die Rolle spielen können, die sie heute hat, wenn nicht mit der Kollektion und Selektion in der Literaturtradierung durch Schule und Universität die Festlegung von Bedeutungen von Texten gekoppelt wäre [§§ 30, 88, 118].

Diese Funktionen treten in verschiedene Prozesse der Textverarbeitung und Übermittlung ein, von denen diejenigen der Kodifikation und der Synchronisierung hier wegen ihrer Bedeutsamkeit eigens besprochen werden sollen. In Synchronisierung und Kodifikation sind

241 Günter Kieslich, „Ein Beruf ohne Berufsbild: Gedanken zur Ausbildung von Journalisten", in: Fritz Hufen (Hrsg.), *Politik und Massenmedien: Aktuelle Themen eines ungeklärten Verhältnisses* (Mainz, 1970), S. 305.
242 Harold J. Leavitt und Ronald A. H. Mueller, "Some Effects of Feedback on Communication", *Human Relations,* IV (1951), 401—410. Vgl. auch Leonhard W. Doob, *Communication in Africa: A Search for Boundaries,* 2. Auflage (New Haven und London, 1966), S. 343 ff.

Funktionen wie Selektion, Kollektion und Mediation immer enthalten, doch Kodifikation und Synchronisierung sind sozusagen Knotenpunkte im literarischen Leben. Hier summieren sich Verarbeitungsaktivitäten und zentrieren sich Steuerungen für literarisches Leben. Hier wird etwas von den dynamischen Elementen sichtbar, die strukturellen Wandel und Textverarbeitung einer analytisch-empirischen Forschung zugänglich zu machen verdienen.

135. Unter *Kodifikation* verstehen wir dabei genauer solche Verarbeitungsvorgänge, die aus einer gesammelten Menge von Texten eine bestimmte Auswahl treffen und diese in eine bewertete Gruppierung bringen. Das Auswahl- und Rezeptionsverhalten anderer Beteiligter am literarischen Leben, die keine solche Schaltstelle der Kodifikation innehaben, orientiert sich an solchen Auswahl- und Gruppierungsvornahmen durch Kodifikatoren und soll sich daran orientieren. Besonderer Gegenstand von Untersuchungen könnten sein Klassikerkodizes, Theaterrepertoires, Zitatenschätze, Anthologien von Lyrik und anderen Texten usw. Wenn man sich solche Kodifikationen anschaut, wird man gleich sehen, daß sie meistens auch von mediatorischen Funktionen begleitet sind, die sich in Nachworten, Vorworten, Kommentaren, Erläuterungen usw. äußern.

Unter *Synchronisierung* wollen wir solche Verarbeitungsvorgänge verstehen, die aus einer gesammelten Menge von Texten solche auswählen, die einer gewissen Schwierigkeit der Kommunikation unterliegen, weil bestimmte Voraussetzungen für die Rezeption nicht gegeben sind, und solche Voraussetzungen schaffen, indem sie Erläuterungen, Kommentare beigeben, aber auch in „Texte" „eingreifen", indem sie sie bearbeiten, modernisieren, oder indem sie Neufassungen älterer Texte oder Übersetzungen von Texten liefern. Ähnliche Ausgleichsvorgänge können natürlich auch für Texte eintreten, die aus nicht gleichen gesellschaftlichen Gruppen stammen. Ähnliche Bedingungen können für Texte eintreten, die unter anderen strukturellen Voraussetzungen formuliert sind, als denen, die in einer gegebenen Gesellschaft gelten, d. h. im einfachen Fall in anderen Sprachen. Dann sprechen wir von Übersetzung.

Wo mehrere Sprachen in literarischer Kommunikation nebeneinander bestehen, zeigen sich Hin- und Herbewegungen in der Übersetzung von einer Sprache in die andere und umgekehrt. Im Mittelalter beispielsweise wurde meist lateinische Literatur ins Deutsche

übersetzt, erst später trat daneben der umgekehrte Vorgang der Übersetzungen deutscher Literatur ins Lateinische[243]. Solche Ausgleichsvorgänge der Synchronisierung können also unter einem bestimmten
Druck stehen, so daß sie nur in bestimmter Richtung erfolgen. Nun ist
das angesprochene Übersetzungsgefälle nur ein simples Beispiel. Die
Traditionalität der Auswahl von Schullektüre steht unter häufig anscheinend weit weniger bemerktem Druck.

136. Eine Untersuchung von amerikanischen Schulbüchern des 19.
Jahrhunderts konnte zeigen, daß über längere Zeiträume hinweg
neue Schulbücher aus alten kompiliert und zusammenplagiiert wurden. Selbst in einem in dieser Zeit sich so schnell ändernden Wissens-
bereich wie der Geographie zeigt sich ein beachtlicher Rückstand der
Schulbücher hinter dem jeweiligen Wissensstand der Zeit[244]. Obwohl
die Autoren dieser Schulbücher zum größten Teil aus dem am
wenigsten bäuerlichen Gebiet der USA, Neu England, stammen, wird
die auf Agrikultur gegründete Gesellschaft in den Schulbüchern ge-
feiert; die Verfasser: Lehrer, Geistliche u. dgl. hatten an der wirt-
schaftlichen und industriellen Entwicklung wenig Anteil[245]. Vorurteile
aller Art, autoritäre und rassistische Tendenzen grassieren; moralisti-
sche Wertungen von Kunst und Literatur werden eingeübt; Auswen-
diglernen als häufigste Unterrichtsmethode stabilisiert tradierte Ste-
reotype über Generationen. Schulbücher werden in Zeiten sich immer
verbreitender und intensivierender Schulbildung zur Literaturgattung
besonders großer Stabilisierung von installierter Tradition: "The
world created in nineteenth-century schoolbooks is essentially a world
of fantasy — a fantasy made up by adults as a guide for their
children, but inhabited by no one outside the pages of schoolbooks"[246].

243 Hanns Fischer, „Deutsche Literatur und lateinisches Mittelalter", in:
   Ingeborg Glier et al. (Hrsg.) *Werk-Typ-Situation: Studien zu poetolo-
   gischen Bedingungen in der älteren deutschen Literatur* (München, 1969)
   S. 5 f.
244 Ruth-Miller Elson, *Guardians of Tradition: American Schoolbooks of
   the Nineteenth Century* (Lincoln, Nebraska, 1964), S. 10 f.
245 Elson, l. c. S. 34 f. "At a time when America was becoming increasingly
   industrial and urban, agrarian values which had been a natural growth
   in earlier America became articles of fervent faith in American natio-
   nalism" (S. 39 f.).
246 Elson. l. c., S. 337.

In der schulbuchhaften Kodifikation werden Texte verschiedener Zeit und verschiedener Provenienz — u. U. in Überarbeitung, Übersetzung, Auswahl, Kommentierung — einer einheitlichen Zwecksetzung unterworfen. Damit gehen zwei Aspekte einher, der eine, daß Texte, die Verständnisschwierigkeiten bieten, für Verständnis (neu) erschlossen werden, allerdings vermutetermaßen in verarbeiteter Form; der zweite, daß die Bezugspunkte, die ein Text in nicht anthologisierter, nicht modifizierter Form (zunächst zumindest) haben kann und häufig hat, eingeebnet werden zugunsten genereller Bezugspunkte. Dies immunisiert häufig die kritische Substanz von Texten, ein Vorgang, der auch bei der Popularisierung von Büchern in Leseringen beobachtet worden ist[247].

Wenn Henry David Thoreaus *Walden* zum Universitäts- und Schulklassiker geworden ist, ist es um dies Buch geschehen. Man mag den Autor dann fast nur noch bedauern, daß er Sätze wie die folgenden schrieb:

The greater part of what my neighbors call good I believe in my soul to be bad, and if I repent of anything, it is very likely to be my good behavior. What demon possessed me that I behaved so well? You may say the wisest thing you can, old man, — you who have lived seventy years, not without honor of a kind, — I hear an irresistible voice which invites me away from all that. One generation abandons the enterprises of another like stranded vessels[248].

Eine systematische inhaltsanalytische Studie von Vorwörtern, Nachwörtern und anderen begründenden Texten von Anthologien, Klassikerangaben, Textreihen, Lesebüchern usw. ist nicht nur eine lohnende, sondern eine dringende Aufgabe.

Diese Stabilisierung von tradierten Ansichten durch Literatur findet sich am prägnantesten in der Reduktion auf Zitate und Sprichwörter. Zitate in politischer Rede folgen solcher Bestimmung[249], aber

---

247 Vgl. Lorenz Winter, *Heinrich Mann und sein Publikum: Eine literatursoziologische Studie zum Verhältnis von Autor und Öffentlichkeit* (Köln und Opladen, 1965), S. 15.

248 Henry David Thoreau, *Walden* (New York, 1951), S. 25.

249 Vgl. Ali A. Mazrui, "Some Sociopolitical Functions of English Literature in Africa", in: Joshua A. Fishman et al. (Hrsg.), *Language Problems in Developing Nations* (New York, 1968), S. 183—197. Vgl. auch Betty Wang, "Folksongs as Regulator of Politics", in: Dundes 1965, 309—313 (weitere Literatur: Dundes 1965, 308 f.).

auch Sprichworttraditionen und auswendig gelernte Gedichte, die ihren herkömmlichen Kontext aufgegeben haben, können sie übernehmen[250].

137. Damit werden nur Korpora von Texten angeschaut. Bedeutendere Züge erscheinen, wenn man der bereits angesprochenen Ausbildung von Lehrern in Interpretationstechniken nachdenkt. Denn mit der Vermittlung von Literatur über Interpretation gehen ja wesentliche Einschätzungen von Literatur durch die Interpretationsschulen einher. Bis auf wenige Ansätze stabilisieren diese nicht nur Kanones, sondern auch die Ansicht von der Individualität von Kunstwerken, die immer wieder dem Glauben Vorschub gibt, strukturelle Analyse von Literatur sei nicht angängig, und damit Einsichten in die literarische Kommunikation, die gerade bei der interpretativen Vermittlung stattfindet, gleich abschneidet[251]. Auch die Beeinflussung der sozialen und psychischen Entwicklung wird von Literaturdidaktikern thematisiert, meist jedoch nur mit Blick auf individuelle Entwicklung des einzelnen Schülers. Es ist immerhin jedoch ein Verdienst, wenn Louise M. Rosenblatt solche Aspekte und die Anforderungen, die sich von hier aus an die Literaturlehrer stellen, eingehend erörtert[252]. Es scheint mir deshalb interessant, diese beiden Perspektiven auf Individuelles — bei Rosenblatt wenigstens Literatur nicht isolierend — nebeneinanderzustellen, weil sie beide die Schüler in die literarischen Verarbeitungsprozesse — z. B. Kodifikation, Interpretation, Wertung — hineinstellen. Sie führen ihm nicht das Objekt ,literarisches Leben' vor, sondern lassen ihn selbst als Objekt derartiger Prozesse bestehen.

250 Leonard W. Doob und Ismael M. Hurreh, "Somali Proverbs and Poems as Acculturation Indices", *POQ*, XXXIV (1970/71), 552—559.
251 Als Beispiel einer Didaktik des Literaturunterrichts, die sich zentral an der Individualität von Werken und ihrer Interpretation, am „Literarischen Kunstwerk" orientiert, wenn auch Zusatzgesichtspunkte anthropologischer oder soziologischer Art hinzutreten, siehe Walter Hoffmann, *Literatur in Wissenschaft und Unterricht: Eine didaktische Untersuchung* (Braunschweig, 1969).
252 Louise M. Rosenblatt, *Literature as Exploration* (London, 1970; zuerst New York, 1968), vgl. S. 23: "It is imperative . . . that undergraduate and graduate programs provide time for building up a sound acquaintance with at least the general aspects of current scientific thought on psychological and social problems".

138. Nur in vereinzelten Ansätzen setzt sich Literaturdidaktik neue Ziele. Dabei läßt sich die vorhergehende Feststellung umkehren. Werden allgemeine Prozesse an Texten zum Gegenstand, kann der Schüler auch sich selbst als Teilnehmer an literarischen Kommunikationsprozessen erfahren lernen. Bei Hermann Helmers verknüpft sich die Erkenntnis, daß lyrischer Humor von der Literaturwissenschaft deshalb verdrängt wurde, weil das ein Eingehen auf Produktions- und Rezeptionsvorgänge bei Kindern und Jugendlichen verlangt hätte, mit der Forderung, durch Erarbeitung solcher bisher häufig ausgeschlossener Texte Einsichten in gesellschaftlich relevante Formen der Literatur zu vermitteln[253]. Ivo 1969 will exemplarisch folgendes allgemeines Lernziel für den Literaturunterricht erarbeiten: „Befähigung zur Teilnahme am literarischen Leben" (82 ff., 94 ff.). Wenn auch die Ausarbeitung im einzelnen Beispiel hängen bleibt, weil ein Modell des literarischen Lebens fehlt, wird hier m. W. erstmals deutlich, daß Literaturunterricht selbst ein Teil des literarischen Kommunikationsprozesses ist (116 ff.). Ähnlich ist ein Unterricht, der zum Ausgangspunkt nimmt, was Schüler selbst an Massenliteratur, z. B. Comic Strips lesen, in der Lage, Verbreitungsprozesse, Probleme der Wirkung usw. zum Gegenstand zu machen[254].

139. Empirische Arbeit der Literaturdidaktik ist für die **Textver**arbeitungstheorie von besonderer Bedeutung. Nicht nur wird hier ein eigener Datenbereich erschlossen, der in soziologischer oder psychologischer Arbeit kaum oder gar nicht repräsentiert ist. Literaturdidaktik bezeichnet unter Gesichtspunkten der Textverarbeitung einen empirischen Untersuchungsbereich, der nicht stattfindende Prozesse in Laboratoriumsversuchen nachzukonstruieren sucht, sondern Möglichkeiten der Veränderungen von Prozessen studieren kann. Es ergibt sich also

253 Hermann Helmers, *Lyrischer Humor: Strukturanalyse und Didaktik der komischen Versliteratur* (Stuttgart, 1971), S. 77 ff, 137 ff. Vgl. auch noch Heinz Ide, „Über die Unzulänglichkeit eines Begriffs von Ästhetik und die Fragwürdigkeit der literaturpädagogischen Theorie", in: *Sprache und Politik.* Schriftenreihe der Bundeszentrale für politische Bildung 91 (Bonn, 1971), S. 168—173.

254 Christian G. Freitag, „Erfahrungen und Einsichten bei der Arbeit mit Massenliteratur: Notate zu einer Systematik", *Pädagogische Rundschau,* 25 (1971), 550—563.

ein eigenes Feld empirischer Forschungsmöglichkeiten der Textverarbeitung. Und es bietet sich gleichzeitig ein Bereich, in dem die Ziele
der Theorie, nämlich die Bedingungen textverarbeitender Prozesse als
Vorgänge der Kommunikation über Literatur zu kennen, sie kontrollieren und in sie gegebenenfalls eingreifen zu können, am Unter-
suchungsgegenstand sehr viel näher reflektiert werden können.

Die früher aufgestellte Behauptung, die Verarbeitung von Literatur
im Unterricht sei einer der wichtigsten Gegenstände einer Theorie von
der Kommunikation über Literatur [§ 112], kann jetzt ergänzt werden um die Aussage, die Verarbeitung von Literatur im Unterricht
biete für die Entwicklung der Textverarbeitungstheorie methodologisch besonders aufschlußreiche Arbeitsmöglichkeiten.

Diese Umwertung der Werte in unseren literarischen Traditionen
verdient es, mit einigem Pathos wiederholt zu werden.

Viertes Kapitel

Systematische Perspektiven

4.1. Isolierung der literarischen Kommunikation als Forschungsobjekt

140. Von Literatur ist in breitem und offenem Verständnis geredet worden. Es ist gar nicht darauf angekommen, es als Phänomen in einer präzisen Form abzugrenzen. Möglichst viel an sich immer weiter verzweigenden Möglichkeiten, in textuellen Formen miteinander zu kommunizieren, soll wenigstens grundsätzlich in den Blickkreis treten dürfen. In der skizzierten Theoretisierung dieses Bereichs als Objektbereich der Textverarbeitung ist das weite Feld in einer groben Form vorstrukturiert worden. Diese Vorstrukturierung hat das Ziel, möglichst viele Phänomene in differenzierter Form aufgreifen zu können, damit keine u. U. interessanten Verknüpfungen von vornherein ausgeschlossen werden.

Es kommt also gar nicht darauf an, Literatur über intensionale Kriterien zu definieren. Die von vielen noch als solches Kriterium hoch gehaltene Fiktivität genügt ja keiner befriedigenden Abgrenzung vorkommender Literatur[255], ganz abgesehen davon, daß dieses Kriterium nicht fruchtbar ist, den Phänomenbereich literarischer Kommunikation aufzuschließen, oder gar empirischer Überprüfung zugänglich wäre.

Für die Erforschung literarischer Kommunikation kommt es natürlich darauf an, behandelbare Fragestellungen und Teilbereiche sich herzurichten. Doch wird dies gerade nicht auf die alte Art geschehen, sich Texte als Einheiten zu wählen. Wenn Literaturwissenschaft zu einer Form empirischer Feldarbeit gezwungen war — wie in der Erforschung mündlich tradierter Literatur — hat sie bald festgestellt, wie verderblich es ist, neben den Texten, auf die man sich hergebrachter Weise konzentriert, nicht die Vorkommensbedingungen der mündlichen Tradition mit aufzunehmen[256].

---

255 Vgl. hierzu auch Isabel C. Hungerland, *Poetic Discourse* (Berkeley und Los Angeles, 1958), S. 4 f.

256 McEdward Leach, "Problems of Collecting Oral Literature", *PMLA* LXXVII (1962), 339: "Failure to recognize and understand folk esthetic accounts for the urge to do something to folklore, to rewrite it,

Eine Gefahr für das anvisierte Unternehmen ist ja leicht zu erkennen: sich in der Fülle situativer Verflechtungen der Textverarbeitung zu verwirren, und zu keinen Fragestellungen mehr zu kommen, die sich eindeutig nach Aufgabe, Methode und Datenerhebung bestimmen lassen. Es ist zwar sicher richtig, wie Franklin Fearing betont hat, daß in jeder Rezeption eine Vielzahl situativer Faktoren auftreten und das Rezipientenverhalten bestimmen[257]. Aus der Massenkommunikationsforschung ist das als ein weiteres zu lernen. Doch wird man das alles gerade nur dann aufschließen können, wenn man über eine brauchbare und behandelbare Vorstrukturierung des Objektbereichs verfügt.

141. Der Ausdruck ,Situation', der so ziemlich alles treffen kann, ist hier nicht eingeführt worden zugunsten der Strukturierung des Objektbereichs ,literarische Kommunikation' nach textverarbeitenden Prozessen und deren Faktoren. Zur näheren Erfassung sind zwei Instrumente vorgeschlagen worden:

1. Die Konstruktion von Normalformen [§§ 56 ff.]
2. Die Aufbereitung von Texteigenschaften für die Analyse von Rezipientenverhalten [§§ 76 ff.]

Beide haben die Spezifikation von Texteigenschaften aufgrund eines allgemeinen Textmodells zur Voraussetzung [§§ 53 ff.].

Man beachte, daß eine Feldforschung, die Informanten befragt, Annahmen machen muß, wie Fragen und Antworten unter gegebenen Bedingungen korrekt — d. h. so, daß Frager und Antworter sich über Bedeutungen von Fragen und Antworten einig sind oder zumindest verständigen können — interpretiert werden[258]. D. h. auch solche simplen Operationen unterliegen einer normalformhaften Strukturierung. Normalformkonstruktionen können benutzt werden, um Hypo-

---

to piece different versions of songs together, to rearrange it, to try to make it more like sophisticated art.". Vgl. Finnegan 1970, 12 ff.

257 "The responses to a symphony, a poem, or even e news broadcast may show enormous variability. The point of these observations is that responses to stimuli in communication situations are not automatic and mechanical, but are *dependent on the totality* of cultural and personality factors which each respondent brings to the situation" (Franklin Fearing, "Human Communication", in Dexter-White 1964, 41).

258 Allen D. Grimshaw, "Language as Obstacle and as Data in Sociological Research", *Social Science Research Council Items*, XXIII (1969), 17—21.

thesen über die in Teilnehmergruppen geltenden Bedingungen für Verständigung zu testen. Die Kommunikationsformen, unter denen literarische Kommunikation stattfindet, bringen dabei freilich noch besondere Probleme mit sich.

Von üblichen psycholinguistischen Tests — etwa der Paraphrasefähigkeit von Sprechern und des Grades der Übereinstimmung von Paraphrasen innerhalb von Sprechergruppen, wie sie Gleitman-Gleitman 1970 durchgeführt haben — unterscheiden sich die Überprüfungen solcher Normalformen nicht nur dadurch, daß sie komplexere Strukturierungen abtesten sollen, sondern vor allem dadurch, daß sie nicht mit den üblichen Anforderungen an die Teilnehmer herantreten: wie die grammatische Korrektheit oder die Akzeptabilität beurteilen können, die Bedeutung paraphrasieren können, in andere Sätze verwandte Struktur umformen können usw. Es sollen Eigenschaften des Rezipientenverhaltens eruiert werden: z. B. Rearrangieren, Reaktion auf Spannung, Horror und dgl.; thematische Inferenz; Nachmachen und Verarbeiten.

Dafür wird es zumindest partiell notwendig, feinere Strukturen zu isolieren. Diese feineren Strukturen werden, aufgrund allgemeiner Texteigenschaften spezifiziert, zu Reaktionsvariablen in Beziehung gesetzt.

142. Man muß zusätzlich sich darauf beschränken, solche Konzepte an bestimmten Gruppen zu erproben. Trivialliteraturfeldforschung, wie sie etwa der Ansatz von Davids 1969 zeigt, kann ja auch nur zum Zuge kommen, wenn sie Einschränkungen auf Gruppen vornimmt. Und es wäre eine völlig ungeprüfte Annahme, wollte man schlechthin annehmen, die Teilnehmermengen für literarische Kommunikation grenzten sich in gleicher Weise ab wie die für Sprachen in umgangssprachlichem Verständnis. Wenn man genauer hinsieht, wird man ja auch bei solchen Sprachen vorsichtiger.

Normalformen enthalten eine Toleranzbreite der Befolgung wie die Grammatizität einer Sprache innerhalb ihrer Varietäten (Dialekte, soziale Stratifikation, „Stile") variiert. Normalformen können also durchaus auf bestimmte Gruppen beschränkt sein, bzw. Gruppen können für sich bestimmte Normalformen verbindlich machen. Damit ergibt sich z. B. auch ein Zugang zu den Problemen der Partizipation an Kommunikationsmedien, besonders an solchen mit breiten Streuungs- und Verfügungsmöglichkeiten (Massenmedien). Die Brauchbarkeit des Ansatzes wird daran zu messen sein, ob es gelingt, einen genügend reichen Beschreibungsapparat von Strukturierungen einzusetzen. Ansätze von Normalformen sollten letztlich auch wie die Grammatikforschung durch Feldforschung gestützt werden. Beim jetzigen Stand der Überlegungen ist solches Vorgehen jedoch verfrüht. Wir können nur einen Rahmen konstruieren, innerhalb dessen wir Hyothesen formulieren können, die, wenn sie entsprechende Tests bestehen, in Formen der Informantenbefragung und -beobachtung überführt werden könnten, und wir können eine systematische Vororganisation solcher Forschung in die Wege leiten.

143. Erhebungen der statistischen Stilistik können, abgesehen davon, daß Fragen nach der Organisation von Texten oberhalb von Wort-, Satz- oder Vers-Einheiten kaum berührt worden sind, hier kaum weiterhelfen[259]. Denn nur wenn sich zeigt, daß eine von der Wahrscheinlichkeitsverteilung abweichende Häufigkeitsverteilung die Verstehens- und Verwertungsprozesse steuert, indem sie auf die Basis der Wahrscheinlichkeitsverteilung bezogen wird, kann die Wahrscheinlichkeitsverteilung als Normalform in unserem Sinne gelten. Eine Annäherung zwischen diesen Auffassungen bahnt sich dort an, wo — wie bei Doležel 1969 — Stil als performance auf dem Hintergrund einer competence im Sinne der generativen Grammatik beschrieben wird, wobei Doležel ein Erzeugungsmodell benutzt. Um die Probleme der Normalform noch einmal am Beispiel zu illustrieren: Man würde hier z. B. erwarten, daß die Wahl der „Satzlänge" als Stilvariable nicht so beschrieben wird, daß sie durch eine Entscheidung über die Zahl der Wörter eines Satzes zustandekommt, sondern über die Zahl der in einen Matrixsatz einzubettenden Konstituentensätze. Letztlich geht die Differenz darauf zurück, ob man Textphänomene auch durch die Menge der Regelungen, die Kommunikation steuern, beschreibt oder wie weithin die generative Grammatik, der Doležel auch hierin folgt, bis auf wenige Ansätze mit der Satzgrenze die linguistische Hierarchiebildung abschließt. Ein entscheidender Wert von Modellen wie dem Doležels kann sich dort ergeben, wo man Teilnehmerstrukturierungen und Teilnehmerstrukturierungskapazitäten mit Wahrscheinlichkeitsmodellen kontrastieren kann. Daraus könnte sich ein Maßstab für die

259 Vgl. Jacob Leed (Hrsg.), *The Computer and Literary Style* (Kent, Ohio, 1966); Doležel 1969.

Bewertung der Kapazitäten ergeben, u. U. auch Grenzwerte für die Beschreibung der Möglichkeiten des Kapazitätswandels. Wie solche „stilistische Statistik" u. U. in Beschreibung von literarischem Wandel eingehen kann, haben die Arbeiten von Josephine Miles und besonders von Karl Kroeber gezeigt [§ 120]. Gerade Kroeber 1971 macht aber auch deutlich, daß die Instrumente einer literarischen stilistischen Statistik[260] nicht nur einer Verfeinerung durch eine geeignetere Strukturierung des zu untersuchenden Materials bedürfen, sondern bisher ungenügend theoretisch verankert sind.

Wir verzichten hier darauf, bisherige Stilistik einfach zu integrieren. Das Konzept, das hier entwickelt wird, zeigt eher, wie schon eben angedeutet, eine gewisse Resistenz gegen herkömmliche Stilbegriffe. Der bisherige Rahmen erlaubt, Variation und Variabilität aufzunehmen. Manchen Eigenschaften von Texten läßt sich hier leicht bekommen, so z. B. den Beschränkungen und den Möglichkeiten, denen metrische Strukturen innerhalb eines Systems unterliegen; hier läßt sich auch relativ einfach über die Kapazität eines Systems [§§ 106 ff.] reden[261]. Nicht von ungefähr ist der Kapazitätsbegriff in Wienold 1971 a anhand von metrischen Eigenschaften exemplifiziert worden (147 ff.).

144. Im Begriff der Normalform stecken einige sehr allgemeine semiotische Annahmen, die in den letzten Abschnitten erläutert worden worden sind. Das Konzept nimmt an, daß es eine gemeinsame Basis für Verständigung über Zeichenmedien innerhalb von Teilnehmergruppen gibt. Diese Basis läßt Variationen und Adaptionen zu. Diese Basis ist weitgehend unbewußt, kann u. U. von Teilnehmern bewußt und verbalisiert werden, daneben müssen andere Formen der empirischen Arbeit (Beobachtung, Experiment) treten, wie sie in früheren Kapiteln schon angedeutet wurden.

---

260 Vgl. C. B. Williams, "A Note on the Statistical Analysis of Sentence-Length as a Criterion of Literary Style", *Biometrika*, XXXI (1939), 356—361; id., "Statistics as an Aid to Literary Studies", *Science News*, XXIV (1952), 99—106; Lubomir Doležel, „Zur statistischen Theorie der Dichtersprache", in Kreuzer 1965, 275—293; Louis T. Milic, "The Computer Approach to Style", in: George Levine und William Madden (Hrsg.), *The Art of Victorian Prose* (New York [etc.], 1968), S. 338—361.

261 Vgl. Samuel Jay Keyser, "Old English Prosody", *College English*, XXX (1969), 355 f.

Diese Basis bestimmt die Kapazität der Kommunikation; der Kapazität läßt sich u. U. eine Gerichtetheit der Variation und Veränderbarkeit [§§ 106 f.] zuordnen. Verletzungen der Basis führen u. U. zu Störungen. Diese sind in literarischer Kommunikation sicher weniger stark sanktioniert als in rituell gesteuertem Verhalten[262]. Daß solche Verletzungen aber auch hier ernst zu nehmen sind, zeigen aber die Probleme, die Sprecher auf sich laden, wenn sie Humor an der falschen Stelle unterbringen oder durch Humor konflikthafte Zuspitzungen von Gesprächen abbiegen wollen[263].

Auf Verhältnisse gesellschaftlicher Interaktion und Struktur übertragen, sieht man bald, wie gefährlich die Verletzung der gemeinsamen normativen Basis wird, wenn sie zur Störung der normativen „Kapazität" wird. Öffentlich geduldete oder gar geförderte Gewalttaten sind dann die offene Folge der Inhumanität[264]. Beim Kontakt mit fremden Kulturen ist das Mißverständnis der herrschenden Normalform, indem man etwa einfach die eigene als selbstverständlich setzt, der Grund ernster Störungen und Anlaß zur Verletzung der Humanität. Claude Lévi-Strauss konnte zeigen, daß viele Annahmen europäischer Ethonologen, als sie den Totemismus erfanden, fehlerhaft waren, weil sie das, was hier Normalform genannt wird, mißverstanden und der imperialistischen Politik ihrer Vaterländer verfallen waren[265].

145. Mit diesen Andeutungen ist vorbereitet, eine weitere Form empirischer Forschung sich zu überlegen, nämlich eine Forschung, die die Abläufe in kommunikativen Prozessen strategisch zu strukturieren sucht. Möglichkeiten und Grenzen, wie Teilnehmer kommunikative Prozesse strategisch handhaben, sind für das Verständnis des literarischen Lebens besonders wichtig. Es ist hier noch einmal auf die pro-

262 Vgl. z. B. Yehudi A. Cohen, "Some Aspects of Ritualized Behaviour in Interpersonal Relationships", *Human Relations,* XI (1958), 195—215.
263 Joan P. Emerson, "Negotiating the Serious Import of Humor", *Sociometry,* XXXII (1969), 169—181.
264 Vgl. z. B. Hans Paul Bahrdt, „Soziologische Reflexionen über die gesellschaftlichen Voraussetzungen des Antisemitismus in Deutschland", in: Werner E. Mosse (Hrsg.), *Entscheidungsjahr 1932: Zur Judenfrage in der Endphase der Weimarer Republik* (Tübingen, 1965), S. 152.
265 Claude Lévi-Strauss, *Le totémisme aujourd'hui* (Paris, 1962), S. 2 ff.

duktive Rolle der Literaturdidaktik für die Theorie der Textverarbeitung zu verweisen [§§ 112, 136 ff.].

Und noch ein Punkt. Es geht hier ja nicht nur darum, der Wissenschaft ein anderes Verständnis des Objektbereichs ‚Literatur' nahezulegen. Es ist vielmehr beabsichtigt, ein Verständnis von Literatur auch wissenschaftlich zu etablieren, das den Teilnehmer gegenüber textverarbeitenden Prozessen unabhängiger macht. Er soll erkennen können, wie Selektion, Kodifikation, Bedeutungsstabilisierung usw. nur bestimmte Möglichkeiten der Textverarbeitung zulassen oder zumindest seine Möglichkeiten einschränken und der Kontrolle unterwerfen. Strategische Hypothesen sollen also nicht nur so ausfallen, daß ein Forscher seine Konzepte überprüft, sondern auch zu neuen Möglichkeiten der Teilnehmer führen.

4.2. Literarische Kommunikation als Textverarbeitung und der Zeichenbegriff

146. Die Theorie, die die Rolle der Literatur in einer Gesellschaft behandelt, soll besprechen, welche Prozesse kommunikativer Art zwischen Produzenten und Rezipienten von Literatur und mehr noch, zwischen Rezipienten und Rezipientengruppen untereinander ablaufen. Wenn man diese Konzeption akzeptiert, wird man jetzt genauer sehen, wie unpraktikabel der im ersten Kapitel diskutierte traditionelle Zeichenbegriff ist. Man kann nicht an Zeichenbegriffen interessiert sein, die primär die Beziehung zwischen irgendeiner Realität, irgendwelchen Objekten und irgendwelchen Zeichen besprechen, selbst wenn sekundär dann Intentionen von Zeichenbenutzern usw. in die Diskussion eingehen. Man muß primär vielmehr die Zeichen und den Zeichengebrauch in den Rahmen einer Strategie stellen, die von Zeichenbenutzern in einer Sozietät verfolgt werden. Und solche Ziele verknüpfen sich mit Rollen von Produzenten und Rezipienten oder Rollen von verschiedenen Sorten von Rezipienten in Verarbeitungsprozessen von Zeichen und Zeichenagglomeraten. Ein solcher dynamisierter oder strategischer Zeichenbegriff wird demnach eher in der Lage sein, Kommunikation über Texte, Kommunikation über Literatur in dem weiten Sinne, wie das in diesem Buch immer dargestellt worden ist, anzugehen [§ 41].

Der strategische Zeichenbegriff ist nicht an einer Relation — zumal einer solchen starren Relation, wie sie traditionell immer dargestellt worden ist — interessiert, wie Zeichen und von ihnen bezeichnete Objekte miteinander gekoppelt sind. Ein solcher strategischer Zeichenbegriff ist daran interessiert, wie über zeichenhafte Medien Teilnehmer an solchen zeichenhaften Medien untereinander Ziele verfolgen, Handlungen ausführen und solche Handlungen unter Zwecke stellen und beim Verfolgen, Durchführen und weiteren Verwerten solcher Handlungen sich immer wieder auf verschiedenste Sorten von Zeichenmedien beziehen.

147. Es ist sehr interessant, sich in diesem Zusammenhang einen erziehungswissenschaftlichen Ansatz anzusehen, der versucht, die Vermittlung von verschiedenen Zeichensorten in der Schule und die curriculumtheoretische Rechtfertigung der Behandlung von Zeichensystemen darzustellen. Gotthilf Gerhard Hiller, der einen solchen Versuch gemacht hat, stößt dabei immer wieder auf das Problem des Bezuges zwischen Zeichen und Realität. Er hat u. a. das Problem, daß verschiedene Codes Realität unterschiedlich fassen. Wenn man aus einem Code in einen anderen Code übersetze, ändere sich die semantische Belastung der in diesen Codes formulierten Aussagen und damit würde Realität jeweils unterschiedlich dargestellt. Hiller konstruiert damit das Problem einer Differenz zwischen Codes hinsichtlich einer Realität. Ausdrücklich stellt er die These auf, „daß sich weder die Bedeutungsdimensionen noch die Strukturgefüge der Gesamtrealität in einem Code darstellen lassen" (1971, 64). Und „der Prozeß der Einführung symbolischer Formen im Curriculum der Grundschule" hat unter andem die Aufgabe, durchsichtig zu machen, „wie in diesen Zeichensystemen die Wirklichkeit präsent ist" (1971, 64).

Es ist fragwürdig, auf der einen Seite zu behaupten, daß die verschiedenen zur Verfügung stehenden Zeichensysteme so etwas wie Realität jeweils unterschiedlich faßten, nur teilweise ineinander übersetzbar seien und nicht in der Lage seien, so etwas wie Gesamtwirklichkeit darzustellen und gleichzeitig von einer Differenz zwischen diesen Zeichensystemen zu sprechen. Denn der Ausdruck „Differenz" hat natürlich nur dann Sinn, wenn es ein Zeichensystem gibt, das eine solche Differenz zwischen Systemen formulierbar macht. Gerade das aber wird von Hiller bestritten. Ganz abgesehen davon, wie man ein Zeichensystem beurteilen soll, in dem Ausdrücke wie Realität, Gesamtwirklichkeit etc. vorkommen, wenn gleichzeitig behauptet wird, daß es keine Möglichkeit gäbe, über dieses gesamthaft zu reden. Hier müßte eine Überlegung einsetzen, für welche Zwecke es nötig ist, in bestimmter Weise über Relationen zwischen Zeichenmedien und Realität zu reden.

Die Frage nach der intermedialen Übersetzbarkeit sollte ebenfalls empirisch angegangen werden [§ 7]. Es hängt vor allem daran festzustellen, wieweit die Verbalisierung durch Teilnehmer Eigenschaften der Kommunikation, z. B. der kommunizierten Bedeutung, erfassen kann. Manche experimentelle Befunde der Massenkommunikationsforschung wie auch andere Ansätze legen zumindest Zweifel daran nahe (Wienold 1972 c).

148. Es ist wesentlich nützlicher für das Erforschen des Vorkommens und des Gebrauchs von Zeichensystemen, wenn man sie im Rahmen ihrer strategischen Verwendung durch die Teilnehmer diskutiert und Kommunikationsprozesse als solche strategischen Prozesse versteht. Das Vorkommen von Zeichen und deren Eigenschaften wird innerhalb der Analyse solcher Prozesse situiert. Dann stellt sich das Problem des Bezuges von Zeichen zu Objekten anders. Man muß dann nicht davon reden wollen, wie vollständig oder unvollständig Zeichen auf Realität Bezug nehmen. Denn in den Strategien, die von Teilnehmern verfolgt werden, ist überhaupt nie Problem, einen vollständigen Bezug oder eine vollständige Darstellung von Realität irgendwelcher Art hinzukriegen. Es wird allenfalls in wissenschaftlicher Metakommunikation zum Problem, und es bleibt dort zu fragen, innerhalb welcher Fragestellungen es einer Lösung bedarf. Gerade was ,Vollständigkeit' oder ,gesamt' heißen soll, ist so ungemein problematisch und führt in solche widersprüchliche Thesen wie die von Hiller, die wir oben erörtert haben. Gerade hier bewährt sich wieder der pragmatizistische Ansatz von Peirce, der die Probleme der Zeichenverwendung unter solchen Gesichtspunkten schon weitaus klarer gesehen hat.

149. Interessanterweise erscheinen, wenn Hiller seinen Ansatz im einzelnen diskutiert, die Probleme in anderer Beleuchtung. Dort wird u. a. die Behandlung eines Kinderreims in Übersetzung in ein Comic, in Übersetzung in eine geometrische Darstellung und andere Darstellungsarten, z. B. auch solche musikalischer Art, besprochen. Es heißt dann, daß ein solcher Kinderreim oder eine solche andere Gegebenheit, wie daß Gruppen eine bestimmte Zeichenaggregation unter bestimmten Zwecken gebrauchen, eine „komplexe Realität" sei (Hiller 1971,

71). Hier steht nun ein anderer Realitätsbegriff, der nicht zwischen Zeichen und Objekt trennt, sondern der den Gebrauch von Zeichen durch Benutzer unter Zwecken in einem Raum von Bedingungen behandelt. Die Frage nach der Übersetzung einer solchen Aggregation von Zeichengebrauch in eine andere Aggregation von Zeichen verändert sich damit ebenfalls. Jetzt geht es darum, ob man eine theoretische Sprache konstruieren kann, die diese verschiedenen Zeichenaggregationen behandeln kann. Damit stellen sich die Probleme auch gegenüber der vorherigen Situation anders.

Bei der Behandlung eines solchen Abzählreims im Unterricht und seiner Darstellung nach Art eines Comic erscheint eine neue Dimension. Man kann nämlich den Gebrauchswert und die Usancen beim Umgang mit Zeichenaggregaten besprechen. Damit ist man natürlich gleichzeitig schon wieder in eine neue Zeichengebrauchssituation übergegangen, wo ein Medium Gegenstand einer Diskussion innerhalb einer größeren Zeichenaggregation wird. Das ist nur ein weiteres Indiz dafür, wie grundsätzlich das Problem der Zeichen- oder Textverarbeitung für die ganze Behandlung der semiotischen Probleme ist. Der Bezug zwischen Kommunikation und Realität läßt sich brauchbarer aufrollen, wenn man eine komplexe Modellbildung wählt, wie sie die Textverarbeitungsdiskussion im dritten Kapitel eingeführt hat. Diese Modellbildung ist komplex in der Darstellung der beteiligten Elemente und dem Berücksichtigen von Relationen zwischen diesen Elementen.

150. Eingebettet in ein solches Modell der Textverarbeitung erhält der Zeichenbegriff einen dynamischen Aspekt. Denn dieses Textverarbeitungsmodell soll explizit die Variations- und Veränderungsprozesse im Zeichengebrauchsverhalten darstellen. Wenn wir noch einmal auf die Arbeit Hillers zurückgehen, dann sieht man, daß in den verschiedenen Verarbeitungsvorgängen, die die Kinder mit dem Kinderreim vorgenommen haben, recht komplexe Verarbeitungsprozesse über verschiedene Medien bewältigt werden. Nicht nur einfaches Nachmachen, sondern Umsetzungsvorgänge unter Wandel der Zeichenmaterialität, unter Variation der Interpretationsmöglichkeiten und der jeweiligen Zuordnungsmöglichkeiten in den Medien, werden von den Kindern beherrscht. Sie manifestieren ein Bewußtsein für Toleranzgrenzen im Umgang mit Zeichen. Es ergibt sich, daß Formen solcher Verarbeitung von Zeichenmedien und Zeichenaggregaten schon

auf früher Stufe erlernt werden können. Dieser Umgang mit Zeichenaggregaten zeigt eine beachtliche Kenntnis von Konstruktions- und
Gebrauchsbedingungen, zum Beispiel dessen, was eine Regel heißt,
wann ein Trick erlaubt ist, wann klarer Mißbrauch von Regeln- oder
Tricksgrenzen vorliegt usw. Hier liegt ein erster, durchaus eigenstän-
diger Versuch vor, die Didaktik der Literatur, wenn wir auf diesen
engen Namen noch einmal zurückkommen, oder die Didaktik der
Zeichenaggregation in einem neuen Sinne zu praktizieren, so daß sie
die Textverarbeitungsbedingungen und Leistungen für Gruppen in
der Gesellschaft verständlich und handhabbar macht.

151.   Es zeichnen sich damit gerade auf diesem Gebiet Möglichkeiten
ab, neue fruchtbare Einsichten mit einer neuen fruchtbaren Praxis zu
verbinden. Auch sonst drängen literaturdidaktische Ansätze, die sich
als innovativ verstehen, durchaus in eine Richtung, beim Teilnehmer
ein Verständnis für das, was in literarischer Kommunikation vorgeht,
zu erzeugen. Das gilt für den Vorschlag, mit Hilfe linguistischer
Analyse von Texten, unterschiedliche Weisen der Bedeutung in literarischen Texten verständlich zu machen[266]. Das gilt für Versuche,
Literatur durch reproduzierende oder repräsentierende Verarbeitung
— vor allem bei dramatischen Texten — in Vorkommensbedingungen
didaktisch zu integrieren[267]. Neue Formen der Kooperation und wissenschaftlichen Arbeit [§§ 28 ff.] werden dabei verlangt[268].

4.3. Textsorten und Texteigenschaften

152.   Hiermit ist erst der Rahmen angegeben, innerhalb dessen auf
die Frage nach Textsorten, auf die häufiger im Verlauf des Buches

266 Alex Rodger, "Linguistics and the Teaching of Literature", in: Hugh
    Fraser und W. R. O'Donnell (Hrsg.), *Applied Linguistics and the
    Teaching of English* (London, 1969), S. 88—98.
267 Vgl. z. B. A. Squire und Roger K. Applebee, *Teaching English in the
    United Kingdom: A Comparative Study* (Champaign, Ill., 1969), S. 87 ff.,
    bes. 197 ff.
268 Vgl. Wolfgang Roscher, „Ästhetische Erziehung heute: Hochschul-
    didaktische Probleme und Bezugssysteme", in: Hans-Karl Beckmann
    (Hrsg.), *Lehrerbildung auf dem Wege zur Integration*, Zeitschrift für
    Pädagogik, 10. Beiheft (Weinheim [etc.], 1971), S. 155—160; Olaf
    Schwencke (Hrsg.), *Ästhetische Erziehung und Kommunikation* (Frank-
    furt a. M. [etc.] 1972).

angespielt worden ist, eingehen zu können. Warum will man Textsorten, wie vielfach jetzt gefordert, unterscheiden? Die Gesichtspunkte, die dabei angeboten werden, sind so vielartig, daß die Frage diffus erscheint.

Texte werden in Relation zu einem sozialen oder kulturellen Kontext klassifiziert[269]. Texte werden nach Quantitätsisoglossen klassifiziert, d. h. nach den Häufigkeitsverteilungen bestimmter linguistisch angebbarer Eigenschaften über einem Textkorpus, so daß intuitiv angenommenen Sorten wie ,Bühnendialog'/,wissenschaftliche Prosa' unterschiedliche Werte zugeordnet werden können[270]. Andere Klassifikationen wollen für möglichst viele Gesichtspunkte offen sein, von der Ausdehnung des Textes (Skizze — Kurzgeschichte — Erzählung — Roman), über seine Manifestation (gesprochen — geschrieben; monologisch — dialogisch) bis zu Funktionen (umgangssprachlich — journalistisch — künstlerisch) und Situationsabhängigkeit[271].

153. Auf der einen Seite scheint bemerkt worden zu sein, daß der Objektbereich ,Texte' einer Klassifikation bedarf; dem versuchte man mit der Charakterisierung von Textsorten beizukommen. Auf der anderen Seite blieben die Motivationen für die Einführung von Textsorten verschwommen, und die Sortierungen gerieten entsprechend disparat.

Innerhalb einer linguistischen Theorie, die die Texte einer Sprache festlegen will, ergeben sich u. U. Motivationen für eine Klassifikation. Es kann für die Entwicklung einer Theorie fruchtbar sein, gewisse Klassen nach bestimmten Eigenschaften — z. B., ob die Texte einen Titel haben — herauszuheben. So wurden kürzlich zwei textgrammatische Modellentwürfe vorgelegt, die beide zunächst eine — allerdings unterschiedlich angegebene — Teilmenge von Texten charakteri-

269 Dubois-Sumpf 1968, 150 ff.; J. Dubois, „Lexicologie et analyse d'énoncé", *Cahiers de Lexicologie*, XV (1969), 119 f.; Sunday O. Anozie, *Sociologie du roman africain: Realisme, structure et détermination dans le roman moderne ouest-africain* (Paris, 1970).
270 Vgl. z. B. Werner Winter, „Styles as Dialects", *Proceedings of the Ninth International Congress of Linguists*, hrsg. Horace C. Lunt (den Haag, 1964), S. 324—330.
271 Karel Hausenblas, "On the Characterization and Classification of Discourse", *Travaux linguistiques de Prague*, I (1964), 67—83.

sieren sollten. Die Begründung dieser beiden Textsortenansätze war theorieintern und geschah nur im Hinblick auf die weitere Entwicklung des jeweiligen Modells[272].

Andere versuchen, bestimmte Unterschiede zwischen Texten, die traditionell oder intuitiv für wichtig gehalten werden, theoretisch nachzukonstruieren. Das gilt für weitere Teile der jüngsten Erzähltextdiskussion, auf die verschiedentlich verwiesen worden ist [§§ 56 ff.]. Steen Jansen versuchte im Rahmen der Entwicklung seiner Dramentheorie [§ 94], Dramen, die eine ‚Einheit der Handlung‘ aufweisen, von Dramen ohne diese deskriptiv zu trennen[273]. Hier folgt man mehr oder weniger einer traditionellen und/oder intuitiv einsichtigen Motivation.

Alle diese Klassifikationen müssen, sobald sie nicht nur global Textgruppierungen Namen zusprechen, Eigenschaften von Texten angeben, nach denen sich eine Sorte von Texten herausheben läßt. Man kann sich schnell überzeugen, daß sich sehr viele Merkmale oder Kombinationen von Merkmalen angeben lassen, um Texte voneinander zu unterscheiden, wenn die Aufgabe der Sortierung nicht vorgegeben ist. Auch besteht kein theoretischer Rahmen, innerhalb dessen über die Merkmalsfestlegung entschieden wird.

154. Es erscheint deshalb fruchtbarer, das Problem auf die Beschreibung von Texteigenschaften zu reduzieren. Solche Eigenschaften müssen aufgrund eines allgemeinen Modells spezifiziert werden können. Zusätzlich fordern wir im Rahmen der Textverarbeitungstheorie, daß die Spezifikation von Texteigenschaften in Aussagen über Verhalten von Teilnehmern in kommunikativen Prozessen eingehen können soll (Wienold 1972 b). Oben ist eine beispielhafte Klassifizierung nach ausgewählten analytischen Kriterien versucht worden [§ 91].

Wir knüpfen damit an die Bedingungen, die an das analytische Instrumentarium gestellt wurden [§ 76], an. In diesem Rahmen läßt sich nach der Rolle von Texteigenschaften — und eventuell auch nach Textsorten, die nach ihnen klassifiziert werden — in kommunikativen

---

272 Teun A. van Dijk, Jens Ihwe, János S. Petöfi, Hannes Rieser, „Textgrammatische Grundlagen für eine Theorie narrativer Strukturen“, *LB*, 16 (1971), 6 f., 23.
273 Steen Jansen, „Die Einheit der Handlung in ‚Lorenzaccio‘ und ‚Andromaque‘“, in: Ihwe 1971 b, III, 420 ff.

Prozessen fragen, und es läßt sich fordern, daß eine empirische Überprüfbarkeit der Aussagen über Texteigenschaften die Fruchtbarkeit der Spezifikation bestätigen lassen soll (Wienold 1972 d). Texteigenschaften werden als Konstrukte in einer Theorie von der Kommunikation über Texte, die hier als Textverarbeitungstheorie skizziert worden ist, eingeführt. Solche Konstrukte dienen der Isolierung brauchbarer Fragestellung [§§ 140 ff.]. Sie sollen es auch ermöglichen, Zeichenpraxis von Teilnehmern in tatsächlicher und möglicher Verwendung zu verfolgen [§§ 146 ff.].

155. Wieder ist es mündlich tradierte Literatur, wo die Abgrenzung und Beobachtung fortgeschritten ist. Es sind prosodische und paralinguistische Phänomene [§ 101] isoliert worden, die die Realisierung von Folklore-Literatur begleiten. Diese Eigenschaften differenzieren intuitiv klassifizierte Genres[274]. Sie sind zugleich an die erste Verarbeitungsstation geknüpft, da hier Produktion und Rezeption im Kontakt ineinandergreifen. Ruth Finnegan hat an heutiger mündlicher Literatur das Ineinandergreifen von produktiven und rezeptiven Prozessen dargestellt (1970, 12 ff.).

Wenn man es aufgibt, Literatur am ‚Text selbst‘ studieren zu wollen, sondern in ihren vorkommenden Verarbeitungsprozessen, lassen sich zumindest gewisse Stationen der Rezeption und weiteren Verarbeitung von fixierter Literatur herausgreifen, in denen die Teilnahme der Kommunikatoren an der Verarbeitung in einer vergleichbaren Form studiert werden könnte. Damit erschließt sich das Feld empirischer Arbeit.

4.4. Empirische Erforschung der literarischen Kommunikation

156. Verschiedentlich ist im Ansatz darauf hingearbeitet worden, eine Methodik der semiotischen Forschung zu entwickeln, die erfahrungswissenschaftlich die Relationen zwischen Textvariablen und

---

274 David Crystal, "Prosodic and Paralinguistic Correlates of Social Categories", in: Edwin Ardener (Hrsg.), *Social Anthropology and Language* (London [etc.], 1971), S. 195 f.; E. M. Albert, "'Rhetoric', 'Logic', and 'Poetics' in Burundi: Culture Patterning of Speech Behaviour", in: J. J. Gumperz und Dell Hymes (Hrsg.), *The Ethnography of Communication* (Menasha, Wisc., 1964); Finnegan 1970, 7.

Rezeptionsvariablen behandelt. Nehmen wir an, daß Textvariablen über strukturelle Beschreibungen festgelegt werden können. Rezeptionsvariablen sind weniger deutlich zugänglich. Zwar ist äußeres Verhalten von Teilnehmern beobachtbar — und vereinzelt ist in der Massenkommunikationsforschung damit gearbeitet worden — und sind physiologische Reaktionen mit geeigneten Meßapparaturen registrierbar. Auf entsprechende Arbeiten vor allem im Bereich der Massenkommunikationsforschung ist hingewiesen worden [§§ 77, 103 f.]. Doch selbst die Zugänglichkeit der Daten unterstellt, ist nicht klar, ob diese Daten geeignet sind als Rezeptionsvariablen in die Relation zu den Textvariablen einzugehen. Denn es ist nicht auszuschließen, daß Zwischenstufen eingeschaltet werden müssen. Inwieweit sind die Variablen in geeigneter Form isolierbar? Inwieweit sind Reaktionen durch kulturelles Lernen konditioniert? Und es ist nicht klar, ob die Daten, vor allem solche physiologischer Art, nicht so undeutlich sind, daß die Relationierung von Textvariablen zu Rezeptionsvariablen wenig aussagekräftig wird.

Die physiologischen Responsemöglichkeiten sind gegenüber spezifischen, von Menschen umgangssprachlich unterschiedenen Emotionen und Empfindungen relativ undifferenziert. Experimente haben gezeigt, daß Versuchspersonen, deren Nervensystem in gleicher Weise erregt wurde, sich euphorisch oder ärgerlich zeigten, je nach dem ob sie sich in euphorisch oder ärgerlich gestimmter Gesellschaft aufhielten[275]. D. h. physiologische Daten sind u. U. als solche zu undifferenziert, um mehr aussagen zu können, als daß eine physiologisch spürbare Reaktion stattfindet. Auf der anderen Seite sind, wie auch schon dargelegt worden ist [§§ 77, 103 f., 141f.], Befragungen von Informanten u. U. wenig ergiebig. Man muß methodisch auf jeden Fall berücksichtigen, daß sie sich falsch, gefiltert oder zu unspezifisch äußern, solange man keinen geeigneten Weg findet, um zu den als intim geschützten Kommunikationsvorgängen vorzudringen.

157.   Leonard B. Meyer, der die Beziehung zwischen Emotionen von Hörern und gehörter Musik untersucht hat, stieß auf vergleichbare Schwierigkeiten (Meyer 1957, 9 ff.). Nach seinen Angaben war die

---

275 Vgl. den Bericht "Basic Research in the Sciences of Behaviour", *Social Science Research Council Items*, XXIII (1969), 53.

Varianz der beobachteten physiologischen Reaktionen unabhängig von Stil, Form, Art des Mediums oder allgemeinem Charakter der Musik (1957, 11). Meyer setzt bestimmte Lernerfahrungen bei Hörern und daraus resultierende Muster von affektivem Verhalten voraus, das dann durch Erforschung der Musik selbst genügend genau festgelegt werden kann. Das ist freilich nur möglich, wenn eine Theorie Hörerreaktionen aus Eigenschaften der Musik vorhersagen läßt. Beim gegenwärtigen Stand scheint das jedoch nur die eben entwickelten Fragestellungen abzuschieben, um sich beruhigt auf die altgeübte Verfahrensweise, die Texte, Musikstücke, etc. „selbst" anzuschauen, zurückziehen zu können.

Wenn, wie bei Meyer 1957, den wir als instruktives Beispiel hier zitieren, keine Abhängigkeiten zwischen Textvariablen und Rezeptionsvariablen festgestellt werden konnten, kann das natürlich zunächst einmal an für die Fragestellung unspezifischer Objektstrukturierung liegen. Die zitierten Objekteigenschaften, die Meyer berücksichtigt, sind einer ziemlich generellen Beschreibungsstufe zuzuordnen. Hier haben wir in den vorhergehenden Kapiteln für die Semiotik der Literatur versucht, besser geeignete Variablenstrukturierungen anzubieten. ‚Besser geeignet' bezieht sich dabei genau darauf, daß wir annehmen, daß solche Strukturierungen für die angegebene Fragestellung Aufschlüsse entsprechen.

158. Doch ist das Dilemma der unklaren Stellung der Reaktionsdaten damit nicht beseitigt. Alle Arbeiten hierzu sind nur insofern nützlich, als sie die Berechtigung der Fragestellung unterstützen und gewisse erste empirische Anhaltspunkte für die weitere Problematisierung liefern. Wir fügen gleich hinzu, daß über derartige Anhaltspunkte u. W. immer noch wenig genug bekannt ist und solche Arbeiten deshalb durchaus weiter betrieben werden sollten. Allerdings würde von dem hier vertretenen Standpunkt her gefordert werden, die Intentionen, die mit solchen Arbeiten verfolgt werden, zu klären.

Für die semiotische Feldforschung müssen deshalb weitere Verfahren entwickelt werden. Wir denken dabei zunächst an die Verfahren: Interview und Strukturumformung. Das Interview würde über gewisse Vorstrukturierung des Objekts von Informanten Reaktionen erfragen. Reaktionen würden also nicht als physiologische Daten über Meßapparate aufgenommen, sondern in verbalisierter Form. Strukturumformung würde gewisse Objekte vorgeben und Informanten bitten, ähnliche Objekte herzustellen. Dann müßten die Ergebnisse ihnen und anderen Informanten vorgelegt und der Grad und die Sorte der Ähnlichkeit beurteilt werden.

Eine weitere experimentelle Arbeit zur Erforschung der Musikrezeption ist hier interessant. Hevner 1936 hat Musikstücke in einer Reihe von Eigenschaften systematisch variiert und den Varianten Charakterisierungen aus einer Liste zuordnen lassen. Dabei ergaben sich signifikante Unterschiede der Streuung dieser Eigenschaften. Damit deutet sich zumindest an, daß Verbalisierung durch Informanten bei genügender experimenteller Kontrolle ein interessantes Instrument der semiotischen Feldforschung sein kann.

159. Wenn gelegentlich linguistisch inspirierte musikologische Arbeiten der letzten Zeit Bedeutung in musikalischer Kommunikation in recht unbestimmtem Licht erscheinen ließen[276], dann nicht zuletzt deshalb, weil nicht klar war, wo man solche Bedeutung vermuten und wissenschaftlich beobachten sollte. Lomax' 1967 folkoristische Untersuchung von kollektiven Gesängen zeigte, daß es sich hier um die Organisation von Kommunikation innerhalb einer Gruppe und die Bestätigung von allen akzeptierter kultureller Annahmen handelt. D. h. Lomax 1967 zeigt auch, daß solche Kommunikation außerhalb der üblichen Vorstellungen von Bedeutung, die an Informationsübertragung oder Referenz auf Realität orientiert sind, liegt und daß es weiterer Ansätze und anderer erfahrungswissenschaftlicher Methoden bedarf, um ihr auf die Spur zu kommen. Besuchern heutiger musikalischer Massenveranstaltungen werden entsprechende Phänomene ja nicht unvertraut sein. Die jährliche Auswahl der in Europa beliebtesten Pop Hits im Fernsehen dürfte auch unter solche Bestätigung von Gemeinsamkeit im Publikum in öffentlicher, weithin zugänglicher Kommunikation zu zählen sein. Sebastian de Grazia versuchte in einer Analyse von Dimitri Schostakowitsch' Siebenter Symphonie zu zeigen, welche Eigenschaften des musikalischen Textes bei amerikanischen Hörern die Reaktion einer übernationalen Sympathie („positiven Identifikation") mit den politischen und militärischen Zielen der Sowjetunion während des Zweiten Weltkriegs hervorrufen wür-

276 Z. B. Nicolas Ruwet, "Musicology and Linguistics", *ISSJ*, XIX (1967), 79—87.

den[277]. Auch hier also die Annahme spezifischer Kommunikation über Musik.

160. Der Verweis auf musikalische Verhältnisse sollte dartun, daß man sich von zu engen Verständnissen von Kommunikation freimachen und neue empirische Verfahrensweisen einführen muß. Am Beispiel narrativer Texte wurde oben versucht, eine Idee von einer solchen Kommunikation über Literatur zu geben [§ 103 f.]. Daß mit entsprechenden Annahmen über literarische Kommunikation in anderen Wissenschaften seit längerem gearbeitet wird, zeigen die zahlreichen inhaltsanalytischen Arbeiten [§§ 82, 90], wie die Verwendung von Texten in projektiven Tests. In projektiven Tests werden Eigenschaften der Persönlichkeit durch die Analyse von variablem Material, in dessen Variierbarkeit sich die Persönlichkeit spezifisch darstellt, untersucht: Aufgaben sind Interpretation oder Verändern (Anfüllen) von Bildern, Geschichten, Handschrift usw. Der Rorschach-Test ist das bekannteste Beispiel. Aufgaben, Geschichten von Versuchspersonen erzählen oder angefangene Geschichten von ihnen zu Ende erzählen zu lassen[278], arbeiten mit der Annahme, daß sich in hier vorkommenden Variationen Motive der Persönlichkeit auffinden lassen. Die Versuchspersonen verfügen offenbar über die Möglichkeit, diese Formen zur Kommunikation in einer von ihnen u. U. selbst nicht verstandenen oder jedenfalls nicht bewußten Weise zu handhaben.

Von hier aus ist nicht ohne weiteres auf die literarische Kommunikation in einer Gesellschaft oder einer Gruppe zu schließen, wie die Inhaltsanalyse von Literatur auf Persönlichkeitsmerkmale ihrer Autoren hin[279] sich nicht ohne weiteres auf eine Kommunikation zwischen Autor und Leser hin auswerten läßt. Jedoch geben solche Arbeiten zu erkennen, daß Kommunikation über Literatur andere Strata als die

---

277 Sebastian de Grazia, "Shostakovich's Seventh Symphony: Reactivity-Speed and Adaptiveness in Musical Symbols", *Psychiatry*, VI (1943), 117—122.

278 Vgl. John E. Bell, *Projective Techniques: A Dynamic Approach to the Study of Personnality*, 3. Auflage (New York [etc.], 1951), S. 59 ff.; John W. Atkinson (Hrsg.), *Motives in Fantasy, Action and Society: A Method of Assessment and Study* (Princeton, N. J. [etc.], 1958).

279 Vgl. Heinz Heckhausen und Karl Maurer, „Über psychologische und literarische Analyse poetischer Texte", *Poetica*, I (1967), 253—283.

üblicherweise erfaßten betreffen kann und daß spezielle empirische
Verfahren nötig sind.

161. Auf die prekäre Lage üblicher Rezeptionsforschung in der Literaturwissenschaft ist früher schon hingewiesen worden [§§ 46, 114].
Allzuhäufig wird die Erforschung der Rezeption beim Leser von Literatur durch Vermutungen über solche Rezeption durch den Interpreten
ersetzt. Diese beruhen wieder nur auf Interpretationen eigener, anhand
bestimmter Techniken gesteuerter Rezeption. So noch bei Fish 1971.
Arbeiten wie Fish 1971 haben sicher den Vorzug, endlich mit der Annahme aufzuräumen, über literarische Bedeutung könne unabhängig
von der Rezeption verhandelt werden. Doch bleibt dies solange eine
bloße Verbeugung, als nicht entsprechende empirische Verfahren zur
Erforschung stattfindender Rezeption eingesetzt werden. Man muß
auch mit der hier vielfach üblichen Annahme aufräumen, daß solche
Rezeption als eine einzelne, individuell ablaufende Rezeption beim
jeweiligen Rezipienten verstanden werden kann, der man zumindest
aushilfsweise durch Introspektion in die eigene Psyche beikommen
könnte (Slatoff 1970, 6 ff.). Slatoff 1970 argumentiert für eine volle
Anerkenntnis der vielfachen emotionalen Verwickeltheit literarischer
Rezeption und für die individuelle Divergenz solcher Rezeption,
gleichzeitig unterschiebt er jedoch aber immer die eigene Reflexion
auf die eigene Lektüre als ungenügende Datenbasis für die Behandlung der Leserrezeption[280]. Rezeption kann nur im Feld der Textverarbeitung begriffen werden.

Unter ähnlichen Problemen leiden auch die Arbeiten von Michael
Riffaterre[281]. Riffaterre hat Reaktionen von Lesern benutzt, um „stilistische Stimuli in literarischen Texten zu isolieren; stilistische
Stimuli oder *devices* sind dabei als aus dem Kontext nicht
vorhersagbare Eigenschaften kenntlich. Riffaterre will damit das

---

280 Norman N. Holland, "Prose and Minds: A Psychoanalytic Approach to
Non-Fiction", in: George Levine und William Madden (Hrsg.), *The Art
of Victorian Prose* (New York [etc.], 1968), S. 314—337, etabliert
auch seine Analyse auf verallgemeinerten Selbstbeobachtungen.
281 Michael Riffaterre, "Criteria for Style Analysis", *Word*, XV (1959),
157—174; ders., "Stylistic Context", *Word*, XVI (1960), 207—218;
ders., „L'étude stylistique des formes littéraires conventionelles", *The
French Review*, XXXVIII (1964), 3—14.

durchschnittliche Leserverhalten festlegen. Damit kann Riffaterre zwar unabhängiges empirisches Material anführen, er gelangt aber nicht zu einer differentiellen Analyse von Texteigenschaften und Rezeptionseigenschaften. In manchen Arbeiten ist er zudem gezwungen, die eigene Interpretation als Reaktionsbeschreibung zu hypostasieren[282].

162. Man braucht für eine Semiotik der Literatur eine breite Batterie empirischer Methoden, die literarische Kommunikation in verschiedenen Stufen der Textverarbeitung aufschließt. Physiologische Beobachtungen liefern nur Indikatoren für mögliche vorhandene Reaktionen. Beschreibung des Rezipientenverhaltens durch Beobachter läßt nur eine grobe Kategorisierung vor. Interviews sind leicht Blockaden ausgesetzt, können aber weit spezifischere Daten liefern, wenn man die Verbalisierungen durch Informanten methodisch kontrollieren kann. Verhalten beim Weiterverarbeiten zu beobachten erlaubt schließlich den Einbau in die Theorie der Textverarbeitung.

Wenn man alltägliches Erzählen durch Sprecher beschreibt — wie Labov-Waletzky 1967 — oder das Auftreten und Weiterverarbeiten von Erzähltexten bei Kindern verfolgt[283], kann man an elementares alltägliches Vorkommen von Texten und ihre Verarbeitung herankommen. Literaturdidaktisches Verhalten zu studieren, erschlösse einen weiteren Raum sozial gesteuerter Verarbeitung. Das Verfolgen von Texteigenschaften in solchen Komplexen wird zur empirischen Basis einer Erforschung der literarischen Kommunikation.

Labov-Waletzky 1967 erbringen typische Verfahren, Erzähltexte zu formulieren, wie sie von Sprachteilnehmern beim alltäglichen Berichten beherrscht werden. Man hat hier einen Ansatz, den Umgang mit Formulierungsverfahren der „literarischen" Kommunikation im Feld zu studieren. Einiges von solchen Verfahren kommt auch in F. C. Bartletts Experimenten zu den Transmissionsprozessen von Folklore-Texten ans Licht; hier gehen Erzähltextproduktion und Text-

---

282 Michael Riffaterre, "Describing Poetic Structures: Two approaches to Baudelaire's *Les Chats*", in Jacques Ehrmann (Hrsg.), *Structuralism* (Garden City, N. Y., 1960), S. 188—230; ders., "The Stylistic Approach to Literary History", *NLH*, II (1970/71), 39—55.

283 Vgl. Ruth Weir, *Language in the Crib* (The Hague, 1962), S. 123.

verarbeitung Hand in Hand[284]. Schließlich mag man auch aus den Experimenten zur thematischen Erinnerung [§ 73] lernen.

Neben die Erforschung zur Rezeption tritt die zum Verhalten bei der Verarbeitung im täglichen Umgang bis zur Didaktik. Die emperische Arbeit kann mithin mindestens auf diesen beiden Gebieten aufbauen.

4.5. Die Wirklichkeit der Literatur

163. Vieles muß in diesem Buch Postulat bleiben. Es können nur Ansatzmöglichkeiten vorgeführt werden. Es kommt im wesentlichen zunächst darauf an, eine Weise, über literarische Kommunikation zu denken und zu sprechen, plausibel zu machen, die die gesellschaftlich stattfindenden Prozesse nicht von jeder Erfahrung bereits abgeschnitten hat. Es kommt darauf an, daß viele etablierte Lehrmeinungen über Literatur erst in ihrer Rolle, die sie innerhalb einer sozialen Steuerung der literarischen Verarbeitung spielen, verständlich werden. Es kommt darauf an, festzuhalten, daß die üblichen Auffassungen es weitgehend verschleiern, welche ungeklärten Abläufe in der literarischen Kommunikation ablaufen.

Literaturwissenschaftler, die sich in der Tradition ihres Faches ausbilden und entwickeln, haben es einigermaßen schwer, sich auf ein derart unverkürztes Objektfeld einzulassen. Immerhin gibt es heute zwei Positionen, die eine neue Richtung andeuten. Es handelt sich um zwei Gesichtspunkte, unter denen literaturwissenschaftliche Arbeit gerechtfertigt wird:

1) Analogie aus der Geschichte der Literatur führt zu geschärfterer Erkenntnis gegenwärtiger Möglichkeiten und Aufgaben[285].

---

284 F. C. Bartlett, "Some Experiments on the Reproduction of Folk Stories", in: Dundes 1965, 247—258 (zuerst in *Folklore*, XXXI [1920], 30—47); ders., *Remembering* (Cambridge, 1927), S. 63—94, 118—146. Vgl. auch die Kritik von Alan Dundes in Dundes 1965, 243 ff. (mit weiterer Literatur).

285 Vgl. z. B. Hans-Wolf Jäger, „Gesellschaftskritische Aspekte der Germanistik", in: Jürgen Kolbe (Hrsg.), *Ansichten einer künftigen Germanistik,* 3. Auflage (München, 1970), S. 60—71; ders., *Politische Kategorien in Poetik und Rhetorik der zweiten Hälfte des 18. Jahrhunderts* (Stuttgart, 1970).

2) Das Studium der Prozesse, die an Texten stattfinden, macht es möglich, Aufgabenstellungen in der Gesellschaft zu diskutieren[286]. Tendentiell könnte Literaturwissenschaft auf dem Weg sein von einer Disziplin, die sich mit Werken oder Texten als Gegenständen befaßt, zu einer Disziplin, die sich mit Prozessen über Texten beschäftigt. Aussagen, die sich darauf beziehen, daß aus analogen Situationen in der Geschichte erschlossen werden kann und gelernt werden kann, welche Rolle Literatur in der heutigen Gesellschaft oder für deren Veränderung spielen kann, möchte ich so verstehen, daß Aussagen über einen Zusammenhang, innerhalb dessen Werke vorkommen, gemacht werden. Ähnlich möchte ich Aussagen, die sich darauf beziehen, daß Texte und deren Verarbeitung in einer Gesellschaft für die Verhandlung von Problemen oder Konflikten eine Rolle spielen, so verstehen, daß wieder nicht Texte Gegenstand sind, sondern die Prozesse, innerhalb derer Texte eine Rolle spielen.

Wenn man das akzeptieren kann, ergibt sich eine höchst interessante Perspektive. Man blickt auf eine Wissenschaft, die Vorgänge und Steuerung von Vorgängen über sprachliche Äußerungen betrifft, speziell Äußerungen von der Art, die traditionell oder nichttraditionell als Literatur klassifiziert werden.

Hier liegt denn auch die eheste Motivation für eine weitere Forschung von der Art, wie sie in diesem Buch vorgeschlagen wird. Die immense Rolle der Textverarbeitung und -verbreitung in der Gesellschaft vor allem über Literaturdidaktik und -tradition ist noch gar nicht eingeschätzt. Erst ein Begreifen der Wirklichkeit von Literatur, wie sie vorkommt, ermöglicht ihr eine neue Wirklichkeit.

---

286 Vgl. z. B. Klaus Briegleb, „Der Editor als Autor: Fünf Thesen zur Auswahlphilologie", in Gunter Martens und Hans Zeller (Hrsg.), *Texte und Varianten: Probleme ihrer Edition und Interpretation* (München, 1971), S. 91—116.

Bibliographie

Bemerkungen zur Bibliographie und Zitation.

Das Verzeichnis enthält nur die für die Anlage und Durchführung der Untersuchung wichtige Literatur. Auf die anderen herangezogenen Veröffentlichungen wird an gegebener Stelle verwiesen. Arabische Ziffer nach dem Zeitschriftentitel gibt das benutzte Heft, römische Ziffer den benutzten Band an.

Das Verzeichnis führt in der linken Kolonne als Abkürzungen die Nachnamen der Verfasser und das Jahr der zitierten Ausgabe. Nur in wenigen Fällen empfahl es sich, von diesem Verfahren abzugehen.

Im Text verweisen Zahlen in ( ) auf die Zählung des zitierten Werkes. In [ ] stehen Verweise innerhalb dieser Untersuchung und Einschübe in Zitaten.

Verzeichnis der abgekürzt zitierten Zeitschriften

ASR	American Sociological Review
Comm.	Communications
FL	Folia Linguistica
ISSJ	International Social Science Journal
JAAC	The Journal of Aesthetics and Art Criticism
JIG	Jahrbuch für Internationale Germanistik
LB	Linguistische Berichte
NLH	New Literary History
NS	Neue Sammlung
PMLA	PMLA. Publications of the Modern Language Association
POQ	Public Opinion Quarterly
STZ	Sprache im technischen Zeitalter

Albrecht 1970	Milton C. Albrecht, James H. Barnett und Mason Griff (Hrsg.), *The Sociology of Art and Literature: A Reader* (London, 1970)
Barry 1970	Jackson G. Barry, *Dramatic Structure: The Shaping of Experience* (Berkeley [etc.], 1970)
Barthes 1964	Roland Barthes, „Eléments de sémiologie", *Comm.*, 4 (1964), 91—135
Barthes 1966	Roland Barthes, „Introduction à l'analyse structurale des récits", *Comm.*, 8 (1966), 1—27

Barthes 1969   Roland Barthes, *Literatur oder Geschichte* (Frankfurt am Main, 1969)

Bercelli 1971   Fabrizio Bercelli, „Teoria dei segni e analisi del contenuto: Considerazioni epistemologiche", in: de Lillo 1971, 193—221.

Berelson 1952   Bernard Berelson, *Content Analysis in Communication Research* (Glencoe, Ill., 1952)

Blackall 1959   Eric A. Blackall, *The Emergence of German as a Literary Language 1700—1775* (Cambridge, 1959)

Brémond 1964   Claude Brémond, „Le message narratif", *Comm.*, 4 (1964), 4—32

Brémond 1966   Claude Brémond, „La logique des possibles narratifs", *Comm.*, 8 (1966) 60—76.

Brémond 1968   Claude Brémond, „Postérité américaine de Propp", *Comm.*, 11 (1968), 148—164

Brouwer 1967   Marten Brouwer, "Prolegomena to a Theory of Mass Communication", in: Thayer 1967, 227—239

Chomsky 1964   Noam Chomsky, "Current Issues in Linguistic Theory", in: Jerry A. Fodor und Jerrold J. Katz (Hrsg.), *The Structure of Language: Readings in the Philosophy of Language* (Englewood Cliffs, N. J., 1964), S. 50—118

Conrady 1966   Karl Otto Conrady, *Einführung in die Neuere deutsche Literaturwissenschaft* (Reinbek bei Hamburg, 1966)

Davids 1969   Jens-Ulrich Davids, *Das Wildwest-Romanheft in der Bundesrepublik: Ursprünge und Strukturen* (Tübingen, 1969)

Dexter-White 1964   L. A. Dexter und D. M. White (Hrsg.), *People, Society, and Mass Communications* (New York, 1964)

Dinu 1968   Mihair Dinu, „Structures linguistiques probabilistes issues de l'étude du théâtre", *Cahiers de linguistique théoretique et appliquée*, V (1968), 29—46

Doležel 1969   Lubomir Doležel, "A Framework for the Statistical Analysis of Style", in: Lubomir Doležel und Richard W. Bailey (Hrsg.), *Statistics and Style* (New York, 1969) S. 10—25

Dubois-Sumpf 1968   Jean Dubois und Joseph Sumpf, „Linguistique et révolution", *Comm.*, 12 (1968), 148—158

Dundes 1965   Alan Dundes (Hrsg.), *The Study of Folklore* (Englewood Cliffs, N. J., 1965)

Ďurišin 1968   D. Ďurišin, „Die wichtigsten Typen literarischer Beziehungen und Zusammenhänge", in: Ziegengeist 1968, 47—58.

Eco 1968   Umberto Eco, *La Struttura assente: Introduzione alla ricerca semiologica* (Mailand, 1968)

Edelman 1965   Murray Edelman, *The Symbolics of Politics* (Urbana, Ill., 1965)

Ejchenbaum 1969   Boris Ejchenbaum, „Das Literarische Leben", in: Striedter 1969, 422—445

Enzensberger 1970   Hans Magnus Enzensberger, „Baukasten zu einer Theorie der Media", *Kursbuch*, 20 (1970) 159—186.

Faccani-Eco 1969   Remo Faccani und Umberto Eco, *I sistemi di segni e lo strutturalismo sovietico* (Milano, 1969)

Finnegan 1970   Ruth Finnegan, *Oral Literature in Africa* (Oxford, 1970)

Fish 1971   Stanley Fish, "Literature in the Reader: Affective Stylistics", *NLH*, II (1970/71), 123—162

Friederich 1959   Werner P. Friederich (Hrsg.), *Comparative Literature: Proceedings of the Second Congress of the International Literature Association*, 2 Bde. (Chapel Hill, N. C., 1959)

Gleitman-Gleitman 1970   Lila R. Gleitman und Henry Gleitman, *Phrase and Paraphrase: Some Innovative Uses of Language* (New York, 1970)

Goldmann 1968   Lucien Goldmann, „The Theatre of Genet: A Sociological Study", *tdr: The Drama Review*, XII, 2 (1968), 51—61.

Greimas 1966   A.-J. Greimas, *Sémantique structurale: Recherche de méthode* (Paris, 1966)

Greimas 1970   A.-J. Greimas et al. (Hrsg.), *Sign, Language, Culture* (The Hague und Paris, 1970)

Guillén 1971   Claudio Guillén, *Literature as System: Essays toward the Theory of Literary History* (Princeton, 1971)

Harris 1951   Zellig S. Harris, *Structural Linguistics*, 4. Aufl.,

(Chicago, 1960; zuerst: *Methods in Structural Linguistics* [Chicago, 1951])

Harweg 1968   Roland Harweg, *Pronomina und Textkonstitution*, Beihefte zu Poetica 2 (München, 1968)

Heidolph 1966   Karl Erich Heidolph, „Kontextbeziehungen zwischen Sätzen in einer generativen Grammatik", *Kybernetika*, II (1966), 274—281.

Helm 1967   June Helm (Ed.), *Essays in the Verbal and Visual Arts* (Seattle und London, 1967)

Hermes 1938   Hans Hermes, *Semiotik: Eine Theorie der Zeichengestalten als Grundlage für Untersuchungen von formalisierten Sprachen* (= Forschungen zur Logik und zur Grundlegung der exakten Wissenschaften 5) (Leipzig, 1938)

Hiller 1971   Gotthilf Gerhard Hiller, „Symbolische Formen im Curriculum der Grundschule", in: Hans Scheuerl (Hrsg.), *Erziehungswissenschaft — Bildungspolitik — Schulreform*, Zeitschrift für Pädagogik, Beih. 9 (Weinheim [etc.], 1971, S. 61—84)

Hjelmslev 1961   Louis Hjelmslev, *Prolegomena to a Theory of Language* (Madison, 1961, dän. Orig.ausg.: Kopenhagen, 1943)

Hockett 1947   Charles F. Hockett, „Problems of Morphemic Analysis", *Language*, XXII (1947), 321—343

Höhle 1966   Thomas Höhle, „Probleme einer marxistischen Literatursoziologie", *Wissenschaftliche Zeitschrift der Martin-Luther-Universität Halle-Wittenberg*, Gesellsch.- und Sprachwiss. R., XV (1966)

Ide 1970   Heinz Ide (Hrsg.), *Bestandsaufnahme Deutschunterricht: Ein Fach in der Krise* (Stuttgart, 1970)

Ihwe 1971 a   Jens Ihwe, *Linguistik in der Literaturwissenschaft: Zur Entwicklung einer modernen Theorie der Literaturwissenschaft* (München, 1971)

Ihwe 1971 b   Jens Ihwe (Hrsg.), *Literaturwissenschaft und Linguistik: Ergebnisse und Perspektiven*, 3 Bde. in 4 Teilen (Frankfurt a. M., 1971/72)

Ihwe 1971c   Jens Ihwe, „On the Foundation of a General Theory of Narrative Structure", *Poetics*, 3 (1972), 5—14.

Isenberg 1971   Horst Isenberg, „Überlegungen zur Texttheorie",
                       in: Ihwe 1971 b, 155—172
Ivo 1969   Hubert Ivo, *Kritischer Deutschunterricht*, (Frank-
                       furt a. M. [etc.], 1969)

Jaeggi 1970   Urs Jaeggi, „Lesen und Schreiben: Thesen zur
                       Literatursoziologie", in: Karl-Heinz Borck und
                       Rudolf Henss (hrsg.), *Der Berliner Germanisten-
                       tag 1968: Vorträge und Berichte* (Heidelberg,
                       1970), S. 157—168.
Jakobson 1960   Roman Jakobson, „Linguistics and Poetics", in:
                       Sebeok 1960, S. 350—377
Jansen 1968   Steen Jansen, „Esquisse d'une théorie de la forme
                       dramatique", *Langages*, 12 (1968), 71—93
Jenne 1969   Michael Jenne, Marlis Krüger, Urs Müller-Plan-
                       tenberg, *Student im Studium: Untersuchungen
                       über Germanistik, klassische Philologie und Phy-
                       sik an drei Universitäten* (Stuttgart, 1969)
Johansen 1949   Svend Johansen, „La notion de signe dans la
                       glossematique et dans l'esthétique", *Recherches
                       structurales 1949* (= Travaux du Cercle lin-
                       guistique de Copenhague, V) (Kopenhagen, 1949)
                       S. 288—303

Kaplan 1943   Abraham Kaplan, „Content Analysis and the
                       Theory of Signs", *Philosophy of Science*, X
                       (1943), 230—241.
Klaus 1969   Georg Klaus, *Die Macht des Wortes: Ein er-
                       kenntnistheoretisch-pragmatisches Traktat*, 5. Auf-
                       lage (Berlin, 1969)
Kloepfer-Oomen 1970   Rolf Kloepfer und Ursula Oomen, *Sprachliche
                       Konstituenten moderner Dichtung: Entwurf einer
                       deskriptiven Poetik — Rimbaud* (Bad Homburg
                       v. d. H., 1970)
Koch 1971 a   Walter A. Koch, *Taxologie des Englischen: Ver-
                       such einer einheitlichen Beschreibung der eng-
                       lischen Grammatik und englischer Texte* (Mün-
                       chen, 1971)
Koch 1971 b   Walter A. Koch, *Varia Semiotica* (Hildesheim,
                       1971)
Kreuzer 1965   Helmut Kreuzer, *Mathematik und Dichtung:
                       Versuche zur Frage einer exakten Literatur-
                       wissenschaft* (München, 1965; zitiert nach [2] 1967)

Kroeber 1971   Karl Kroeber, *Styles in Fictional Structure: The Art of Jane Austin, Charlotte Bronte, George Eliot* (Princeton, N. J., 1971)

Labov 1970   William Labov, „The Study of Language in its Social Context", *Studium Generale*, XXIII (1970), 30—87

Labov-Waletzky 1967   William Labov und Joshua Waletzky, „Narrative Analysis: Oral Versions of Personal Experience", in: Helm 1967, 12—44

Lehmann-Malkiel 1968   Winfried P. Lehmann und Yakov Malkiel (Hrsg.), *Directions for Historical Linguistics* (Austin, Texas, und London, 1968)

Levý 1969   Jiři Levý, *Die Literarische Übersetzung: Theorie einer Kunstgattung* (Frankfurt am Main und Bonn, 1969)

Levý 1970   Jiři Levý, „Generative Poetics", in: Greimas 1970, 548—557

de Lillo 1971   Antonio de Lillo (Hrsg.), *L'analisi del contenuto: Dalla teoria dell' informazione allo strutturalismo* (Bologna, 1971)

Lomax 1967   Alan Lomax, "Special Features of Sung Communication", in: Helm 1967, 109—127

Lotman 1972   Jurij M. Lotman, *Vorlesungen zu einer strukturalen Poetik,* hrsg. Karl Eimermacher (München, 1972)

Luckmann 1969   Thomas Luckmann, „Soziologie der Sprache", in: René König (Hrsg.), *Handbuch der empirischen Sozialforschung*, II (Stuttgart, 1969), S. 1050—1101

Macherey 1966   Pierre Macherey, *Pour une theorie de la production littéraire* (Paris, 1966)

Macksey-Donato 1970   Richard Macksey und Eugenio Donato (Hrsg.), *The Languages of Criticism and the Sciences of Man: The Structuralist Controversy* (Baltimore und London, 1970)

McQuail 1969   Denis McQuail, *Towards a Sociology of Mass Communications* (London, 1969)

Mann 1967   P. H. Mann, "Surveying a Theatre Audience: Findings", *The British Journal of Sociology*, XVIII (1967), 75—90

Marcus 1971   Solomon Marcus, „Ein mathematisch-linguistisches Dramenmodell", *Lili*, I (1971), 139—152

Martel-McCall 1964 M. N. Martel und G. J. McCall, „Reality-Orientation and the Pleasure Principle: A Study of American Mass Periodical Fictions 1890—1955", in: Dexter-White 1964, S. 283—333

Meyer 1956 Leonard B. Meyer, *Emotion and Meaning in Music* (Chicago, 1956)

Möbius 1970 Hanns Möbius, *Arbeiterliteratur in der BRD: Eine Analyse von Industriereportagen und Reportageromanen* (Köln, 1970)

Morazé 1970 Charles Morazé, "Literary Invention", in: Macksey-Donato 1970, 22—55

Morris 1938 Charles Morris, *Foundations of the Theory of Signs* (Chicago, 1938)

Morris 1946 Charles Morris, *Signs, Language, and Behavior* (New York, 1946)

Morris 1964 Charles Morris, *Signification and Significance: A Study of the Relations of Signs and Values* (Cambridge, Mass., 1964)

Mukařovský 1948 Jan Mukařovský, *Kapitel aus der Poetik* (Frankfurt a. M., 1967; zuerst tschech. *Kapitoly z české poetiky* [Prag, 1948])

Mukařovský 1966 Jan Mukařovský, *Kapitel aus der Ästhetik* (Frankfurt am Main, 1970; zuerst tschech. *Studie z Estetiky* [Prag, 1966])

Nisin 1959 Arthur Nisin, *La littérature et le lecteur* (Paris, 1959)

Pagnini 1970 Marcello Pagnini, „Per una semiologica del teotro classico", *Strumenti critici*, 12 (1970), 121—140

Pehlke 1969 Michael Pehlke, „Aufstieg und Fall der Germanistik — Von der Agonie einer bürgerlichen Wissenschaft", in: Jürgen Kolbe (Hrsg.), *Ansichten einer künftigen Germanistik* (München, 1969; 3. Auflage 1970), S. 18—44

Petöfi 1968 S. J. Petöfi, "Notes on the Semantic Interpretation of Verbal Works of Art", *Computational Linguistics*, VII (1968), 79—105.

Petöfi 1971 János S. Petöfi, *Transformationsgrammatiken und eine Kontextuelle Texttheorie: Grundfragen und Konzeptionen* (Frankfurt am Main, 1971)

Propp 1928 Vladimir Propp, *Morphology of the Folktale*, American Folklore Society: Bibliographical and

Special Series 9. (Philadelphia, 1958; russ. Orig. ausg.: Leningrad, 1928)

Roberts 1970 — Kenneth Roberts, *Leisure* (London, 1970)

Ruesch-Kees 1959 — Jurgen Ruesch und Weldon Kees, *Nonverbal Communication: Notes on the Visual Perceptions of Human Relations* (New York, 1959)

de Saussure 1916 — Ferdinand de Sausure, *Cours de Linguistique générale*, hrsg. von Charles Bally und Albert Sechehaye (Paris, 1916 zitiert nach [5] 1960)

Schwencke 1970 — Olaf Schwencke (Hrsg.), *Literatur in Studium und Schule: Loccumer Experten-Überlegungen zur Reform des Philologiestudiums* (I), Loccumer Kolloquien 1 (Loccum, 1970)

Sebeok 1960 — Thomas A. Sebeok (Hrsg.), *Style in Language* (Cambridge, Mass., 1960)

Sebeok 1967 — Thomas A. Sebeok, "Animal Communication", *ISSJ*, XIX (1967), 88—95

Souriau 1950 — Etienne Souriau, *Les deux cent milles situations dramatique* (Paris, 1950)

Striedter 1969 — Jurij Striedter (Hrsg.), *Texte der russischen Formalisten*, Bd. I: *Texte zur allgemeinen Literaturtheorie und zur Theorie der Prosa* (München, 1969)

Suerbaum 1969 — Ulrich Suerbaum, „Der deutsche Shakespeare: Übersetzungsgeschichte und Übersetzungstheorie", in: *Festschrift für Rudolf Stamm*, hrsg. Eduard Kolb und Jörg Hasler (Bern und München, 1969)

Thayer 1967 — Lee Thayer (Hrsg.), *Communication: Concepts and Perspectives* (Washington und London, 1967)

Thorpe — James Thorpe (Hrsg.), *Relations of Literary Study: Essays on Interdisciplinary Contributions* (New York, 1967)

Todorov 1966 — Tzvetan Todorov, „Les catégories du récit littéraire", *Communications*, 8 (1966), 125—151.

Todorov 1967 — Tzvetan Todorov, *Littérature et signification* (Paris, 1967)

Tomashevski 1925 — Boris Tomashevski, „Thématique", in: Tzvetan Todorov (Hrsg.), *Théorie de la littérature* (Paris, 1965), S. 263—307 (Übers. von *Teorija literatury* (Leningrad, 1925), S. 132—165

Trabant 1970   Jürgen Trabant, *Zur Semiologie des literarischen Kunstwerks: Glossematik und Literaturtheorie* (München, 1970)

Tynjanov 1929   Jurig Tynjanov, *Die literarischen Kunstmittel und die Evolution in der Literatur* (Frankfurt am Main, 1967) (russ., 1929)

Uitti 1969   Karl D. Uitti, *Linguistics and Literary Theory* (Englewood Cliffs, N. J., 1969)

Watson 1969   George Watson, *The Study of Literature* (London, 1969)

Weimann 1971   Robert Weimann, „Gegenwart und Vergangenheit in der Literaturgeschichte: Ein ideologiegeschichtlicher und methodologischer Versuch", in: Viktor Žmegač (Hrsg.), *Methoden der deutschen Literaturwissenschaft: Eine Dokumentation* (Frankfurt am Main, 1971), pp. 340—372 (Erweiterte Fassung eines Aufsatzes gleichen Titels in *Weimarer Beiträge*, XVI, 5 (1970), 31—57

Wellek-Warren 1962   René Wellek und Austin Warren, *Theory of Literature*, 3. Auflage (New York, 1962)

Wells 1967   Rulon Wells, "Distinctively Human Semiotics", *Informations sur les sciences sociales*, VI, 6 (1967), 103—124

Wienold 1971 a   Götz Wienold, *Formulierungstheorie — Poetik — Strukturelle Literaturgeschichte: Am Beispiel der altenglischen Dichtung* (Frankfurt am Main, 1971)

Wienold 1971 b   Götz Wienold, Rez. Trabant 1970, *Poetica*, IV 1971), 559—565

Wienold 1972 a   Götz Wienold, „*Deor:* Über Offenheit und Auffüllung von Texten", *Sprachkunst*, III (1972), 000—000

Wienold 1972 b   Götz Wienold, „Aufgaben der Textsortendifferenzierung und Möglichkeiten ihrer experimentellen Überprüfung", in: Elisabeth Gülich und Wolfgang Raible (Hrsg.), *Differenzierungskriterien für Textsorten* (Frankfurt am Main, 1972) S. 000—000

Wienold 1972 c   Götz Wienold, „Die Konstruktion der poetischen Formulierung in Gedichten Paul Celans", in: Walter A. Koch (Hrsg.), *Strukturelle Textanalyse* (Hildesheim und New York, 1972), S. 208—225.

Wienold 1972 d   Götz Wienold, "Experimental Research on Lite-
                        rature: Its Need and Appropriateness, *Poetics*
                        (im Druck)
Wienold 1972 e   Götz Wienold, "On Deriving Models of Narra-
                        tive Analysis fram Models of Discourse Analy-
                        sis", *Poetics*, 3 (1972) 15—28

Ziegengeist 1968   Gerhard Ziegengeist (Hrsg.), *Aktuelle Probleme
                        der vergleichenden Literaturforschung* (Berlin,
                        1968)
Ziolkowski 1970   Theodore Ziolkowski, "On Ontology of An-
                        xiety in the Dramas of Schiller, Goethe and
                        Kleist, in: Jeffrey L. Sammons und Ernst Schürer
                        (Hrsg.), *Lebendige Form: Interpretationen zur
                        Deutschen Literatur: Festschrift für Heinrich E.
                        K. Henel* (München, 1970), S. 121—145.

Indizes

Die Indizes verzeichnen eine Auswahl wichtiger Vorkommen von (1) Namen, (2) Sachen, (3) Symbolen und (4) Texten. Bloße Zitierungen wurden nicht aufgenommen. Die Zahlen hinter den Einträgen beziehen sich auf die Seiten.

(1) Namen

(2) Sachen

(3) Symbole

(4) Texte